UNE GÉNÉALOGIE DU SPIRITUALISME FRANÇAIS

ARCHIVES INTERNATIONALES D'HISTOIRE DES IDÉES

INTERNATIONAL ARCHIVES OF THE HISTORY OF IDEAS

30

DOMINIQUE JANICAUD

UNE GÉNÉALOGIE DU SPIRITUALISME FRANÇAIS

DOMINIQUE JANICAUD

UNE GÉNÉALOGIE DU SPIRITUALISME FRANÇAIS

Aux sources du bergsonisme: RAVAISSON et la métaphysique

MARTINUS NIJHOFF / LA HAYE / 1969

PRINTED IN THE NETHERLANDS

A Madame Alexandre Guinle

SIGLES ET ABRÉVIATIONS

I. *Oeuvres de Bergson:* les références aux textes de Bergson sont données à partir de la pagination des éditions portant les millésimes 1939–1941, pagination indiquée en marge de l'*Édition du Centenaire*, Paris, Presses Universitaires de France, 1959.

D.I. *Essai sur les données immédiates de la conscience.*

M.M. *Matière et Mémoire.*

E.C. *L'Évolution créatrice.*

E.S. *L'Énergie spirituelle.*

P.M. *La Pensée et le Mouvant.*

D.S. *Les Deux Sources de la morale et de la religion.*
Signalons en outre:

E.P. *Écrits et Paroles*, textes rassemblés par R. M. Mossé-Bastide, trois vol. in 8⁰, Paris, Presses Universitaires de France, 1956–1959.

II. *Oeuvres de Ravaisson:*

H. *De l'Habitude*, nouvelle édition précédée d'une introduction par Jean Baruzi, Paris, Presses Universitaires de France, 1957.

E, I *Essai sur la Métaphysique d'Aristote*, tome I, Paris, Imprimerie royale, 1837.

E, II *Essai sur la Métaphysique d'Aristote*, tome II, Paris, de Joubert, 1846.

R. *La Philosophie en France au XIXème siècle*, collection *Recueil de Rapports sur les Progrès des Lettres et des Sciences en France*, Paris, Imprimerie impériale, 1868.

T. *Testament philosophique et fragments*, texte revu et présenté par Charles Devivaise, Paris, Boivin, 1933.

H.J. *Essai sur la Métaphysique d'Aristote, fragments du tome III (Hellénisme, Judaïsme, Christianisme)*, texte établi par Charles Devivaise, Paris, J. Vrin, 1953.

III. *Autres abréviations:*

IN. Maine de Biran, *Influence de l'habitude sur la faculté de penser,* éd. Tisserand, Paris, Presses Universitaires de France, 1954.

D. Joseph Dopp, *Félix Ravaisson, La Formation de sa Pensée d'après des documents inédits,* Louvain, Éditions de l'Institut Supérieur de Philosophie, 1933.

TH. Charles Devivaise, *La Philosophie de Ravaisson,* thèse soutenue à la Faculté des Lettres de Paris en 1952 (dactylographiée).

R.M.M. *Revue de Métaphysique et de Morale.*

B.N. Bibliothèque nationale (Paris).

Ét. berg. *Les Études bergsoniennes.*

AVERTISSEMENT

Mademoiselle Yvonne de Coubertin a eu l'amabilité de nous prêter des manuscrits inédits; M. Devivaise, professeur honoraire à la Faculté des Lettres et Sciences humaines d'Aix-en-Provence, nous a également confié de nombreux textes et nous a fait bénéficier, avec une grande bienveillance, de son expérience, tout comme l'ont fait MM. les Professeurs Pierre-Maxime Schuhl et Jean Cazeneuve, qui naguère publièrent ou étudièrent Ravaisson. Les remarques de M. le Professeur Henri Gouhier nous ont été précieuses pour l'ultime mise au point. Enfin, la compréhension de M. le Professeur I.-S. Revah, les conseils judicieux de M. Paul Dibon ont rendu possible l'édition de l'ouvrage.

Que tous veuillent bien accepter ici le témoignage de notre reconnaissance, ainsi que M. Jean Guitton, de l'Académie française, qui n'a cessé, depuis longtemps, de nous encourager et de nous guider sur la voie assez peu frayée des études ravaissoniennes.

N.B. Nous tenons également à exprimer notre gratitude envers Mme Dubief et Melle Angremy, conservatrices au Département des manuscrits de la Bibliothèque nationale, dont l'aide a facilité nos recherches.

TABLE DES MATIÈRES

FÉLIX RAVAISSON (1813-1900)
(Bibliothèque nationale. Cabinet des estampes)

INTRODUCTION

La situation du spiritualisme français dans l'histoire des idées comme dans l'actualité philosophique est tout à fait particulière. Caractérisé, semble-t-il, par une convergence d'inspiration plus que par le ralliement à un système, ce courant de pensée continue d'exercer une certaine attraction sur des esprits de qualité, sans cependant cristalliser sur lui un intérêt vraiment universel. Discrètement présent au bord de l'horizon intellectuel de ce temps, il ne paraît mis en cause sur les «champs de bataille idéologiques» que comme représentant d'une tradition qui a du mal à faire reconnaître ses authentiques ressources. Face à la montée du marxisme, de la phénoménologie, du structuralisme, il défend des positions que beaucoup croient condamnées. Aussi lui reproche-t-on pêle-mêle son caractère non scientifique, son refus de la dialectique, son irrationalisme, sa morale individualiste, sans compter ses traits étroitement nationaux. Il est certain que, réagissant à la fois contre l'empirisme anglo-saxon et l'idéalisme allemand, ce spiritualisme s'est, en partie, fermé aux apports extérieurs et, en quelque sorte, retranché sur les valeurs nationales; il est non moins certain que, comme par un choc en retour, son influence sur l'étranger a été limitée.[1] Plus décisive pour son orientation future a été son opposition au positivisme et au «scientisme» qui s'étaient constitués, eux-mêmes, contre les prétentions de l'ancienne métaphysique. Ce que des spiritualistes comme Ravaisson, Lachelier, Paul Janet défendent contre Comte, Taine, Littré, c'est le droit absolu de la métaphysique à atteindre l'être et à fonder la connaissance; ils rejettent, non la science, mais les nouveautés qui leur apparaissent comme de dangereux empiètements sur les chasses gardées de la philosophie. On comprend, dès lors, qu'ils cantonnent volontiers la science dans l'étude du monde

[1] De toute évidence, ceci ne vaut pas pour Bergson dont nous allons examiner plus loin l'originalité au sein du spiritualisme français.

physique et, à la rigueur, des phénomènes vitaux, qu'en revanche l'extension des méthodes scientifiques aux sciences morales éveille leur méfiance, voire leurs vives critiques. Leur réaction anti-scientiste ne se sépare pas d'une tentative cohérente et décidée pour faire renaître la métaphysique, la débarrasser de ses anciens défauts et la restaurer en ses droits de toujours; du même coup, la naissante sociologie, l'inchoative psychologie, la balbutiante esthétique ne peuvent obtenir leur autonomie sur des bases scientifiques: elles doivent rester dépendantes de la métaphysique. Aucune semence favorable aux disciplines appelées aujourd'hui «sciences humaines» ne nous semble décelable au sein de ce spiritualisme dont l'âge d'or est, en France, la deuxième moitié du XIXème siècle. Il n'est donc pas surprenant qu'une archéologie des sciences humaines ignore volontairement cette tradition-là: elle ne peut rien y trouver qui soutienne une genèse structurale des visées de la science sur l'homme. Le spiritualisme, dont nous nous proposons d'éclairer la signification à travers les cas particuliers de Ravaisson et de Bergson, récuse l'inclusion intégrale de l'homme et de son esprit dans un réseau clos de relations, dans un savoir refermé sur lui-même, dans une taxinomie. Lévi-Strauss, ne dissociant pas, à ce propos, Bergson de la tradition spiritualiste, reproche à ses anciens professeurs d'avoir préféré l'*Essai sur les données immédiates de la conscience* au *Cours de linguistique générale*:[1] il se montre, ainsi, conséquent dans sa recherche de modèles formels. S'il doit consulter une tradition, c'est le XVIIIème siècle français qui la lui fournira. Il y a, effectivement, moins de distance entre l'Idéologie et le structuralisme qu'entre ce dernier et le spiritualisme. Non seulement les théoriciens d'une grammaire générale, les analystes de la sensation ont abandonné la métaphysique à ses «chimères»: ils ont renoncé à privilégier l'inspiration intérieure aux dépens de la découverte rationnelle d'un ordre du monde. Pour eux, la voie analytique met à l'épreuve les trop promptes évidences du sens intime. Le spiritualisme, certes, ne nie pas ce rôle de l'analyse, pas plus que celui de son complément nécessaire, la synthèse; il prétend viser encore plus haut, rapportant les ultimes synthèses ellesmêmes à une unité suprême, infiniment simple, révélée par l'intuition; par conséquent, il a beau se vouloir positif, la finalité qu'il assigne à sa recherche scelle toutes ses démarches qui, jamais, ne réduiront le monde, ni l'esprit, à des ensembles structuraux.

Cette première confrontation, sous un éclairage actuel, nous invite à

---

[1] *Tristes Tropiques*, Paris, Union Générale d'Éditions, 1962, p. 42; voir l'ensemble du chap. VI: «Comment on devient ethnographe».

approfondir notre enquête. Afin que celle-ci progresse, il nous faut d'abord obtenir un résultat touchant l'objet même de notre étude: ce spiritualisme français, dont nous venons d'évoquer l'influence et certains caractères distinctifs, est-il possible de le définir exhaustivement? La réponse ne peut être fournie par un simple examen du mot *spiritualisme*; il n'y a pas un *en soi* du spiritualisme,[1] et, de plus, nous n'étudions pas le spiritualisme en général, mais un spiritualisme localisé, daté. Si le spiritualisme en général se borne à reconnaître la supériorité et la transcendance de l'esprit, la doctrine qui nous intéresse particulièrement va plus loin, si l'on en croit la précieuse définition de Lachelier, donnée dans le *Vocabulaire* de Lalande:[2] «... il y a un spiritualisme plus profond et plus complet, qui consiste à chercher dans l'esprit l'explication de la nature elle-même, à croire que la pensée inconsciente qui travaille en elle est celle même qui devient consciente en nous, et qu'elle ne travaille que pour arriver à produire un organisme qui lui permette de passer (par la représentation de l'espace) de la forme inconsciente à la forme consciente. C'est ce second spiritualisme qui était, ce me semble, celui de M. Ravaisson». Il est significatif que Lachelier soit amené à citer Ravaisson pour circonscrire la définition la plus cohérente et conséquente du spiritualisme. Celui-ci, à l'inverse du matérialisme tel que le conçoit Auguste Comte, explique donc l'inférieur par le supérieur, à condition qu'on entende par «supérieur» un principe ne se réduisant pas à l'idéal. Dans le célèbre passage de son *Rapport* sur *La Philosophie en France au XIXe siècle* où il annonce une «époque philosophique dont le caractère général serait la prédominance de ce qu'on pourrait appeler un réalisme ou positivisme spiritualiste», Ravaisson prend soin de préciser que son principe n'est pas idéal: ce «principe générateur» est «la conscience que l'esprit prend en lui-même d'une existence dont il reconnaît que toute autre existence dérive et dépend, et qui n'est autre que son action»[3]. Ainsi, le spiritualisme, pour aboutir à une explication du monde par l'activité spirituelle, suppose une prise de conscience qui est, si l'on veut, le *cogito*, mais un *cogito* non idéaliste et non dualiste, animant une nature de même étoffe que lui. Même ce rôle assigné à la conscience suffit-il à distinguer nettement le spiritualisme de doctrines plus anciennes, le thomisme par exemple? La définition de Ravaisson reste encore assez large; pour isoler les caractères

---

[1] Comme le montre l'analyse des variations et des différents sens du mot dans le *Vocabulaire technique et critique de la Philosophie*, par André LALANDE, Paris, P.U.F., 1956, septième édition, pp. 1019–1024.

[2] *Ibid.*, p. 1020.

[3] R., p. 258. Nous aurons à revenir sur cette importante définition.

spécifiques du spiritualisme français, il faut faire appel aux données historiques. Sur ce dernier plan, les choses ne sont pas aussi claires qu'on pourrait le croire: le spiritualisme français n'est pas solidement constitué, comme un noyau, tel l'idéalisme allemand, autour de deux ou trois penseurs à peu près contemporains les uns des autres; à l'instar d'une grande famille, il est tissé de lignages successifs, de cousinages parfois inattendus, il a de lointains ascendants et de nombreuses ramifications. D'où notre essai pour reconstituer sa généalogie à partir du dernier «maillon», le bergsonisme, et dans la perspective privilégiée qu'offre l'oeuvre de Ravaisson sur toute la tradition métaphysique. En effet, si des ancêtres presque directs de nos spiritualistes du XIXème siècle sont à chercher au XVIIème siècle, chez les «spirituels», chez Pascal, Bossuet, Fénelon, c'est, plus profondément encore, la métaphysique grecque dont nous aurons à reconnaître l'héritage.

Parmi les ascendants immédiats, il nous faudra ménager une place à part à Maine de Biran [1] qui, tout en ayant eu pour maîtres les idéologues et les philosophes du XVIIIème siècle, peut être considéré comme le premier «positiviste spiritualiste» authentique et a été reconnu comme tel par Ravaisson aussi bien que par Bergson. Mieux: Biran nous fournira, d'entrée de jeu, l'occasion d'une expérience méthodologique complémentaire de la confrontation entre Ravaisson et Bergson. En effet, dans notre étude liminaire sur *L'habitude chez Ravaisson et Maine de Biran*, nous voudrions faire, sur un point précis (l'habitude) et dans des limites indiscutables (la comparaison entre *De l'Habitude* et l'*Influence de l'habitude sur la faculté de penser*), la patiente épreuve de la complexité des relations tissées entre le spiritualisme constitué de Ravaisson et l'ébauche encore lointaine de ce qui constituera le spiritualisme biranien. Ainsi, à une échelle réduite et pourtant déjà significative, pourra s'opérer la vérification des points de contact effectifs entre penseurs apparentés. Cet essai sera un échantillon autonome de la méthode qui, avec de plus vastes dimensions et à un niveau beaucoup plus général, permettra de dégager et d'établir une généalogie du spiritualisme français.

En tant qu'école ou, si l'on préfère, en tant que famille, le spiritualisme français ne se déploie vraiment que dans la deuxième moitié du XIXème siècle.[2] Comme l'écrit M. Gouhier à propos de l'annonce par Ravaisson du rayonnement du «positivisme spiritualiste»: «Au moment où ces lignes étaient publiées, la manifestation la plus apparente de ce

---

[1] Voir dans notre troisième partie: chap. I, § 1, *Généalogie philosophique*.

[2] Victor Cousin pose un problème particulier. Si l'on n'y regarde pas de trop près, on doit évidemment l'inclure dans la vaste famille du spiritualisme français. Ravaisson, cependant, voyait en lui plus un rhéteur idéaliste, superficiel, qu'un spiritualiste digne de ce nom.

nouvel état d'esprit était l'oeuvre de Ravaisson lui-même; mais les thèses de Lachelier en 1871, d'Emile Boutroux en 1874, de Bergson en 1889, de M. Maurice Blondel en 1893, allaient montrer combien Ravaisson voyait juste et loin».[1] Le spiritualisme français, en son déploiement principal, regroupe donc cette famille d'esprits qui, dans la deuxième moitié du XIXème siècle et même au début du XXème, cherche un renouveau de la métaphysique, et une voie directe vers l'absolu, dans un approfondissement méthodique de la vie intérieure. A cet égard, l'exhortation suivante de Bergson, dans *L'Évolution créatrice*, pourrait presque constituer une des devises du spiritualisme français: «Cherchons, au plus profond de nous-mêmes, le point où nous nous sentons le plus intérieurs à notre propre vie».[2]

Alors que se précisent, sans nul doute, les caractères propres à ce spiritualisme, une nouvelle question surgit, tout à fait essentielle à notre recherche: quelle place faire au bergsonisme au sein de cette famille spirituelle? et d'abord, peut-on l'y inclure entièrement? en fait-il intégralement partie ou ne le déborde-t-il pas, d'une manière ou d'une autre? Qu'il y ait convergence et même rencontre entre Bergson et la tradition spiritualiste, cela ne fait aucun doute, mais dans quelle mesure la pensée bergsonienne revendique-t-elle, en quelque sorte, une place à part? Fait remarquable: quand l'oeuvre de Bergson s'est déployée dans toute son ampleur, à partir de *L'Évolution créatrice*, elle est apparue moins comme une restauration que comme l'instauration d'une science nouvelle;[3] d'autre part, elle ne s'est pas présentée comme défendant exclusivement les valeurs nationales, mais, au contraire, comme ayant une inspiration et une vocation universelles. Philosophie de l'expansion créatrice, le bergsonisme ne prétend-il pas à un contact direct avec l'absolu, sans médiation de la tradition?

Cependant, en s'éloignant progressivement de nous dans le temps, l'oeuvre de Bergson s'encastre mieux, semble-t-il, dans une tradition dont les contemporains discernaient plus difficilement les lignes directrices. En même temps cette oeuvre, avec un recul suffisant, nous révèle ses involutions et ses détours: en quête durant toute sa vie, Bergson n'a pas exposé didactiquement un système; il a posé des jalons, avancé avec plus ou moins de prudence, d'assurance, jusqu'aux limites permises par

---

[1] Introduction aux *Oeuvres choisies de Maine de Biran*, Paris, Aubier, 1942, p. 22.
[2] E.C., p. 201.
[3] Inspirée, en grande partie, du modèle offert par les développements de la biologie. Les passages consacrés dans ce travail aux sciences de la vie sont volontairement limités: nous nous en tenons, pour l'essentiel, à l'apport méthodologique de ces sciences sur les pensées de Bergson et de Ravaisson.

sa méthode. En comparaison des *Données immédiates*, de *Matière et Mémoire*, *L'Évolution créatrice* représente un «bond en avant», une synthèse ingénieuse d'intuitions audacieuses. Quant aux *Deux Sources*, malgré leur appel à l'ouverture, ne ramènent-elles pas vers des chemins plus habituels?

Pour répondre à toutes ces questions, ou du moins les faire mûrir au maximum, nous aurons recours à une méthode qui sera généalogique, en ce sens qu'elle établira «l'ascendance» spiritualiste de Bergson, et ses limites éventuelles, à partir d'une filiation spirituelle choisie comme terme de référence constant: la filiation Ravaisson-Bergson. Notre projet repose, entre autres, sur une hypothèse de base: le rôle de Ravaisson en tant que témoin du spiritualisme français et, à travers ce dernier, d'une certaine tradition métaphysique. Comme nous allons l'expliquer ensuite, une partie entière de ce travail – la deuxième partie – sera consacrée à la démonstration de la qualité particulièrement révélatrice de la pensée ravaissonienne, à la vérification et à l'illustration de son caractère «représentatif». Admettons un instant la validité de notre hypothèse: certains jugements, jusqu'ici inédits, du vieux Ravaisson prennent tout leur relief, car ils montrent non seulement que la pensée bergsonienne [1] apparaissait à Ravaisson en continuité avec la sienne propre, mais encore que le maître pressentait un couronnement mystique dont seules *Les Deux Sources*, plus de trente ans après, devaient affirmer explicitement la portée. Citons simplement cet inédit: «. . . Bergson par l'idée de Force approche de la vérité complète, *mystique*, . . .».[2] Ce texte plaide, évidemment, en faveur de la continuité entre le bergsonisme et le spiritualisme ravaissonien. D'autres pièces viendront se joindre au dossier, qui n'iront pas forcément dans le même sens. Sans préjuger le bilan final, précisons maintenant les termes de la confrontation entre les pensées de Ravaisson et de Bergson.

* * *

Si l'on s'accorde à reconnaître qu'une filiation spirituelle rattache Bergson à Ravaisson, c'est que Bergson lui-même a, maintes fois, sous diverses formes, reconnu sa dette envers Ravaisson, «Je suis certain, confie-t-il à Gilbert Maire, de ne devoir profondément qu'à deux ou trois philosophes . . .: Plotin, Maine de Biran, et quelque peu à Ra-

---

[1] A travers l'*Essai sur les données immédiates* et *Matière et Mémoire*.
[2] Voir en appendice les autres inédits se rapportant à Bergson.

vaisson».[1] «Ravaisson, dit-il à Jacques Chevalier, un maître dont j'estime grandement l'intuition artistique et philosophique ...» ou encore «ce grand seigneur de la philosophie qui avait les mains pleines de trésors et en laissait échapper quelques uns».[2] Bergson ne rend pas seulement hommage à l'originalité, au talent de Ravaisson:[3] en lui, c'est un maître qu'il se reconnaît; et il accepte de se situer dans une perspective ouverte par lui. On peut lire en effet dans l'article sur la *Philosophie française* écrit en 1913, revu en 1933 avec la collaboration d'E. Le Roy: «Ravaisson en 1867, à la fin de son célèbre *Rapport* avait écrit cette phrase prophétique: «A bien des signes, il est permis de prévoir comme peu éloignée une époque philosophique dont le caractère général serait la prédominance de ce qu'on pourrait appeler un réalisme ou positivisme spiritualiste ...» L'évènement a répondu merveilleusement à la prophétie ....»[4] S'il fallait encore un témoignage, nous le trouverions chez Isaac Benrubi à qui Bergson confirme «qu'il accepterait le terme de «réalisme spiritualiste» forgé par Ravaisson et Lachelier».[5] Mais, bien entendu, c'est avant tout la célèbre *Notice* de 1904 sur *La vie et l'oeuvre de Ravaisson* qui nous permet de mesurer la qualité et l'intensité de l'admiration vouée à Ravaisson par Bergson. On pourrait objecter que Bergson a été obligé par les circonstances à écrire sa *Notice*, puisque c'est justement à Ravaisson qu'il succédait à l'Académie des Sciences morales et politiques. Mais rien ni personne ne forçait Bergson à faire l'éloge de son prédécesseur avec tant de soin et surtout d'un ton si chaleureux. Rien non plus ne le contraignait à prolonger l'hommage en publiant le texte au terme de *La Pensée et le Mouvant*: il est incontestable que beaucoup aujourd'hui, même en France, ne connaissent Ravaisson que parce que Bergson en a parlé en des termes inoubliables.

L'hommage bergsonien a d'autant plus de poids qu'il est exceptionnel. Bergson est économe de ses admirations; il ne se reconnaît que «deux ou trois» véritables maîtres comme l'atteste la déclaration à G.

---

[1] G. MAIRE, *Bergson mon maître*, p. 222.
[2] J. CHEVALIER, *Entretiens avec Bergson*, pp. 142, 149.
[3] D'après M. É. DOLLÉANS (*Ét. berg.*, III, p. 159) Bergson a fait lire à G. Maire à 16 ans, en même temps que le *Discours de de la Méthode*, *L'Habitude* de Ravaisson. Bergson n'avait pas moins d'admiration pour les autres ouvrages de Ravaisson: «l'*Essai sur la Métaphysique d'Aristote*, dit-il à I. Benrubi, est le meilleur livre sur le sujet, et cela non seulement en France, mais aussi en Allemagne.» (I. BENRUBI, *Souvenirs sur H. Bergson*, p. 82). Quant à *La Philosophie en France au XIXème siècle*, il écrit à propos de la dernière partie: «Nulle analyse ne donnera une idée de ces admirables pages.» (La vie et l'oeuvre de Ravaisson, P. M., p. 275).
[4] E. P., II, p. 429, n. 1.
[5] I. BENRUBI, *Souvenirs sur H. Bergson*, *op. cit.*, p. 53.

Maire, citée plus haut: Ravaisson n'est pas placé sur le même rang que Plotin et Maine de Biran; il est néanmoins distingué entre beaucoup d'autres. Si tel est son privilège, ce n'est pas parce qu'il est censé avoir influencé Bergson au sens où a voulu l'entendre René Berthelot pour qui le bergsonisme est une sorte de synthèse des pensées de Ravaisson, Schelling, Spencer. Ravaisson serait alors, comme l'écrit plaisamment Thibaudet, «substantifié en une sorte de château d'eau, d'où s'écoulent passivement d'un côté la pensée de Lachelier et de l'autre celle de M. Bergson».[1] Bergson ne pouvait que mépriser un tel chimisme mental.[2] Il rappelle dans une conversation avec I. Benrubi «qu'un penseur vraiment grand ne peut pas être expliqué par ses précurseurs».[3] C'est que, comme l'affirme la conférence de 1911 sur *L'intuition philosophique*, toute philosophie originale ne se révèle qu'imparfaitement à l'analyse, mais se donne à nous d'une seule vue si nous arrivons à percer l'enveloppe des mots, à deviner, à travers la réfraction de l'absolue nouveauté dans le langage habituel, le point unique, le centre secret où prend vie et forme la pensée. «En ce point est quelque chose de simple, d'infiniment simple, de si extraordinairement simple que le philosophe n'a jamais réussi à le dire».[4] Tenter de sympathiser avec cette esssentielle, irréductible et inexprimable simplicité, c'est incontestablement la méthode que dès 1904 Bergson met en pratique en composant sa notice sur Ravaisson. Au lieu de reconstituer pièce à pièce la philosophie du maître disparu, Bergson veut coïncider par un acte indivisible avec le *sens* d'où prend source la thématique ravaissonienne.

Il en résulte un «portrait philosophique» admirable de vie – alors que le texte composé par Boutroux quatre ans plus tôt est d'une sèche correction –, mais où se devinent des traits de l'auteur lui-même. «Le meilleur portrait de lui, relève Mme Mossé-Bastide, peut-être est-ce lui-même qui l'a fait lorsqu'il a parlé de Ravaisson, à qui, par une inconsciente projection, il a prêté des traits qui lui étaient propres».[5] Ce que note ici Mme Mossé-Bastide ne s'applique qu'à des traits psychologiques et moraux. Si nous l'élargissons au domaine proprement philosophique, nous nous trouvons devant un important, mais délicat, problème critique. Qu'est-ce qui nous interdit en effet de penser que le «portrait philosophique» de Ravaisson par Bergson frise l'auto-por-

---

[1] *Le Bergsonisme*, t. II, p. 229.
[2] Cf. I. Benrubi, *op. cit.*, p. 16.
[3] *Id., ibid.*, p. 85.
[4] P. M., p. 119.
[5] R.-M. Mossé-Bastide, *Bergson éducateur*, Paris, P.U.F., 1955, pp. 52–53.

trait? Non seulement rien ne nous en empêche *a priori*, mais Bergson lui-même nous autorise à poser la question, puisque, faisant preuve d'un scrupule qui l'honore, il a publié sa notice sur Ravaisson dans *La Pensée et le mouvant* avec cette note liminaire: «Cette notice sur la vie et les oeuvres de M. Félix Ravaisson-Mollien a paru dans les *Comptes rendus de l'Académie des Sciences morales et politiques*, 1904, t. I, p. 686, après avoir été lue à cette Académie par l'auteur, qui succédait à Ravaisson. Elle a été rééditée comme introduction à Félix Ravaisson, *Testament philosophique et fragments*, volume publié en 1932 par Ch. Devivaise. M. Jacques Chevalier, membre du Comité de publication de la collection où paraissait le volume, avait fait précéder la notice de ces mots: *L'auteur avait songé d'abord à y apporter quelques retouches. Puis il s'est décidé à rééditer ces pages telles quelles, bien qu'elles soient exposées, nous dit-il, au reproche qu'on lui fit alors d'avoir quelque peu «bergsonifié» Ravaisson. Mais c'était peut-être, ajoute M. Bergson, la seule manière de clarifier le sujet, en le prolongeant».[1] Bergson ne conteste pas la justesse du reproche qui lui fut fait, en un temps où l'on connaissait encore de près la pensée de Ravaisson, et par un esprit des plus distingués, Victor Brochard.[2] Il se borne à suggérer une justification dont les attendus implicites sont ceux de sa propre philosophie. «Il n'y a pas d'histoire – confie-t-il une autre fois à J. Chevalier – si ce n'est par le dedans».[3] Ce qui compte, c'est d'être en communion avec l'auteur au niveau du sens. Le véritable historien de la philosophie n'ira pas de la périphérie d'un système au centre; il réanimera la périphérie à partir du centre. Mais il y a là un péril qu'on a plus d'une fois signalé, à titre d'objection contre le bergsonisme: si l'intuition originelle d'un penseur est plus importante que tout le reste et si une inspection mentale nous révèle cette intuition, il devient inutile d'étudier les philosophes dans le détail et les détours; les mises au point, les mots choisis par les grands penseurs n'ont plus qu'une signification pour le moins adjacente: «Les philosophies sont par là, souligne M. Guéroult, arrachées au plan de la problématique, qui est celui de la science cherchant le vrai, pour être transférées sur le plan de l'expression de l'ineffable».[4] Intuition contre intuition, l'histoire de la philosophie ne se distingue plus de la philosophie, mais comment expliquer alors qu'il y ait une histoire de la philosophie et qu'elle ait un sens? Rejette-t-on d'un bloc cette histoire comme la monotone répéti-

---

[1] P.M., p. 253, n. 1.
[2] «C'est le reproche que me fit Brochard» précise Bergson à J. CHEVALIER (*Entretiens avec Henri Bergson*, p. 147).
[3] *Id., ibid.*, p. 55.
[4] *Bergson en face des philosophes*, dans *Ét. berg.*, V, p. 29.

tion des errements de la «métaphysique naturelle» secrétée par l'intelligence humaine? Ou l'accepte-t-on en entier sous prétexte qu'elle révèle déjà, à sa manière, toute la vérité?

L'intuitionisme bergsonien, pris à la lettre, rend simultanément possibles deux conceptions contradictoires, et également arbitraires, de l'histoire de la philosophie.

Pourquoi créditer certains philosophes d'un capital d'inspiration qu'on récuse à d'autres, si dans tous les cas on juge d'après un langage inadéquat au sens? En l'occurrence, pourquoi Ravaisson, et non Cousin ou Renouvier? Et si Bergson prête à Ravaisson plus que celui-ci ne lui a effectivement donné, en le comprenant mieux qu'il ne s'est lui-même compris, ne se dessert-il pas lui-même en estompant sa propre originalité? Il ne faut certes pas expliquer le nouveau à partir de l'ancien, Bergson à partir de Ravaisson, mais comprendre – comme si la chose allait de soi – l'ancien à partir du nouveau revient plus subtilement à méconnaître l'originalité de chacun, et d'abord la sienne propre.

Ceci éclaire le problème très particulier que pose l'étude des rapports entre les philosophies de Bergson et de Ravaisson: il est impossible d'étudier Bergson et Ravaisson comme si les jeux étaient égaux de part et d'autre. La raison en est essentiellement l'existence de la *Notice* de Bergson et le fait qu'entre Ravaisson et nous vient s'interposer une image bergsonienne de Ravaisson dont il est très difficile de discerner les contours tant qu'on a pas entrepris un travail critique sur les textes mêmes; cette entreprise préalable n'a été, à notre connaissance, menée à bien par personne. La *Notice* est une synthèse apparemment si complète et si parfaite de l'oeuvre de Ravaisson qu'elle fait désormais autorité, malgré la note liminaire scrupuleusement ajoutée par Bergson, à la place de cette oeuvre elle-même. Imaginons que tout Platon soit résumé, mais surtout *réinterprété*, dans un grand dialogue composé à la manière du maître par Aristote et que la postérité de contente paresseusement de cette image péripatéticienne de Platon, n'y aurait-il pas là une monumentale négligence à corriger? Il faut évidemment respecter les proportions; nous ne prétendons pas que Ravaisson soit Platon; il n'en reste pas moins que la *Notice* de Bergson est à l'origine d'une non négligeable «erreur d'optique» dans l'histoire de la pensée française. Erreur d'autant plus facile à commettre que les textes de Ravaisson qu'on peut encore se procurer, assez difficilement d'ailleurs, ne composent apparemment pas une oeuvre comme la suite imposante des *Données immédiates*, de *Matière et Mémoire*, etc. Que lit-on encore aujourd'hui de Ravaisson? Dans le meilleur cas, *L'Habitude*, les deux volumes de *l'Essai sur la Métaphysique d'Aristote*, le Rapport sur *La Philosophie en France au XIXème siècle*, à savoir trois volumes d'histoire de la philosophie où la pensée même de Ravaisson n'est discernable qu'à un esprit très attentif et déjà passablement documenté, et un texte dense, d'une cinquantaine de pages, qui n'a cessé d'intriguer, sinon de désespérer, les lecteurs. Des écrits tardifs ont été rassemblés sous le titre de *Testament philosophique*; ils ne donnent qu'une idée incomplète des méditations de Ravaisson durant la dernière partie de sa vie. Dans ces textes, plus ou moins trouvables, aucune exposition exhaustive et claire d'une philosophie que rien ne désigne, par conséquent, à l'attention du public qui prononce les jugements de la postérité. On ne lit donc pas actuellement Ravaisson lui-même, ou à peine; on se fie à Bergson, plus célèbre, et tenu pour plus profond, plus rigoureux, plus créateur que son vieux maître.

D'après ce que nous a rapporté M. le Professeur Devivaise à propos de sa soutenance de thèse, Merleau-Ponty aurait alors affirmé que Ravaisson n'avait d'intérêt que comme précurseur de Bergson. Quand bien même on adopterait ce point de vue arbitrairement restrictif, il resterait à se demander – comme nous avons commencé à le faire – si Bergson ne prête pas plus à Ravaisson qu'il n'a vraiment trouvé chez lui. En épousant le point de vue bergsonien, Merleau-Ponty croit re-mettre Ravaisson à sa modeste place; en fait, la *Notice* de Bergson ac-corde beaucoup à Ravaisson, beaucoup plus peut-être qu'une con-frontation impartiale et soigneuse des textes ne permet de le faire. Voici en effet un penseur qui précède largement Bergson et qui déjà fait plus que pressentir que le «mécanisme ne se suffit pas à lui-même», que le grand artiste développe une «vision mentale simple» en «repro-duisant à sa manière l'effort générateur de la nature», que «plus les sciences de la vie se développeront, plus elles sentiront la nécessité de réintégrer la pensée au sein de la nature», qu'il y a «dans la production originelle de la matière un mouvement inverse de celui qui s'accomplit quand la matière s'organise».[1]

---

[1] Cf. *Notice* de Bergson, dans P.M., pp. 267, 265, 275, 276. Merleau-Ponty nous offre un autre exemple de la «maldonne» que la *Notice* de Bergson réintroduit toujours à propos de Ravaisson. Dans *L'Oeil et l'Esprit* il fait allusion à la «ligne flexueuse» de Ravaisson, mais il cite bien entendu ce dernier à partir de Bergson (*L'Oeil et l'Esprit*, Paris, Gallimard, 1964, pp. 72–73). Selon Merleau-Ponty, «Ravaisson et Bergson ont senti là (c'est-à-dire dans la ligne flexueuse) quelque chose d'important sans oser déchiffrer jusqu'au bout l'oracle». Mais tous les reproches qui suivent visent uniquement Bergson qui «ne cherche guère le serpente-ment individuel que chez les êtres vivants» et en reste à une approche timide de la nature de ce serpentement. Si Merleau-Ponty avait lu Ravaisson, il eût sans doute été plus réservé dans son jugement. Comme nous le verrons plus loin, Ravaisson n'a cessé de méditer la genèse de l'acte pictural, non à partir des contours, mais à partir du «mouvement» propre au motif

La question est de savoir si Ravaisson développe effectivement ces thèmes bergsoniens tels quels et s'il ne développe que ceux-là. Le but de notre travail n'est donc pas d'accorder à Ravaisson plus qu'on ne l'a fait jusqu'ici dans la genèse du bergsonisme, mais de mettre en cause toute approche du rapport Ravaisson-Bergson, qui placerait sous le boisseau la *question préalable* de la valeur de l'interprétation bergsonienne de Ravaisson. C'est là nous interdire un parallèle continu entre les deux auteurs et un plan de type habituel. Lorsqu'il s'agit du rapport de Bergson à Plotin ou à Teilhard de Chardin, la meilleure méthode est incontestablement de rechercher, de thème en thème, les convergences et les divergences entre les penseurs étudiés, comme l'ont fait Mmes Mossé-Bastide et Barthélemy-Madaule. Mais puisque, par hypothèse, nous considérons que la philosophie de Ravaisson souffre du handicap dont nous avons plus haut exposé les motifs principaux, il nous faut accomplir deux démarches préalables pour que s'instaure un dialogue véritable avec la philosophie bergsonienne.

Premièrement, nous devons déterminer dans quelle mesure Bergson a projeté dans la *Notice* ses propres conceptions sur celles de Ravaisson. L'assimilation était d'autant plus facile que les unes et les autres ne sont pas sans affinités; mais des déviations, mêmes minimes, peuvent fausser, si elles se multiplient, toute une perspective. Selon notre hypothèse, la *Notice* de Bergson ferait écran devant l'oeuvre de Ravaisson en la réfractant selon son mode propre et en déformant d'autant sa véritable signification. Bergson, appliquant sa méthode de compréhension «par le dedans», pensait avoir «clarifié le sujet en le prolongeant». Peut-être l'a-t-il, en partie, obscurci en le faisant dévier. En tout cas, la vraisemblance de l'hypothèse de départ étant admise par Bergson lui-même, il est peu douteux que nous ne parvenions facilement à la confirmer. Le résultat est acquis dans son principe; il faut dessiner ses contours effectifs, en établissant et en délimitant avec précision les «bergsonifications»; ce qui implique que finalement prenne forme ce que nous appelons l'interprétation bergsonienne de Ravaisson. Nous ferons donc, dans notre première partie, une lecture sélective de la *Notice*, en ne retenant que les traits essentiels de l'évocation bergsonienne et en confrontant chaque fois l'image avec son modèle.

Deuxièmement, nous devrons tenter de restituer la philosophie de Ravaisson, dans ses principes et dans sa structure générale. On nous

et cela, comme plus tard Merleau-Ponty, en se référant constamment aux grands peintres.

D'une manière comparable, peut-être Ravaisson doit-il être en partie crédité d'un éloge que Sartre décerne à la description bergsonienne de la grâce (*L'être et le néant*, Paris, Gallimard, 1957, p. 470).

objectera que nous risquons de substituer notre propre interprétation à celle de Bergson. Telle n'est pas notre intention, mais quand bien même nous serions victime, nous aussi, d'une inconsciente projection, nous pensons que l'essentiel est que la distance prise vis-à-vis de l'interprétation bergsonienne permette au lecteur d'opérer ce que nous pourrions appeler une *correction de perspective*. Nous prétendons simplement offrir à un esprit sans parti pris la possibilité de juger sur pièces. L'oeuvre de Ravaisson doit se défendre d'elle-même contre les déformations; encore faut-il la lire. La présente tentative repose sur une relecture des textes connus, de quelques-uns depuis longtemps négligés et sur la lecture des inédits provenant du fonds de Coubertin, du fonds de la Bibliothèque nationale – issu du fonds Xavier Léon –, legs récent de M. et Mme Feldmann, enfin des textes qu'a bien voulu nous confier ou nous communiquer M. Devivaise, qui proviennent surtout – semble-t-il – du fonds Léon et du fonds Bottinelli.[1] De cette lecture, nous avons conclu qu'une partie de ces inédits ne serait pas indigne de la publication. Peut-être cette publication rendrait-elle l'oeuvre de Ravaisson moins «confidentielle». On ne peut nier qu'elle le soit aujourd'hui. Certes il existe sur Ravaisson des travaux sérieux,[2] on cite encore parfois certains passages de *L'Habitude*, de *l'Essai sur la Métaphysique d'Aristote* ou le Rapport sur *La Philosophie en France au XIXème siècle*, mais – en fait – Ravaisson n'est guère plus lu, commenté, médité que Lachelier, Lotze ou Spencer. Une pensée, comme une langue, survit ou meurt. Il s'agit de savoir si la pensée, vers laquelle nous nous tournons, peut encore, d'une façon ou d'une autre, nous «parler». Lui insuffler une «actualité» de circonstance serait une opération artificielle et vaine. Si elle est originelle, cette pensée n'a pas besoin d'être strictement «actuelle» pour revendiquer notre méditation: elle correspond à un moment de l'histoire de l'Esprit, elle est digne de notre mémoire. Qu'on ne se méprenne pas: le but de notre travail n'est pas apologétique; nous ne prétendons pas que Ravaisson soit un philosophe plus important que Bergson, nous pensons simplement qu'il faut cesser de se contenter de regarder la philosophie ravaissonienne à travers les lunettes bergsoniennes, mais qu'il faut étudier Ravaisson lui-même.

Voilà quel sera l'esprit de notre seconde partie. Bergson n'y sera évidemment pas au premier plan; il y reviendra dans notre troisième et dernière partie où s'ouvrira et se déploiera la confrontation entre les deux pensées. Les deux premières parties constituent – avons-nous dit –

---

[1] Cf. Bibliographie, Ravaisson, *Sources manuscrites.*
[2] Cf. *ibid., Sources imprimées,* 2ème partie.

des démarches préalables à l'étude de la «filiation philosophique» Ravaisson-Bergson. Après avoir fait leur part aux données historiques
concernant les relations entre les deux philosophes, nous vérifierons la
vraisemblance de la filiation à partir des convergences constatées entre
les deux pensées, puis nous en préciserons les limites. Nous nous efforcerons à cet égard de mettre en relief la radicale nouveauté de certains
thèmes dominants du bergsonisme par rapport au legs ravaissonien.
Cette nouveauté ressortira d'autant mieux qu'aucune «illusion rétro-
spective» abusive ne rendra Ravaisson plus prébergsonien qu'il n'est.
Notre dernière partie bénéficiera de la clarification opérée dans les
deux premières, mais en même temps elle les couronnera et permettra
de donner au débat toute sa dimension. Des critiques, des indications
qui auraient pu paraître d'abord partielles, dans le cours du développement se verront finalement justifiées, comme en montagne une progression dans l'ascension permet de comprendre la nécessité d'un
détour. C'est un dialogue équilibré qui devrait donc s'instaurer, peut-
être plus équilibré, certainement plus méthodique, malheureusement
– et pour cause – moins vivant que celui qui s'ouvrait lorsque «dans son
cabinet du quai Voltaire, qui avait une vue admirable sur la Seine»,
Ravaisson en veston rouge recevait Bergson et s'entretenait avec lui
«de toutes choses, d'art, de métaphysique, d'histoire, en partant toujours des Grecs, d'une manière qui vous inspirait!» [1]

---

[1] D'après J. Chevalier, *Entretiens avec Henri Bergson, op. cit.*, p. 239.

ÉTUDE LIMINAIRE

L'HABITUDE SELON RAVAISSON ET MAINE DE BIRAN

d'après *De l'Habitude*
et *Influence de l'habitude sur la faculté de penser* [1]

Confronter les pensées de Maine de Biran et de Ravaisson sur l'habitude, c'est avant tout porter en regard l'un de l'autre les deux ouvrages expressément consacrés par ces auteurs à ce sujet, à trente-six ans de distance: le mémoire de Maine de Biran intitulé *Influence de l'habitude sur la faculté de penser* publié chez Henrichs en l'an XI (1803) [2] et la célèbre thèse de Ravaisson, *De l'Habitude,* soutenue le 26 décembre 1838. Quoique le rapprochement des deux livres soit justifié non seulement par le sujet traité, mais encore par le fait que Ravaisson se réfère maintes fois à son prédécesseur,[3] il ne faut point masquer dès l'abord

---

[1] Cette étude qui a été publiée dans la *Revue Philosophique de la France et de l'Étranger* (janvier–mars 1968) et dont M. Schuhl a bien voulu autoriser la reproduction – ce dont nous le remercions – constitue, comme nous l'avons indiqué dans l'introduction, un échantillon de notre méthode ou, si l'on préfère, un essai au sens cartésien, un *specimen* de l'expérimentation qui se développera dans le reste du présent ouvrage.

[2] On sait qu'il existe deux *Mémoires sur l'habitude* de Maine de Biran. Le premier fut écrit après la mise au concours, le 15 vendémiaire an VIII (6 octobre 1799), du sujet suivant: «Déterminer quelle est l'influence de l'habitude sur la faculté de penser, ou, en d'autres termes, faire voir l'effet que produit sur chacune de nos facultés intellectuelles la fréquente répétition des mêmes opérations». Maine de Biran n'ayant pas obtenu le prix, mais une mention très honorable, remania, augmenta son texte et obtint finalement le prix le 17 messidor an X (6 juillet 1802). C'est le second mémoire – augmenté toutefois de notes dont certaines sont capitales – qui fut publié l'année suivante et qui fut donc seul connu de Ravaisson. Les différences, assez minimes, entre les deux versions et les ajouts avant l'impression sont signalés dans l'éd. TISSERAND qui comporte même en appendice l'introduction du *brouillon* du Premier Mémoire, déjà supprimé dans le manuscrit. Un bilan de la comparaison entre les diverses versions et une bibliographie de la question se trouvent dans le livre de M. GOUHIER, *Les conversions de Maine de Biran*, pp. 121 sqq. Alors que Picavet et Tisserand décèlent entre les versions une évolution vers le spiritualisme, M. Gouhier, à la suite de V. Delbos, est très réservé sur ce point: là où Picavet et Tisserand cherchent l'histoire d'une pensée, «reconnaissons d'abord l'histoire d'un livre» (*op. cit.*, p. 129).

[3] Treize fois: H., pp. 16, 18, 21, 22, 23 (deux fois), 25, 27, 29, 30, 41, 48, 53. Ravaisson donnant ses références dans l'éd. HENRICHS de l'an XI, rare aujourd'hui, nous pensons qu'une «table des correspondances» avec l'éd. TISSERAND peut être utile à nos lecteurs.
(H., p. 18) éd. an XI, p. 299 =   éd. TISSERAND, p. 156
(H., p. 22) éd. an XI, pp. 17 sq. =   éd. TISSERAND, pp. 14 sq.
(H., p. 23) éd. an XI, pp. 27 sq. =   éd. TISSERAND, pp. 18 sq.

la divergence que trahit le contraste des titres: la thèse de Ravaisson étudie l'habitude en elle-même, l'essence du phénomène, Maine de Biran se borne apparemment à relever et à connoter ses effets.

«Dans tout ce qui va suivre – nous avertit Biran dès l'introduction – je n'ai d'autre vue que de rechercher et d'analyser des *effets*, tels qu'il nous est donné de les connaître . . .»[1] Le champ où s'offrent à nous ces effets est double; la réflexion intérieure et l'observation du «jeu des organes» - domaine à la fois psychologique et physiologique – se déploient selon un parallélisme tel que, si l'espace ainsi délimité est double, la méthode est unique: c'est la physiologie qui sert à comprendre le monde mental, et non l'inverse. En portant ainsi «la physique dans la métaphysique,» Biran précise bien qu'à la suite des idéologues (Condillac, Bonnet, Destutt de Tracy, etc.) il renonce à la recherche des causes. *L'Habitude* de Ravaisson s'oppose, dès la première ligne, à l'anti-métaphysisme de Biran: alors que celui-ci affirme que «nous ne savons rien sur la nature des forces»,[2] Ravaisson situe d'emblée sa pensée au niveau de l'essence: «L'habitude, dans le sens le plus étendu, est la manière d'être générale et permanente . . .»[3] – et il assigne pour objet à l'habitude la nature de la seconde nature. Les épigraphes choisies sont révélatrices: Maine de Biran se place sous le patronage de Bonnet, Ravaisson sous celui d'Aristote. Ravaisson ne peut, dans ces conditions, que trouver étroite et stérile la limitation que Biran impose à sa propre recherche, en se condamnant à ne pas remonter du conséquent à l'antécédent, c'est-à-dire à ne pas tirer toutes les conséquences du conséquent. Maine de Biran s'en tient au *comment*; Ravaisson remonte au *pourquoi*; il ne se contente pas de constater la «loi apparente» de l'habitude, mais s'efforce d'en «appendre le *comment* et le *pourquoi*, d'en pénéter la génération, et d'en comprendre la cause».[4]

La présente opposition dessine encore trop schématiquement la divergence réelle entre nos deux auteurs. Que Ravaisson s'enquière des causes n'implique pas qu'il ignore les effets, que Maine de Biran

(H., p. 25) éd. an XI, p. 41 =   éd. Tisserand, p. 26.
(H., p. 29) éd. an XI, p. 110 =   éd. Tisserand, pp. 60–61.
(H., p. 30) éd. an XI, *id.* =   éd. Tisserand, *id.*
(H., p. 41) éd. an XI, p. 28, note = éd. Tisserand, p. 19, note 1.
(H., p. 48) éd. an XI, p. 124, note = éd. Tisserand, p. 67, note.
Toutes les fois que nous n'avons pas donné la correspondance, Ravaisson cite Maine de Biran *passim*.
    Nous citons l'éd. Tisserand de Maine de Biran d'après la réimpression de 1954; l'éd. Baruzi de *L'Habitude* d'après la réimpression de 1957.
    [1] IN., p. 11.
    [2] *Ibid.*
    [3] H., p. 1.
    [4] *Ibid.*, p. 16.

veuille s'en tenir aux effets n'exclut pas que son étude dépende de certaines présuppositions concernant les causes.

* * *

Tenons-nous d'abord sur le terrain des *effets*. Comment Biran et
Ravaisson s'y rencontrent-ils? En premier lieu, pour noter que ces
effets s'opposent et divergent: d'un côté, l'habitude n'est que la reconduction de plus en plus affaiblie d'une impression qui s'atténue
comme un écho mourant; de l'autre, la répétition de l'action la clarifie,
la facilite, assure son perfectionnement. Nous éprouvons constamment,
dans la vie, cette ambivalence de l'habitude: *Janus bifrons* travaillant,
comme le temps même, à la croissance et à l'épanouissement, comme à
la déchéance et à l'usure. Sans habitude, pas de maturation de l'intelligence, du goût, c'est-à-dire ni intelligence, ni goût, mais, à force
d'habitude, que de sources taries, de fraîcheur perdue, et, dans le linceul gris de la routine, que d'enthousiasmes ensevelis! L'habitude, à
la longue, ne nous mène-t-elle pas à une mort lente, ne meurt-on pas
d'être habitué à la vie? C'est ce qu'écrit Hegel: *Der Tod des Individuums
aus sich selbst*, la mort de l'individu vient de lui-même, de sa nature
d'individu dont l'inadéquation à l'universel n'est pas compensée par les
tentatives d'objectivation abstraite;[1] ainsi l'individu ne meurt pas tant
d'être habitué à la vie qu'à *sa* vie, à son caractère renforcé par ses
habitudes, à sa finitude. Mais si l'habitude recouvre du voile de la
familiarité quotidienne son visage mortifère, elle laisse ordinairement
mieux transparaître – semble-t-il – l'autre face, et c'est comme indispensable auxiliaire qu'au meilleur de nous-mêmes nous apprenons à
la connaître. En définitive, est-elle bonne, est-elle nocive? Faut-il s'en
défier ou lui faire confiance? Au premier abord, Maine de Biran paraît
plutôt sensible au côté négatif, Ravaisson à l'aspect positif, mais tous
deux s'accordent pour constater cette disparité des effets de l'habitude,
déjà notée par Cabanis, par les Écossais, ou encore par Destutt de
Tracy qui écrit: «Vous y voyez la sensibilité physique et la sensibilité
morale attiédie et exaltée, la mémoire engourdie ou rendue très vive,
les mouvements devenus très faciles, mais tantôt dépendants de la
volonté à un point extrême, tantôt absolument involontaires, des jugements d'une finesse singulière, d'autres si confus qu'on n'en a même pas
la conscience . . .».[2]

---

[1] *Encyclopädie der philosophischen Wissenschaften*, paragr. 375.
[2] *Mémoires de l'Institut national*, p. 435, cité par TISSERAND, *op. cit.*, p. XXVII.

«Qu'est-ce donc que ce *protée* d'habitude qui vous échappe quand nous croyons l'avoir saisi, qui, tantôt irrite notre sensibilité, tantôt affaiblit, tantôt ravive nos modifications?» [1] Maine de Biran, qui écrit ces lignes apparemment désabusées au beau milieu de son livre, doit, pour dégager les lois de l'habitude, résoudre un délicat problème méthodologique. Car, si la philosophie est conçue comme Idéologie et analyse des facultés, l'habitude qui assure l'entreprise de l'inconscient physiologique ne va-t-elle pas offrir un obstacle irréductible à l'esprit qui l'investit? «Philosopher, – lisons-nous dans le *Journal* – c'est réfléchir, faire usage de sa raison, en tout et partout, dans le tourbillon du monde comme dans la solitude et le cabinet».[2] Or, comme le remarque Biran dès le début de l'*Influence de l'habitude*: «Nul ne réfléchit l'habitude»[3]: alors que la réflexion exige une résistance, l'habitude émousse tout contour, dilue tout obstacle. D'où les expressions employées par Biran pour désigner l'*a priori* devant quoi l'habitude nous place: l'habitude nous a fait descendre une pente qu'il faut remonter, ou encore a effacé la «ligne de démarcation entre les actes volontaires et involontaires», qu'il nous faut mettre à nu.[4] En somme, l'habitude est l'adversaire que l'analyse philosophique doit vaincre, elle est l'ennemi intime qui a installé ses quartiers en nous. Le philosophe va donc essayer d'obtenir un retournement de situation: comme sur le terrain, le premier choc est le plus rude et le plus décisif: «La première *réflexion* est en tout le pas le le plus difficile: il n'appartient qu'au génie de le franchir».[5] Même le génie, précise Biran, n'obtient qu'une analyse grossière aux éléments encore indistincts; comme, en outre, Maine de Biran ne se range pas dans la catégorie des grands hommes, mais des êtres que seule leur complexion délicate oblige à ménager et à observer leur corps, il se sert d'un subterfuge auquel les premiers maîtres eux-mêmes ont dû recourir: substituer à une impossible analyse une synthèse hypothétique et comparer les «résultats hypothétiques avec les produits complexes réels».[6] L'observation des effets de l'habitude ne consiste donc pas chez Biran en un passif enregistrement, mais en une épreuve imposée à son hypothèse de départ par un disciple de Bonnet et de Condillac, qui a appris dans l'*Essai analytique* et dans le *Traité des sensations* à distinguer les facultés fondamentales et à décomposer les opérations principales de l'enten-

---

[1] IN., pp. 99–100.
[2] Juin 1816, p. 233.
[3] IN., p. 7.
[4] *Ibid.*, p. 9 et p. 69.
[5] *Ibid.*, p. 7.
[6] *Ibid.*, p. 8.

dement, et, d'un autre côté, par un admirateur de Cabanis, par un lecteur des *Nouveaux Eléments de la science de l'homme* de Barthez, attentif à déceler l'oeuvre de la «sensibilité interne» dans l'organisation des connexions sensorielles. Mais, s'il s'inspire de l'Idéologie pour trouver un critérium de distinction, d'abord hypothétique, des effets de l'habitude, et de la physiologie pour affiner ses observations et nuancer ses premières inductions, il ne peut se satisfaire des principes d'explication proposés par l'une et par l'autre. La théorie condillacienne ne permet pas d'expliquer la disparité des effets de l'habitude : si la conscience est constituée de sensations répétées, tout est habitude, mais comment expliquer que de l'habitude même surgisse une activité spirituelle? Faut-il disperser la conscience dans les impressions venues de l'extérieur, faute de la concentrer d'emblée dans un centre spécifique? Ou plutôt, les sensations doivent être indûment douées d'un grain de conscience pour qu'à partir d'elles puisse germer l'esprit; la genèse de l'activité perceptive à partir de la sensation est aussi fallacieuse que celle de la parole à partir du langage d'action: on en tire d'autant plus facilement le langage syntaxique et articulé qu'on en a, dès l'origine, présupposé la possibilité. Le monisme naturaliste est donc incapable d'éclairer la foncière dualité qui résulte de l'exercice de l'habitude. Cabanis, dans son *Troisième Mémoire*, donne une explication purement physiologique: s'il y a passage, dans l'exercice d'un organe, de la facilitation à l'affaiblissement des impressions, c'est qu'une borne d'excitation a été franchie, c'est qu'une répétition trop fréquente ou trop rapide a comme détraqué l'habitude. On constate, en effet, jusque dans les habitudes mentales, cette limitation à respecter, qui est la règle d'or de tout apprentissage. Mais comment expliquer que certaines sensations s'émoussent sans même être exagérément répétées, que des perceptions se précisent et se clarifient encore, après des années, au delà de tout seuil calculable? Ne serait-ce pas que l'habitude dépend avant tout de l'attention? C'est ce que pense Destutt de Tracy, maître et ami de Biran: on sait qu'il réagit contre Condillac en distinguant de la pure sensation que je subis, la *motilité* que je perçois lorsque, sous le contrecoup d'une résistance, je prends conscience de mon activité dans la réaction contre l'obstacle. Pour Tracy, il y aurait perfectionnement grâce à l'habitude, dans la mesure où il y aurait meilleur discernement des rapports. Tracy reconnaît qu'il y a mise en oeuvre d'activité dans l'habitude, mais il en vient – sous ce prétexte – à doter toutes les habitudes d'activité. Ce qui n'est pas jugé ne serait-il pas rappelé d'une certaine façon, ne serait-ce que par l'intermédiaire des signes passifs de l'imagination? Victor Delbos caractérise fort justement l'insuffisance de la thèse de Tracy lorsqu'il écrit qu'en «faisant porter sur les jugements seuls l'influence directe de l'habitude», cette théorie exagérément idéologique «tenait pour un accident la disparité des formes indirectes de cette influence et qu'elle négligeait de s'appuyer sur la relation ou le parallélisme des facultés intellectuelles avec les états organiques».[1]

La théorie de Destutt de Tracy doit donc être, elle aussi, corrigée: elle ne peut s'appliquer à toutes les habitudes. Nous constatons, au terme de cette rapide revue des solutions qui s'offrent à Maine de Biran, que celui-ci se voit contraint de rectifier à la fois l'Idéologie et la physiologie tout en s'inspirant de l'une et de l'autre. Malgré tout, c'est chez Destutt qu'il trouve et qu'il confirme son intuition première, le principe qui va le guider désormais: c'est de la *motilité* qu'il faut partir pour comprendre comment est posé le premier «rapport d'existence», comment le *moi* se distingue du monde et discerne ses composants – Maine de Biran rend très clairement hommage à Destutt de Tracy sur ce point [2] –, ensuite, il n'est pas difficile de préciser qu'il subsiste malgré tout des sensations, mais à condition d'entendre sous ce terme une modification simple sur laquelle je n'exerce aucun pouvoir. Biran range sous le terme générique d'*impression* le fait primitif qui se divise en sensations et perceptions: la sensation est une impression passive qui se fait en moi sans moi, la perception une impression active qui non seulement s'opère avec mon concours, mais à la clarté de mon «sens intime».[3] Or, cette distinction fondamentale fournit justement à Biran l'hypothèse d'explication qu'il cherche, puisque l'expérience confirme que la répétition de la sensation ne mène qu'à son extinction progressive tandis que la perception se perfectionne dans l'habitude: «La sensation, continuée ou répétée, se flétrit, *s'obscurcit* graduellement sans laisser après elle aucune trace».[4] En revanche, «le mouvement répété devient toujours plus précis, plus prompt et plus facile . . .».[5] L'hypothèse vérifiée devient loi: la disparité des effets de l'habitude est-elle par là expliquée? Un *distinguo* est-il une explication? Ce qui reste inexpliqué, c'est maintenant la distinction entre le passif et l'actif, qui règne sur tout le livre de Biran, rigidement divisé en deux sections: *Habitudes passives*; *Habitudes actives*. La distinction des facultés nous paraît une

---

[1] *Les deux mémoires de Maine de Biran sur l'habitude*, dans *L'Année philosophique*, 1910, pp. 133–134.
[2] IN., p. 15, n. 1.
[3] *Ibid.*, p. 14.
[4] *Ibid.*, p. 197.
[5] *Ibid.* Par mouvement, Maine de Biran entend ici: mouvement volontaire.

solution insuffisamment explicative: Maine de Biran se révèle ici trop fidèle à la méthode idéologique, avant tout analytique; l'Idéologie suit une méthode analogue à la chimie de son temps, s'arrêtant aux corps simples: si la chimie des corps simples est aujourd'hui dépassée, que dire de la chimie de l'esprit?

Mais il faut se rendre à l'évidence: l'habitude a commencé à livrer ses mystères, la situation est renversée en faveur du philosophe. L'habitude n'est pas seulement mieux connue: elle devient un moyen de connaissance. En effet, si la distinction des facultés explique la disparité des effets de l'habitude, en retour celle-ci permet de remonter aux facultés d'origine: «L'influence de l'habitude est une épreuve certaine, à laquelle nous pouvons soumettre ces facultés, pour reconnaître l'identité ou la diversité de leur origine ...».[1] L'habitude devient un instrument, une «espèce de creuset» indispensable à l'analyste de l'esprit humain.

Ravaisson, tout en suivant une méthode autre, constate, lui aussi, la dualité des résultats du changement et l'éclaire par la même distinction entre action et passion. «La continuité ou la répétition de la passion l'affaiblit; la continuité ou la répétition de l'action l'exalte et la fortifie.»[2] Il serait téméraire d'en conclure qu'il a subi ici l'influence exclusive de Maine de Biran; il nous avertit lui-même en note, après avoir cité – avec Biran – Destutt de Tracy, Dugald Stewart, Butler, Bichat, Schrader: «La plupart des auteurs qui ont traité de l'habitude ont aperçu cette loi». De toute façon – pour nous en tenir aux auteurs qui nous occupent – ni Maine de Biran ni Ravaisson n'en restent à la formulation de cette loi encore trop générale. La passivité et l'activité, la sensation et la perception ne sont pas compréhensibles hors du rapport conscient qui les fait apparaître et les «enveloppe», car il est leur «lieu d'équilibre»:[3] l'effort. On décèle très nettement dans *L'Habitude* l'écho du thème biranien; celui-ci est loin d'avoir atteint, dès l'*Influence de l'habitude*, l'importance qu'il prendra par la suite dans les méditations de Maine de Biran: Ravaisson se réfère cependant plusieurs fois à Biran quand il aborde cette question.[4] Nous lisons sous la plume de Biran que l'impression d'effort est «l'origine commune de nos perceptions et de nos idées»;[5] chez Ravaisson, l'effort est la «condition pre-

[1] IN., p. 198.
[2] H., p. 27.
[3] *Ibid.*, p. 21 et 22.
[4] *Ibid.*, pp. 30, 41.
[5] IN., p. 35.

mière» de la conscience et de la connaissance distincte.[1] Pour l'un comme pour l'autre, c'est dans et par l'effort que s'opère la prise de conscience de notre activité: en quelque sorte à rebrousse-poil de nos habitudes, puisque la résistance qui fait surgir l'effort rompt le ton qui s'était établi entre l'organe et l'excitant. Il faut donc qu'il y ait, si l'on veut, déchirure de l'habitude pour que la tension qu'elle sous-tend soit portée à la lumière de la conscience. Voici pour la naissance de l'effort. A l'autre extrémité, il y a de nouveau avec l'habitude un jeu de substitution, cette fois en sens inverse: l'effort, origine et marque de la connaissance consciente, est lui-même contaminé par l'habitude, il s'affaiblit par répétition; avec la résistance, la réflexion diminue progressivement.[2] En conséquence, d'un côté l'effort se présente comme une victoire remportée sur l'inconscience, mais une victoire toute précaire, de l'autre, plus profondément, l'effort représente le développement de ce dont l'habitude est l'enveloppement, le négatif au sens photographique; l'effort fait se dessiner les contours de sensations, de gestes, de paroles que l'habitude a formés dans l'ombre, mais qui y resteraient à jamais si l'effort ne venait les en tirer. Effort et habitude: deux antagonistes dans une certaine mesure complémentaires, mais dont les domaines ne se recouvrent pas, dont les forces ne se balancent pas symétriquement: l'inconscient est plus vaste que le conscient, l'effort est investi et guetté par l'habitude. Antérieurement et ultérieurement à lui-même, l'effort suppose l'habitude, mais l'inverse n'est pas vrai. Ainsi, même chez Ravaisson – dont le sujet dans *L'Habitude* est plus vaste que celui de Biran dans l'*Influence* – puisqu'il traite de l'habitude en général, des greffes végétales jusqu'à la mémoire – le principe d'explication est trouvé dans la conscience et c'est par l'expérience de l'effort que se révèle à la conscience sa propre activité. «C'est donc dans la conscience seule que nous pouvons trouver le type de l'habitude».[3] On voit déjà percer cette idée dans une note de l'Introduction de l'*Influence de l'habitude:* Biran y souligne l'ambiguïté du terme *sensation* et découvre que le jugement *Je sens que je sens* n'est pas tautologique: «les deux *sens* accolés l'un à l'autre n'ont point la même signification: le dernier exprimant la modification simple du plaisir ou de la douleur, tandis que l'autre désigne cet acte par lequel je me sépare en quelque sorte de ma modification».[4] Biran est encore ici trop timide, trop lié à sa formation condillacienne; il ne voit pas qu'il n'y a

---

[1] H., p. 21.
[2] *Ibid.*, p. 23 et IN., p. 18.
[3] H., p. 16.
[4] IN., p. 16.

pas de modification sans action, qu'il n'y a pas de sensation pure, ou plutôt que celle-ci – selon l'expression de Merleau-Ponty – n'est que «l'effet dernier de la connaissance».[1] Ce qu'il voit en revanche, c'est que je ne parviens à la conscience de mon activité qu'à travers l'effort, rapport entre un «sujet ou une volonté qui détermine le mouvement» et un «terme qui résiste»[2] pour se heurter – suivi en cela une fois de plus par Ravaisson – au cercle clos par la supposition réciproque de l'effort et de la volonté: «Sans résistance il n'y a pas d'effort ni de volonté; d'un autre côté la résistance suppose le mouvement volontaire ..., il semble donc que l'on tourne ici dans un cercle vicieux».[3] Ravaisson reprend ce passage en s'y référant expressément,[4] mais s'il sort du cercle en remontant – comme Biran – à l'instinct, c'est d'une manière différente: alors que Biran suppose que l'effort est lié à l'acte instinctif dès l'origine, liaison au sein de laquelle le souvenir nous enferme, Ravaisson pense au contraire que la tendance antécédente supposée par l'effort est elle-même sans effort: désir involontaire et instinct.

Faisons le point: la recherche d'une loi expliquant les effets contraires de l'habitude nous a mené plus loin qu'un simple classement des phénomènes observés. Biran comprend la disparité des effets de l'habitude en remontant aux facultés d'origine mises en jeu; d'où la distinction entre *habitudes passives* et *habitudes actives*. Ravaisson, lui aussi, explique la «double loi de l'habitude» par la distinction entre passivité et activité, selon que l'être subit ou commence le changement.[5] L'un et l'autre assignent à l'effort le rôle de médiateur de la prise de conscience de l'activité volontaire, par laquelle apparaît la ligne de démarcation entre le volontaire et l'involontaire, et s'éclaire, par conséquent, indirectement, le domaine ombreux de l'habitude.

* * *

Parti de l'observation des effets de l'habitude, nous devons constater que nous avons abouti à des théories explicatives qui en sont loin. Nous avons voulu prendre Maine de Biran au mot: il prétendait s'en tenir aux effets et ne pas remonter aux *causes*; il s'est effectivement abstenu de traiter les questions dernières de la métaphysique – la nature de

---

[1] *Phénoménologie de la perception*, Paris, Gallimard, 1945, p. 46.
[2] IN., p. 18.
[3] *Ibid.*, p. 19, n. 1.
[4] H., pp. 40–41.
[5] *Ibid.*, p. 14.

l'âme, du monde, de Dieu –, mais a-t-il évité d'impliquer, plus subtilement, des présuppositions métaphysiques dans sa recherche psychologique? On peut en douter, sans partager pour autant l'avis de M. Georges
Le Roy selon qui les analyses du *Mémoire* «n'ont pour but, chez Maine
de Biran, que d'établir le bien-fondé de la philosophie qui les inspire».[1]
Il suffit de reconnaître que Biran ne parvient pas à dépasser les limites
de la philosophie de Destutt de Tracy: ce qui l'enferme dans des contradictions qui sont absentes, à notre avis, de *L'Habitude*.

Nous avons jusqu'ici, essentiellement, souligné les points sur lesquels
Ravaisson rencontre Biran; il nous a fallu pour cela laisser dans l'ombre
certaines parties, de même qu'en photographie un système de caches
permet de faire se détacher certains contours. Ôtons les caches: que
découvrons-nous? D'abord, par exemple, que jamais Ravaisson, dans
L'Habitude, n'affirme comme Biran qu'il y a une «impression d'effort».
Que l'effort soit rattaché à la catégorie des impressions, c'est en effet
pour Biran la source d'insurmontables difficultés. Nous voyons Biran
affirmer: «L'impression d'effort est la première et la plus profonde de
toutes nos habitudes; elle subsiste pendant que les autres modifications
passent...»;[2] et une dizaine de pages auparavant: «L'impression
d'effort s'affaiblit singulièrement par sa répétition».[3] Il est certain que,
si l'effort est une impression, il doit subit le lot commun: s'affaiblir en
se répétant, même s'il est l'impression la plus primitive, celle qui subsiste au fond de toutes les autres. Mais l'effort ne fait-il que subsister?
Ne nous révèle-t-il pas la nature des composants de l'habitude, justement en nous déshabituant? N'est-il pas le médiateur de la prise de
conscience de l'activité du moi? Nous avons déjà noté l'embarras de
Biran dans l'interprétation du jugement *Je sens que je sens:* le premier
Je sens, par lequel je me détache de la sensation, n'est que sensation
affaiblie; il faut supposer dans la sensation comme fait primitif la possibilité préalable de la prise de conscience. Faute de faire du premier
Je sens le fondement du second, faute d'y déceler le *cogito* lui-même,
Biran continue de pulvériser le jugement, en le présupposant, à la
manière sensualiste. On objectera que Biran substitue justement l'impression à la sensation, comme fait primitif, pour éviter l'ambiguïté du
pur sensualisme. Par là, il ne fait que reconduire l'ambivalence dans
l'impression; c'est d'ailleurs ce qu'il avoue: «J'entends par *impression* le
résultat de l'action d'un objet sur une partie animée: l'objet est la

---

[1] *Les philosophes célèbres*, Paris, Mazenod, 1956, p. 237.
[2] IN., pp. 80–81.
[3] *Ibid.*, p. 69.

cause quelconque, externe ou interne, de l'*impression. Ce dernier terme aura pour moi la même valeur générale que celui de sensation* ...».[1] En conséquence, la substitution de l'impression à la sensation n'est destinée qu'à montrer que les modifications du sujet ne sont pas seulement affectives. Pour l'essentiel, rien n'est changé par rapport au sensualisme: l'impression reste une modification, le résultat de l'action d'un objet. En rangeant l'effort dans la catégorie des impressions, Biran le maintient dans la passivité par rapport à un agent extrinsèque: le corps transmettant les sensations venues de l'extérieur. Dans les notes, écrites juste avant l'impression, il commence à détacher l'effort de la simple modification, mais il est encore loin d'accorder à l'effort le rôle fondateur – strictement hyperorganique – qu'il prendra par la suite dans ses oeuvres plus connues. Au niveau de l'*Influence de l'habitude*, l'embarras – pour ne pas dire la contradiction – est complet: l'effort, qui tend à devenir principe d'activité, est rattaché à un «fait primitif» encore passif; la motilité n'est plus strictement le sixième sens comme chez Destutt, mais l'effort premier est toujours motilité: «L'individu ne perçoit donc le premier rapport d'existence qu'autant qu'il commence à mouvoir ...».[2] Le sujet, déterminant dans le rapport d'existence, est à ce point dépendant du terme qu'il est censé déterminer (le corps) que c'est plutôt ce dernier qui se révèle vraiment déterminant.

Ravaisson n'est nullement victime des incertitudes biraniennes de l'*Influence de l'habitude*. Dans *L'Habitude*, le terme du «rapport d'existence» n'est pas le corps; l'objet supposé par la volonté est la volonté elle-même. L'objet qui détermine le sujet, c'est le non pensé originel que suppose la pensée. Or, celle-ci étant chez Ravaisson synonyme de volonté,[3] l'effort constitue la prise de conscience par laquelle la volonté se trouve elle-même: «L'effort veut donc nécessairement une tendance antécédente sans effort, qui dans son développement rencontre la résistance; et c'est alors que la volonté se trouve, dans la réflexion de l'activité sur elle-même, et qu'elle s'éveille dans l'effort».[4] C'est ainsi que Ravaisson résout la difficulté «circulaire» sur laquelle il nous faut revenir pour marquer la différence entre la solution biranienne et celle que propose Ravaisson: l'effort implique la résistance, la résistance suppose l'effort. Alors que, pour résoudre l'aporie, Maine de Biran renvoie à un effort déjà instinctif – ce qui dissout la spécificité de l'ef-

---

[1] IN., p. 12, n. 1. Nous soulignons.
[2] *Ibid.*, éd. COUSIN, p. 28.
[3] H., p. 26: «La perception, c'est-à-dire le mouvement, l'activité, la liberté, dans le monde de la diversité et de l'opposition».
[4] *Ibid.*, p. 41.

fort –, Ravaisson remonte à un désir préalable, une volonté non encore consciente, non encore pensée comme telle. L'avantage de cette dernière hypothèse est de préserver la spécificité de l'effort comme médiateur de l'auto-assomption de la volonté: «l'état de nature» – selon l'expression ravaissonienne – n'apparaît qu'à partir du moment où la pensée se manifeste, l'effort et le «non-effort» se posent dans le même temps, comme le moi et le non-moi se révèlent indissociables à partir du moment où le moi pose son autoposition. Le «commencement» relevé par Ravaisson ne le fait donc pas sortir du cercle effort-résistance, mais lui fait trouver l'enveloppement premier, tandis que la «solution» biranienne – en imaginant l'effort quasi tout armé dès l'instinct – n'en fait que le succédané d'un état originel paré artificiellement de tous les possibles. En somme, Ravaisson pense que l'activité de la pensée suppose une indistinction préalable, tandis que pour Biran – du moins dans l'*Influence de l'habitude* – tout est *déjà là*, à l'origine, dans l'instinct dont la pensée n'est que le souvenir, et – disons le mot – l'habitude. Biran a beau compenser le pur sensualisme par le sentiment, interne, de la motricité, la reconstitution génétique de la pensée suit toujours le procédé employé par Condillac et les Idéologues. Comment l'ambiguïté du statut de l'effort chez Biran éclaire-t-elle l'insuffisance des analyses de l'habitude? A notre avis, en faisant apparaître, de nouveau, l'absence d'une remise en question des cadres conceptuels fournis par l'Idéologie.

Nous allons le vérifier en examinant la légitimité de la distinction entre «habitudes passives» et «habitudes actives», et l'usage qui en est fait par Biran. Comme nous l'avons déjà vu, les impressions passives sont de simples modifications qui s'opèrent hors de ma conscience et de mon contrôle, alors que les impressions actives procèdent de ma volonté s'éprouvant dans l'effort, c'est-à-dire de ma motricité. La distinction est claire; Biran l'établit «pour prévenir toutes les difficultés auxquelles ces vieilles dénominations pourraient donner lieu»:[1] il semble donc que la première partie ne doive traiter que des problèmes posés par la répétition des impressions passives, et la seconde section du reste. Or le chapitre II de la première section s'intitule «Comment les perceptions deviennent plus distinctes?»: Biran y montre que les habitudes procédant de l'action de nos organes moteurs se perfectionnent progressivement par l'exercice. Voici, par conséquent, des habitudes non passives – dont Biran traite pourtant dans la partie consacrée aux habitudes passives: elles révèlent qu'il y a, dès le niveau sensitif, une certaine activité que Maine de Biran lui-même nomme «activité *sensi-*

[1] IN., p. 14.

tive».[1] Inversement, beaucoup d'habitudes d'origine volontaire – qui se rattachent à la section deux – ne sont que la répétition de signes passifs de l'imagination. La composition du livre n'est-elle donc pas artificielle? C'est ce que sent Destutt de Tracy dans son *Rapport*, tout en s'efforçant avec peine de justifier l'auteur, au terme de l'analyse de la première section: «Pour ne pas trouver qu'elle renferme des choses étrangères à ce que promet le titre, il faut se rappeler que, si on y traite non seulement de la sensation ou partie passive de l'impression, mais encore de la perception, qui en est la partie active, c'est parce qu'elle entre dans la composition des produits de l'imagination, que l'auteur regarde comme la sensibilité propre de l'organe cérébral».[2] Ce qui revient à dire: pour ne pas trouver dans la section I des choses étrangères à ce que promet le titre, il faut se rappeler que le titre lui-même implique des choses étrangères à ce qu'il annonce! Avouons que la distinction biranienne n'apporte qu'une lumière toute relative dans le domaine qu'elle prétendait éclairer: Biran se voit contraint de reconstituer, dans le détail, ce que son analyse dissocie globalement. Pourquoi cette complication? Parce qu'à notre avis – comme nous l'avons déjà signalé plus haut – Maine de Biran ne remet pas en cause le cadre conceptuel qui lui est fourni par l'Idéologie, et qui ne convient nullement pour démêler les effets complexes de l'habitude. La distinction entre habitudes passives et habitudes actives correspond, en fait, à la séparation entre le domaine physiologique et le domaine idéologique: dans la section des habitudes actives sont rangées les «phénomènes purement idéologiques»;[3] sous prétexte que les perceptions motrices ne sont pas d'origine totalement conscientes, elles sont rejetées dans la classe des habitudes passives. Biran a beau s'inspirer de la distinction des physiologistes entre «forces sensitives» et «forces motrices», cele ne l'aide pas à saisir de manière assez souple l'intrication du physiologique et de l'idéologique. Physiologie et Idéologie se trouvent ici en état de connivence sur un terrain classificateur strictement idéologique: la physiologie, à ce niveau, se donne elle-même une représentation qui l'annexe à l'Idéologie.[4] On retrouve dans le livre de Biran la transposition de la distinction condillacienne entre le langage d'action et le langage articulé; paradoxalement, les habitudes passives sont celles qui se rattachent

---

[1] IN., p. 14.
[2] *Ibid.*, p. 218.
[3] *Ibid.*, p. 113.
[4] Biran s'est ici «laissé prendre au clairs symboles de la physiologie et aux habitudes mécaniques des signes» écrit le R. P. FESSARD (*La méthode de réflexion chez Maine de Biran*, dans *Cahiers de la Nouvelle Journée*, n° 39, p. 30).

au langage d'action. S'il était encore besoin d'une confirmation, nous la trouverions chez Lachelier: celui-ci remarque à propos de la distinction entre habitudes passives et habitudes actives: «L'opposition du passif et de l'actif n'a pas ici de valeur absolue; ces expressions répondent même imparfaitement à la distinction qu'a voulu marquer Maine de Biran. Les habitudes qu'il appelle *passives* sont actives à leur manière, mais d'une activité purement vitale...».[1]

Cette activité purement vitale, qui se fait jour au sein même de la passivité sensitive, nous la voyons évoquée dans *L'Habitude*, lorsque Ravaisson montre que l'affaiblissement d'une sensation répétée ne va pas sans l'exaltation d'une «activité secrète». Biran déjà avait noté qu'une fois qu'un organe a atteint un certain *ton*, en fonction d'une excitation extérieure répétée, la sensibilité s'émousse, il faut un excitant beaucoup plus fort pour la réactiver.[2] Ravaisson en donne une preuve *a contrario*: un balancement continuel endort; sa cessation réveille: «Le repos, le silence réveille. C'est donc que le bruit et le mouvement ne provoquent le sommeil qu'en développant dans les organes des sens une sorte d'activité obscure qui les monte au ton de la sensation ...».[3] La sensation n'est donc pas purement passive; ou plutôt, la passivité qu'elle suppose implique également l'activité minimum de la faculté d'*adaptation* qui caractérise la vie. Pas de passion sans action; pas d'action sans passion: «A mesure que dans le mouvement l'effort s'efface et que l'action devient plus libre et plus prompte, à mesure aussi elle devient davantage une tendance, un penchant qui n'attend plus le commandement de la volonté ...».[4] Ainsi, malgré la disparité de ses effets et de ses origines, bien qu'en elle se manifestent deux puissances contraires (la passion et l'action), l'habitude est cependant une. Le trait commun qui scelle son unité est le développement d'une activité originale qui n'est plus, ou pas encore, volontaire, et qu'il vaut mieux, pour cette raison, nommer spontanéité. Ravaisson précise lui-même que cette spontanéité est «passive et active tout à la fois»:[5] elle l'est plus ou moins selon les degrés, mais, entre passivité et activité, il n'y a coupure complète que si l'on se porte aux extrêmes – Fatalité mécanique, Liberté réflexive –, si l'on veut se donner une représentation globale de l'habitude à partir de sa source ou de son terme, en oubliant que le propre de l'habitude est

[1] Note de J. LACHELIER dans *Vocabulaire technique et critique de la Philosophie* par A. LALANDE, 7ème éd., 1956, p. 395.
[2] IN., éd. COUSIN, p. 90.
[3] H., p. 31.
[4] *Ibid.*, p. 29.
[5] *Ibid.*, p. 34.

justement de plonger ses racines et de se développer dans l'entre-deux, ni purement matériel, ni strictement spirituel, qui fait l'étoffe de notre vie: de sorte que l'habitude ne se réduit pas à un tégument d'impressions et de souvenirs, mais assure à l'acquis sa souplesse, permet l'adaptation à la nouveauté. L'habitude ne doit donc pas être comprise à partir des habitudes, mais inversement les connexions observées doivent être rapportées à la «puissance» fondamentale qui les explique. On trouve ici l'affirmation la plus claire de ce qu'on appelle le «vitalisme» de Ravaisson: la «puissance» fondamentale, c'est la vie elle-même. Ne pourrait-on pas, en effet, caractériser celle-ci comme «tendance à persévérer dans son être», à condition d'entendre par *vie* non le déploiement de tel ou tel être mais l'être même en sa loi? Cette loi qui est finalement la «loi des membres» selon l'expression de S. Paul, la loi de la grâce. Lire *L'Habitude* dans le sens qu'à voulu lui donner son auteur, c'est, à coup sûr, se laisser guider par une pensée qui déchiffre de plus en plus clairement, en progressant d'un niveau à l'autre des formes de la vie, la finalité. En définitive, le couronnement de la philosophie biologique de *L'Habitude* est théologique. L'être même tel qu'il se révèle à nous en sa loi sous la forme de l'habitude – notre nature –, c'est la «grâce prévenante», en d'autres termes: condescendant à s'annoncer au coeur même de sa création et à faire se refléter son amour éternel dans la perpétuation spontanée du désir.

Parvenu à ce point, nous ne sommes assurément plus sur le terrain des effets, mais sur celui des causes, et spécialement de la cause finale. On peut récuser cet aboutissement. On peut objecter que, même au niveau de la phénoménologie de l'habitude, la vision ravaisonienne est trop optimiste: Ravaisson ne souligne-t-il pas l'actif, n'atténue-t-il pas exagérément tout le passif de l'habitude? Maine de Biran, à l'inverse, accentue, dans la section II de son livre, les effets désastreux de l'habitude dans le domaine spirituel: l'habitude nous fournit des signes sans représentations, commodité qui nous dispense de méditations longues, délicates et fatigantes, mais encourage – par là même – la paresse de notre esprit et la substitution du mécanisme à l'analyse. Faut-il donner raison à l'un, tort à l'autre? Ce serait durcir en opposition radicale une différence beaucoup plus nuancée: le point de vue biranien n'est ni omis ni nié dans *L'Habitude*; Ravaisson ne cache pas que très souvent la métamorphose de l'activité en spontanéité n'aboutit pas à un progrès mais à une dégénérescence, par exemple dans ces «mouvements convulsifs», les tics.[1] Une fois de plus, Ravaisson reprend une observation de

---

[1] H., p. 30. Il cite à ce propos la p. 110 de l'éd. de l'an XI du livre de Biran; cf. éd. TISSERAND, p. 60.

Maine de Biran, mais l'insère dans une synthèse, la rattache à un principe qui faisaient défaut chez le premier Biran: il est donc vrai que Ravaisson s'est inspiré de tel ou tel passage de l'*Influence de l'habitude*, mais il l'a fait parce qu'il était lui-même imprégné d'une vision d'ensemble qui lui a permis de transformer de simples allusions biraniennes en propositions fondamentales: ainsi dans le passage auquel fait allusion M. Tisserand dans son introduction,[1] Biran énonce sous forme de question – dans une note rajoutée avant l'impression – la vérité que Ravaisson systématise. Biran se demande: «N'est-ce pas encore un instinct que cette tendance, ce besoin, ce *prurit* involontaire, que nous ressentons pour les mouvements de l'habitude?»[2] Question dont on trouve la réponse dans *L'Habitude*: «Ainsi, dans la sensibilité, dans l'activité se développe également par la continuité ou la répétition *une sorte d'activité obscure* qui prévient de plus en plus ici le vouloir, et là l'impression des objets extérieurs».[3] Ce qui n'était chez Biran qu'une perspective hypothétique devient chez Ravaisson la loi d'un unique développement, mais une loi dont le principe est métaphysique, bien que ses manifestations soient naturelles: ce qui reste indéterminé au niveau de l'observation des effets, l'esprit l'identifie et le reconnaît analogiquement dans toute la nature. On perçoit – d'après le caractère approximatif de l'expression «une sorte d'activité obscure» – que l'identification métaphysique n'exige pas, aux yeux de Ravaisson, une détermination absolument exhaustive de l'objet de sa recherche. L'unité de la loi de développement est d'autant mieux confirmée que son domaine d'application se révèle lui-même plus continu et que les différences qu'on y décèle n'exigent pas des sauts qualitatifs, mais peuvent se graduer suivant une unique mesure. Le principe leibnizien de continuité est sousjacent à cette pensée fondamentale chez Ravaisson: il n'y a qu'une seule trame, la nature n'est que l'esprit enveloppé à l'état de puissance infinitésimale, les ruptures apparentes de la chaîne masquent les insensibles transitions. C'est l'habitude seule qui nous enseigne cette loi et nous livre ce principe, malgré la dualité de ses effets; dans la spontanéité sensitive, l'habitude éveille déjà obscurément le désir de sa perpétuation: la sensation qui s'efface et se détruit ainsi prépare, en quelque sorte, la place d'une nouvelle excitation; l'augmentation de l'adaptation – pourvu qu'un certain seuil ne soit pas franchi – est le progrès encore méconnaissable de la spiritualisation de la nature. Dans la spon-

---

[1] Éd. TISSERAND, Introd., pp. XLII–XLIII.
[2] IN., p. 68, note.
[3] H., p. 30. Nous soulignons.

tanéité d'origine volontaire, l'habitude seconde et promeut la volonté.

La persévérance de l'esprit au sein de la nature, la persistance de la nature au coeur de l'esprit, c'est ce que Ravaisson réussit à évoquer suggestivement, à défaut de le démontrer. Est-ce démontrable? Au lieu de tenter de conquérir d'improbables certitudes, ne parvient-il pas – en poussant l'hypothèse peut-être trop loin, mais jusqu'à sa dernière conséquence – à éclairer le réel sans le schématiser, en approchant du jour, en permettant de mieux sonder, des obscurités peut-être, en définitive, irréductibles?

* * *

Au terme de notre confrontation des ouvrages de Biran et de Ravaisson consacrés à l'habitude, nous constatons une convergence des deux auteurs sur les effets de l'habitude, une divergence au niveau des causes. La rencontre, du point de vue de l'observation et des distinctions les plus immédiates, n'est pas surprenante: un certain *consensus* se dégage à ce sujet entre ceux qui ont étudié l'habitude. C'est essentiellement sur la divergence au niveau des causes qu'il faut nous interroger: elle ne porte pas simplement sur des explications opposées, mais sur la méthode même et son principe. Ravaisson applique déjà dans *L'Habitude* la méthode qu'il exposera trente ans plus tard en ces termes: «Cette constitution intime de notre être, qu'une conscience directe nous fait connaître, l'analogie nous la fait retrouver ailleurs, puis partout».[1] L'intuition en nous-mêmes de notre propre liberté est le point d'ancrage de l'opération synthétique par laquelle nous rapportons notre être à sa raison dernière et nous comprenons tout être à partir de cette raison. Le principe une fois trouvé, «Dieu sert à entendre l'âme, et l'âme, la nature».[2] C'est ainsi que Ravaisson ressaisit, sans le confondre, tout ce que l'habitude unit, alors que Maine de Biran sépare ce que l'habitude confond. Faute de pouvoir trouver l'unité *essentielle* de l'habitude, Biran la disjoint en décalquant sur elle une carte de l'entendement dessinée par l'Idéologie: l'impression comme «fait primitif» ne livre pas, au même titre que l'intuition ravaisonienne, le «principe» de l'habitude. Maine de Biran ne discerne pas l'unité de l'habitude, parce que sa méthode le lui interdit. La méthode ravaisonienne est analogique, leibnizienne; la méthode biranienne, expérimentale, baconienne. Celle-

---

[1] R., p. 246.
[2] H., pp. 16, 48.

ci, appliquée dans toute sa rigueur, permet-elle de pénétrer assez loin dans l'étude de l'esprit humain?

C'est ce que Biran nie lui-même dans un ouvrage écrit en 1820, mais publié en 1834 par les soins de V. Cousin, *Les Nouvelles Considérations sur les rapports du physique et du moral de l'homme*. La mise à l'écart des «causes occultes» scolastiques – y précise Biran – implique l'application de la méthode expérimentale: faut-il pour autant renoncer à toute recherche de la cause? Critiquant ses anciens maîtres, il écrit qu'il «se flatte d'avoir éliminé les inconnues qui se trouvent nécessairement à la tête de chaque chaîne ou série de faits».[1] Cette élimination justifiée constitue le prétexte qui permet aux psychologues sensualistes de ne pas remonter à la cause efficiente, à la «force productive des faits représentés»: ils s'interdisent par là même l'accès aux «deux pôles de toute science humaine, la personne *moi*, d'où tout part, la personne *Dieu*, où tout aboutit».[2] La méthode qui assure le fondement des sciences physiques appauvrit les sciences humaines, si elle n'est pas adaptée et assouplie en fonction du nouveau domaine où elle s'applique.

Nous trouvons donc chez Biran lui-même la critique de la méthode employée dans l'*Influence de l'habitude*: «J'étais bien jeune alors pour la science de l'homme!»[3] Il n'était pas parvenu en effet au véritable fait primitif, au principe du «sens intime», au *cogito* transposé et amélioré en *Je veux, donc Je suis*.[4] Le moi était encore immergé dans la motricité, il ne s'épurait pas encore dans l'épreuve cruciale de l'effort. En somme, le vrai Biran n'était pas né: «Les mémoires sur l'habitude – écrit M. Gouhier – appartiennent au pré-biranisme par l'intention profonde qui inspire encore leur auteur».[5] Ceci nous permet de circonscrire la portée – et aussi de limiter la sévérité – des critiques adressées plus tard à Biran. Comme le rappelle M. Gouhier: «Ce qui apparaît à travers les états successifs de l'*Influence de l'habitude*, c'est surtout un auteur qui prend peu à peu conscience de son sujet».[6] Et, *à partir* de l'*Influence de l'habitude*, Maine de Biran prend conscience de sa philosophie elle-même; le *Mémoire sur la Décomposition de la pensée* est de 1804. Si donc on envisage la relation de Ravaisson à Biran, non plus statiquement, mais sur cette lancée, *L'Habitude* se révèle plus biranienne qu'il n'est apparu ici où nous avons pris pour point de référence l'*Influence de l'habitude*. Et

---

1 *Nouvelles Considérations.*, éd. Cousin, p. 25.
2 *Doctrine philosophique de Leibniz, ibid.*, p. 312.
3 *Ibid.*, p. 4, n. 1.
4 R., p. 14.
5 *Les conversions de Maine de Biran, op. cit.*, p. 126.
6 *Ibid.*, p. 135.

l'on peut supposer que si Biran avait écrit son ouvrage sur l'habitude à la fin de sa vie, il eût été assez proche de *L'Habitude*, quant au fond.

Inversement – si l'on considère les choses à partir de *L'Habitude* – n'y décèle-t-on pas une proximité par rapport au dernier Biran, ce qui pourrait facilement s'expliquer historiquement? En 1840 paraît dans la *Revue des Deux Mondes* un article de Ravaisson sur la philosophie contemporaine.[1] Ravaisson y cite le volume de Biran publié en 1834 par Cousin, mais surtout s'en inspire largement [2] pour montrer que la méthode des sciences physiques n'est pas applicable telle quelle en psychologie parce que toute la réalité psychique n'est pas objectivable: dès lors, la recherche des causes ne saurait se confondre avec une généralisation; la cause doit être efficiente au sens plein et c'est à travers l'effort que j'en prends conscience, dans l'intuition de la libre activité que je suis. Si Ravaisson a apprécié de cette manière les *Nouvelles Considérations* en 1840, il n'est pas déraisonnable de penser qu'il en avait pris connaissance quelques années avant, très probablement dès la publication en 34, soit quatre ans avant l'achèvement de *L'Habitude*, et qu'il y fait indirectement allusion dans les deux notes où il renvoie à Maine de Biran, *passim*.[3] En fait, seul le passage de la page 21 renvoie à Biran de manière assez caractéristique: «... C'est dans la conscience de l'effort que se manifeste nécessairement à elle-même sous la forme éminente de l'activité volontaire, la personnalité». Ravaisson ne peut se réclamer ici du premier Biran: l'effort n'est plus simplement impression; il apparaît désormais comme absolument inséparable d'une prise de conscience. Dans le passage susdit de *L'Habitude* Ravaisson n'a donc pu s'inspirer que du Biran de la maturité, celui de l'*Examen des leçons de Philosophie de M. Laromiguière*, que nous voyons affirmer: «Le même acte réflexif par lequel le sujet se connaît et se dit *moi*, le manifeste à lui-même comme force agissante ...» ou encore qu'il y a «une identité parfaite de nature, de caractère et d'origine, entre le sentiment du *moi* et celui de l'activité ou de l'effort voulu et librement déterminé».[4]

Par conséquent, bien que Ravaisson ne cite dans ses notes de *L'Habitude* que l'*Influence*, il s'inspire aussi – et peut-être plus profondément quant à l'esprit – des *Nouvelles Considérations sur les rapports du physique et*

---

[1] *Philosophie contemporaine. Fragments de Philosophie de M. Hamilton* (traduits par M. Peisse), dans *Revue des Deux Mondes*, 18 novembre 1840, pp. 396–427.

[2] Cf. D., pp. 252 sqq. Voir aussi le chapitre que RAVAISSON a lui-même consacré à son article de 1840: R., p. 25.

[3] H., pp. 16, 21. L'allusion à Rey Régis (H., p. 21) a peut-être été inspirée à RAVAISSON par MAINE DE BIRAN (*Nouvelles Considérations*, pp. 96 sqq.).

[4] *Nouvelles Considérations*, *op. cit.*, pp. 244–248. L'*Examen*, publié dès 1817 par Biran lui-même, a été reproduit dans le vol. de 1834 que nous venons de citer.

du moral chez l'homme, et des textes publiés par Cousin dans le même
volume.[1] Mais il serait, bien entendu, hâtif et exagéré d'en conclure
que les différences marquées plus haut entre le premier Biran et Ravaisson donnent exactement la mesure du chemin parcouru par Biran
pendant les vingt-cinq dernières années de sa vie. Ce serait confondre
Ravaisson avec le dernier Biran et méconnaître l'irréductible originalité de *L'Habitude*. On peut se demander si la lecture de certains inédits,
loin d'influencer Ravaisson, ne l'aurait pas amené à s'opposer nettement à Biran: dans les pages de l'*Essai sur les fondements de la Psychologie*,
consacrées à la passion, Biran souligne le caractère implacable et auto-
matique du désir répété, il distingue et même oppose le désir et la
volonté;[2] loin de chercher à déceler comme Ravaisson le côté positif de
l'activité vitale, il n'y voit que la copie inanimée de «l'original vivant».[3]
Ravaisson rappelle d'ailleurs dans le *Rapport* de 67 qu'il avait dès 1840
émis une réserve essentielle sur la philosophie de Biran, même en son
dernier état: «Maine de Biran, en plaçant comme au delà de la force
active dont nous avons conscience l'absolu de notre substance, n'était
pas lui-même parvenu tout à fait à ce point où l'âme s'aperçoit en son
fond, qui est tout activité . . .»[4] Biran distingue encore la *ratio essendi* de
la *ratio cognoscendi* et soutient en même temps que le moi se connaît
clairement en tant que force active et que «l'âme s'ignore complètement elle-même à titre de substance».[5] Imaginer un «substrat passif»
des phénomènes, c'est abstraire de l'esprit une matière qu'il informe en
lui-même et qui n'est autre que lui-même. La réalité vivante et totale,
«c'est l'activité originelle, antérieure à l'effort, qui, réfléchie par la résistance, entre en possession de soi et se pose elle-même dans une action
volontaire».[6] On retrouve donc, dans l'ultime rapprochement que nous
avons tenté, une nette différence, non seulement de style, mais de
pensée: Biran, de nouveau, distingue ce que Ravaisson unit.[7]

---

[1] Nous nous en tenons essentiellement dans ce texte aux oeuvres biraniennes connues de
Ravaisson au moment de la rédaction de sa thèse. Au total, Ravaisson ne connaissait qu'une
faible partie de ce que nous possédons: il ne pouvait donc dans *L'Habitude* s'inspirer d'oeuvres
qui sont aujourd'hui essentielles, comme par exemple l'*Essai sur les fondements de la Psychologie*
(publié seulement en 1858 par NAVILLE) à partir duquel M. Michel HENRY constitue son
interprétation de Biran, interprétation «dont on pourrait penser – nous dit-il lui-même –
qu'elle dépasse quelque peu la lettre et l'esprit de l'oeuvre de Maine de Biran» (*Philosophie et
Phénoménologie du corps, Essai sur l'ontologie biranienne*, Paris, P.U.F., collection Épiméthée, 1965,
p. 56).
[2] *Essai sur les fondements de la Psychologie*, éd. TISSERAND, IX, pp. 342 sqq.
[3] *Ibid.*, p. 300.
[4] R., p. 25.
[5] *Nouvelles Considérations, op. cit.*, p. 251.
[6] *Philosophie contemporaine, art. cit.*, p. 425.
[7] MADINIER a bien posé les termes généraux de l'opposition entre Ravaisson et Biran,

En définitive, si comparaison n'est pas raison, même une confrontation circonspecte a ses limites, qui nous ont été révélées par notre recherche. Les points de convergence, que nous avons délimités, ne nous ont pas masqué que l'inspiration-mère de *L'Habitude* est tout autre que celle de l'*Influence*. L'évolution de Biran réduit considérablement la distance première; elle ne la supprime pas. Chez Biran, l'effort reste rupture avec une vie organique hostile; l'activité sensitive n'est pas promue à cette dignité pré-spirituelle, et, du même coup, *déjà* spirituelle, qui assure pour Ravaisson la continuité de l'être. C'est dire que l'habitude reste toujours, aux yeux de Biran, cette ombre évanescente où l'effort se dissout et qu'il doit conjurer, cet ennemi intime dont le *Journal* rapporte patiemment les victoires et les revers, alors que la conscience ravaissonienne est amie de l'obscure seconde nature où elle plonge ses racines et déploie ses linéaments. L'habitude, c'est le sommeil te la nuit du monde en nous: suffit-il de dompter cette part obscure et de garder jalousement les frontières des îlots de clarté que l'intelligence et la volonté nous ont conquis, ou bien, suivant la voie plus secrète de Ravaisson, ne doit-on pas chercher dans l'habitude moins un instrument qu'un *signe*? Signe d'un mystère, plus précisément pour Ravaisson, d'un mystère de grâce. Si déjà au niveau sensitif la spontanéité obscure de l'habitude annonce la claire activité de la conscience, l'occultation nécessaire de celle-ci dans les habitudes les plus spiritualisées n'est-elle pas, à son tour, l'*index* d'une suprême lumière? «L'aveuglement est de l'homme; mais la puissance, de qui est-elle?» demande Fénelon après avoir constaté que l'habitude permet à l'homme de commander à son corps sans en discerner les ressorts.[1] L'enseignement auquel renvoie Fénelon est la révélation intérieure dans le «fond intime de nous-mêmes» où parle le «véritable maître».[2] Ravaisson et le dernier Biran – ultime, mais non moins significative rencontre – admirent tous deux Fénelon, s'en inspirent,[3] déchiffrent à sa suite dans l'énigme de l'habitude le message de l'«infinie vérité» à laquelle Fénelon s'adresse, au terme de son *Traité de l'existence de Dieu,* en avouant devant son incommensurable simplicité: «C'est un étonnement de mon esprit que l'habitude de vous contempler ne diminue point».[4]

---

mais nous ne croyons pas qu'il ait donné au débat toute sa dimension: voir dans *Conscience et Mouvement* (Paris, Alcan, 1938) le chap. VIII.

[1] *Traité de l'existence et des attributs de Dieu, Oeuvres,* t. II, Paris, Tenré et Boiste, 1822, p. 78.
[2] *Ibid.,* p. 98.
[3] Cf. *Nouvelles Considérations, op. cit.,* p. 163; H., p. 53.
[4] *Traité de l'existence et des attributs de Dieu, op. cit.,* p. 276.

PREMIÈRE PARTIE

DE BERGSON A RAVAISSON

CRITIQUE DE L'INTERPRÉTATION BERGSONIENNE
DE RAVAISSON

CHAPITRE I

L'HABITUDE

> Jusqu'ici je l'avais considérée surtout comme un pouvoir annihilateur qui supprime l'originalité et jusqu'à la conscience des perceptions; maintenant je la voyais comme une divinité redoutable, si rivée à nous, son visage insignifiant si incrusté dans notre coeur, que si elle se détache, si elle se détourne de nous, cette déité que nous ne distinguions presque pas, nous inflige des souffrances plus terribles qu'aucune et qu'alors elle est aussi cruelle que la mort.
>
> Proust, *La Fugitive*. [1]

L'oeuvre la plus originale de Ravaisson étant *L'Habitude*, il semble particulièrement indiqué de se reporter à ce qu'en dit précisément Bergson dans sa *Notice*. On a l'étonnement de constater que Bergson ne consacre qu'un seul paragraphe à *L'Habitude* dans un texte de près de cinquante pages: il est vrai qu'il s'adresse à des membres de l'Institut, pour la plupart non philosophes. Mais au moins, sa courte analyse de *L'Habitude* est-elle juste? Quelle image donne-t-elle de la thèse de Ravaisson?

Le plus simple est de citer le paragraphe en entier, d'abord parce qu'il est assez court, et surtout parce que nous allons procéder à une critique presque mot à mot qui exige une référence quasi constante au texte. Le voici donc:

«La thèse de doctorat que M. Ravaisson soutint vers cette époque (1838) est une première application de la méthode. Elle porte le titre modeste: *De l'Habitude*. Mais c'est toute une philosophie de la nature que l'auteur y expose. Qu'est-ce que la nature? Comment s'en représenter l'intérieur? Que cache-t-elle sous la succession régulière des causes et des effets? Cache-t-elle même quelque chose, ou ne se réduirait-elle pas, en somme, à un déploiement tout superficiel de mouvements qui s'engrènent mécaniquement les uns dans les autres? Conformément à son principe, M. Ravaisson demande la solution de ce problème très général à une intuition très concrète, celle que nous avons de notre propre manière d'être quand nous contractons une habitude. Car l'habitude motrice, une fois prise, est un mécanisme, une série de mouvements qui se déterminent les uns les autres: elle est cette partie de nous qui est insérée dans la nature et qui

---

[1] *A la recherche du temps perdu*, éd. de la Pléiade, t. III, p. 420.

coïncide avec la nature; elle est la nature même. Or, notre expérience intérieure nous montre dans l'habitude une activité qui a passé, par degrés insensibles, de la conscience à l'inconscience et de la volonté à l'automatisme. N'est-ce pas alors sous cette forme, comme une conscience obscurcie et une volonté endormie, que nous devons nous représenter la nature? L'habitude nous donne ainsi la vivante démonstration de cette vérité que le mécanisme ne se suffit pas à lui-même: il ne serait, pour ainsi dire, que le résidu fossilisé d'une activité spirituelle.»[1]

Bergson a tout d'abord raison d'écrire, à propos de *L'Habitude*, que «c'est toute une philosophie de la nature que l'auteur y expose». En effet, non seulement l'habitude au sens large – la tendance de l'être à persévérer dans son être – concerne toute la nature, mais l'habitude elle-même est en nous une seconde nature, «une nature *naturée*, oeuvre et révélation successive de la nature *naturante*».[2] C'est dire que la définition de l'habitude implique forcément celle de la nature et qu'une philosophie de l'habitude est une philosophie de la nature.

Bergson montre bien, ensuite, qu'il faut remonter de l'apparence mécanique offerte par l'habitude une fois prise à son origine spirituelle. Cependant, le mécanisme se trouve ainsi détrôné comme essence du réel, non comme principe d'explication des phénomènes naturels et de la «seconde nature»: en tant que «résidu fossilisé d'une activité spirituelle», l'habitude reste sous la juridiction des lois du mécanisme. C'est à ces dernières que l'esprit nous abandonne en se fossilisant. Bergson ne majore-t-il pas le rôle du mécanisme, même dans le simple déroulement de l'habitude?

L'habitude est la nature présente en nous. Peut-elle être qualifiée, même une fois prise, de «résidu fossilisé»? Ravaisson n'emploie pas une telle expression, de même qu'il ne réduit pas l'autonomie de l'habitude à un simple automatisme. Certes, il n'y a habitude que là où il y a mouvement et possibilité de mouvement, mais Bergson présente la répétition comme une combinaison superficiellement mécanique, condamnant ainsi l'habitude à ne pas engager l'être même, ce qui est justement le cas pour la mémoire-habitude dans *Matière et Mémoire*: par l'habitude, y précise Bergson, se compose un «système clos de mouvements automatiques»,[3] qui sont machinaux, non vraiment humains; c'est la mémoire du chien qui jappe en reconnaissant son maître.

---

[1] P.M., pp. 266–267.
[2] H., p. 39.
[3] M.M., p. 84.

L'homme, dans la mesure où il est un corps et où il doit l'insérer dans le présent, fait sans cesse appel à la mémoire-habitude, c'est-à-dire à un ensemble de mécanismes tout montés ou dont le montage se perfectionne en fonction des nécessités. On sait qu'à cette mémoire machinale Bergson oppose une mémoire pure composée de représentations uniques d'évènements eux-mêmes uniques, excluant par là même la possibilité d'une authentique répétition.

Il n'est pas de notre propos de dégager la signification totale de la dichotomie bergsonienne. Bornons-nous à remarquer que le problème de la rétention d'un évènement unique et d'un emmagasinement des représentations individualisées est un problème étranger à Ravaisson. Pour que la mémoire pure soit possible, il faut sortir de l'horizon ontologique de *L'Habitude*. Pas d'habitude sans répétition. Or Ravaisson écrit à la fin de sa thèse que l'habitude est «la loi primordiale et la forme la plus générale de l'être, la tendance à persévérer dans l'acte même qui constitue l'être». Pour rendre cette proposition bergsonienne, il faudrait que la persévérance de l'être en lui-même fût une continuité de jaillissement, «d'imprévisible nouveauté», une persévérance dans la non persévérance. Du côté ravaissonien, pas d'être sans manière d'être, sans ἕξις s'enrichissant par sa permanence même; du côté bergsonien, pas d'être sans hétérogénéité de manières d'être s'imposant par leur absolue nouveauté dans l'instant-durée. L'opposition est particulièrement saisissante quand on choisit *L'Habitude* comme centre de référence privilégié de la pensée ravaissonienne; mais que l'on consulte le *Rapport* ou le *Testament philosophique*: on n'y trouvera pas une définition de la vie comme «imprévisible nouveauté» ou comme jaillissement. La vie, selon Ravaisson, recèle la grâce, la volonté divine; elle témoigne donc d'un ordre ontologique: l'évolution des espèces ne peut être qu'une péripétie dans la formation de cet ordre, non le prédéterminer et l'animer comme le veut Bergson.

Si le problème bergsonien de la conservation du souvenir-image est étranger à Ravaisson, du moins dans *L'Habitude*, la véritable pensée de Ravaisson sur l'habitude reste insoupçonnée de Bergson. A partir du moment où Bergson donne la primauté ontologique à l'Unique, il n'accorde plus à l'habitude que le statut inférieur qui caractérise la matière. Bergson est dualiste. Ce n'est pas l'accuser arbitrairement que de le relever: il l'avoue lui-même dans l'*Avant-Propos* de la septième édition de *Matière et Mémoire*.[1] Puisque l'habitude n'est pas du côté de la vie spirituelle, elle ne saurait caractériser que l'intelligence en action

[1] M.M., pp. 1 sqq.

dans le monde matériel. Suivant Bergson, l'homme d'action – au sens étroit – est un homme habitué, c'est-à-dire sclérosé, enfermé dans des mécanismes utiles, mais, par là même, exclusifs de toute invention. Bergson écrit: «le souvenir de la leçon apprise, même quand je me borne à répéter cette leçon intérieurement, exige un temps bien déterminé, le même qu'il faut pour développer un à un, ne fût-ce qu'en imagination, tous les mouvements d'articulation nécessaires: ce n'est donc plus une représentation, c'est une action».[1] Nos deux auteurs s'accordent donc ici pour reconnaître que l'habitude facilite l'action, mais le mot *action* n'a pas le même sens chez l'un et chez l'autre. Pour Bergson, l'action est l'insertion de l'esprit dans la matière et, du même coup, de la durée dans le temps: l'action oblige au choix; elle est contraignante, simplificatrice. Pour Ravaisson, l'action est la liberté; l'action absolue se déploie dans la parfaite autonomie divine. Action ici s'oppose strictement à passion, au même sens que chez Descartes.[2] Bergson, lui, donne au mot *action* son sens courant; ce fait doit être rattaché à l'orientation fondamentale du bergsonisme. Les mécanismes utiles mis en oeuvre par l'habitude représentent pour Bergson l'aménagement d'un moindre être: l'habitude – la nature en nous – n'est qu'une transposition de l'inertie de la matière; les mêmes lois s'y rattachent. L'inerte est homogène, statique; il n'est que mort face à la vie organisatrice, unité dynamique de l'hétérogène. Autrement dit, du fait de notre insertion dans la matière, nous sommes sans cesse aux prises avec la mort et ses lois. La vie, a dit Bichat, est l'ensemble des forces qui s'opposent à la mort. Encore faut-il donner un visage à cette mort ennemie. Elle a, pour Bergson, le visage morne de l'inerte à quoi ne cesse de se heurter l'action. Dans le schéma bergsonien, l'habitude n'est pas médiatisante: dans la dichotomie matière-vie, elle est du côté de la matière; elle constitue le tribut que nous payons à notre corporéité. Lorsque l'élan vital nous ressaisit, en de trop rares intuitions, il nous libère de l'habitude. Si l'on se reporte au paragraphe de Bergson sur *L'Habitude*, on constate une parfaite harmonie entre la théorie bergsonienne d'ensemble et l'interprétation donnée à Ravaisson. De toute évidence, Bergson n'a pas discerné le côté positif de l'habitude chez Ravaisson. Pour lui, l'habitude se comprend essentiellement à partir du mécanisme; nous avons vu qu'il utilise deux fois le mot dans ce paragraphe, alors que Ravaisson ne

---

[1] M.M.., p. 85.
[2] «C'est donc le développement en sens inverse de la passion et de l'action qui remplit la sphère de la conscience...» (H., p. 26) ; «la perception c'est-à-dire le mouvement, *l'activité*, la liberté...» (*ibid.*).

l'emploie jamais pour caractériser l'habitude.[1] Dès lors, puisque l'habitude apparaît comme un engrenage superficiel, elle ne saurait être que «le résidu fossilisé d'une activité spirituelle». Cette expression peu ravaissonienne minimise la portée de *L'Habitude*: Ravaisson n'a pas voulu seulement y montrer que le mécanisme ne se suffit pas à lui-même; ce serait là ne retenir que l'aspect négatif de l'habitude. Car, si l'esprit meurt à lui-même dans l'inconscience de l'habitude, c'est pour mieux se libérer de la matière. «Ainsi partout, en toute circonstance, la continuité ou la répétition, la durée, affaiblit la passivité, exalte l'activité».[2] La volonté se portant aux fins, l'habitude lui assujettissant les moyens, la volonté devient penchant et la coupure qui existait entre les visées de l'esprit et les résistances matérielles s'efface dans la réalisation de l'acte.[3] Un résidu fossilisé est une matière morte; l'habitude, au contraire, insuffle la vie à l'inerte.[4] La caractéristique de la vie est l'autonomie, ou encore la spontanéité: justement ce qui manque à un résidu fossilisé et même à un mécanisme (puisque sa finalité lui reste extérieure). Autrement dit, l'infléchissement bergsonien est ici net; Bergson refuse à l'habitude les caractères de la vie, alors que l'orientation ravaissonienne est inverse. L'habitude n'est pas seulement fossilisation du spirituel: elle est spiritualisation de l'inerte: «En descendant par degrés les plus claires régions de la conscience, l'habitude en porte avec elle la lumière dans les profondeurs et dans la sombre nuit de la nature».[5]

Pour Ravaisson, rien ne s'oppose autant au mécanisme que la spontanéité de la nature dès son plus bas niveau. Le mécanisme n'est que la

---

[1] H., p. 16 et p. 43. Le mécanisme caractérise, pour Ravaisson, le monde de la Fatalité: plus exactement le premier degré de ce monde où «les éléments qui s'unissent ne changent, en s'unissant, que de rapports entre eux» (H., p. 4), ces rapports étant des «mouvements distincts, figurables et mesurables dans l'étendue» (H. p., 43). Bergson est d'autant plus mal fondé à axer sa présentation de l'habitude sur le mécanisme que Ravaisson exclut explicitement le mécanisme de la sphère de l'habitude: «La loi de l'habitude ne s'explique que par le développement d'une spontanéité passive et active tout à la fois, et également différente de la Fatalité mécanique, et de la Liberté réflexive.» (H., p. 34). L'habitude éveille la spontanéité: celle-ci est caractérisée par l'initiative du mouvement. C'est en cela justement que la spontanéité se distingue du mécanisme. Une horloge en bon état, régulièrement remontée, doit continuer perpétuellement à fonctionner: la réitération continuelle du mouvement use, tout au plus, les rouages de la machine; elle ne met pas en cause le principe même du fonctionnement: la répétition reconduit l'identité. Dans l'habitude, au contraire, l'initiative du mouvement se révèle dans le rythme propre qui s'instaure dans l'organisme ou dans la conscience, sans qu'on puisse expliquer ce rythme par des raisons étrangères à la finalité de cet organisme ou de cette conscience.

[2] H., p. 29.

[3] *Ibid.*, p. 34.

[4] «Jusque dans la vie confuse et multiple du zoophyte, jusque dans la plante, jusque dans le cristal même, on peut donc suivre, à cette lumière, les derniers rayons de la pensée et de l'activité, *se dispersant et se dissolvant sans s'éteindre*, mais loin de toute réflexion possible, dans les vagues désirs des plus obscurs instincts». (H., pp. 48–49). Nous soulignons.

[5] H., p. 38.

résultante de certains rapports déterminés; la spontanéité est le fruit d'une organisation. On objectera que la nature prise en ses éléments, est fort peu organisée. Ravaisson en convient au début de son livre: la tendance à la permanence au sein même du changement ne constitue pas encore une «unité réelle», elle ne se structure pas encore en habitude. C'est pourquoi, on en reste, même aux niveaux physique et chimique, à des synthèses homogènes.

Mais n'y a-t-il pas là contradiction? On nous dit d'une part que la nature est spontanée dès le plus bas niveau, d'autre part qu'elle ne l'est pas encore vraiment. L'est-elle ou ne l'est-elle pas? L'ambiguïté non explicitée par Ravaisson lui-même vient de l'emploi très large du mot nature. Nature en général est synonyme d'être: la nature est le monde, l'ensemble de l'être phénoménal. C'est en ce sens que Ravaisson emploie le mot lorsqu'il écrit par exemple: «. . . dans toute l'étendue de ce premier règne de la nature . . .»[1] Ce premier règne est celui de la Fatalité mécanique qu'il faut exclure de la nature si celle-ci se définit par la spontanéité. Cela semble peu douteux, puisqu'on lit à la fin de *L'Habitude*: «L'histoire de l'habitude représente le retour de la Liberté à la Nature, ou plutôt l'invasion du domaine de la liberté par la spontanéité naturelle».[2] La contradiction ne fait que se préciser et se durcir. La Fatalité mécanique est-elle, oui ou non, une composante de la nature? et comment définir celle-ci?

Sans doute la solution se trouve-t-elle dans la petite phrase suivante: «Dans un tout homogène il y a de l'être, sans doute, mais il n'y a pas un être».[3] Or, pour Ravaisson l'être véritable est individuel; l'individualité est la finalité de l'être. Ce qui est vrai pour l'être ne saurait être faux pour la nature, puisqu'ils ne font qu'un. On peut donc transposer la phrase que nous venons de citer: dans un tout homogène, il y a du naturel, il n'y a pas une nature. La nature désignant, au sens général, le monde phénoménal, elle ne saurait exclure de son domaine la Fatalité mécanique, pas plus d'ailleurs que la Liberté réflexive. En ce sens, nature s'oppose à surnature: même le suprême degré de l'habitude «reste au-dessous de l'activité pure, de l'aperception simple, unité, identité divine de la pensée et de l'être».[4] L'analogie de l'habitude nous renvoie du mystère de l'expérience à sa source au delà. La phénoménologie ravaissonienne, à l'instar d'Aristote, ne se conçoit donc pas sans une théologie qui la couronne et lui donne sa pleine signification.

---

[1] H., p. 4.
[2] *Ibid.*, p. 59; cf. aussi pp. 33–34.
[3] *Ibid.*, p. 5.
[4] *Ibid.*, p. 59

L'emploi, par Ravaisson, du terme nature en ce sens général n'a rien d'original. Il en va différemment du sens spécifique que Ravaisson donne par ailleurs au mot dans *L'Habitude*. La nature désigne alors la plénitude de la réalité, l'être, non plus en général, mais *par excellence*. Elle est à la fois non intellectuelle et non passive. Elle échappe à l'entendement, parce qu'il ne saisit, de manière discontinue, que les cadres de la réalité, donc seulement la nature en ses contours. Elle n'est pas passive, parce qu'elle n'est pas déterminée de l'extérieur par notre volonté. Nous découvrons ici le caractère le plus important de la nature: si elle échappe à notre volonté, c'est qu'elle est en elle-même spontanéité. La nature est plus d'une fois qualifiée de spontanée dans *L'Habitude*.[1] Or «le caractère de la spontanéité est l'initiative du mouvement».[2] Le vivant est capable d'entreprendre un mouvement uniquement en fonction de ses intérêts propres, en l'absence de toute contrainte extérieure. Dans la hiérarchie des êtres, le vivant est donc le premier au sein duquel se déploie pleinement la nature. Plus on monte dans cette hiérarchie, plus on constate de spontanéité, par conséquent de facilité à contracter les habitudes. Pour que la permanence puisse s'inscrire dans le changement de telle sorte que l'habitude soit autonome même à l'égard du changement qui est sa cause, il faut que l'habitude s'inscrive dans une «puissance permanente où elle trouve à s'établir».[3] Cette puissance permanente est l'organisation vitale, la spontanéité, qui, inexistante dans le monde matériel, perce à peine dans le monde végétal, éclate dans le règne animal et s'épanouit dans l'esprit humain. Alors que dans le monde inorganique, «l'action et la réaction se confondent»,[4] elles tendent à se séparer de plus en plus dans le monde organique jusqu'à ce que se dégage la pure activité de l'aperception intellectuelle. Dans la spontanéité l'action l'emporte sur la passion: or voici comment – sur les traces de Spinoza – Ravaisson définit la passion et l'action: «La passion est la manière d'être qui a sa cause immédiate en quelque chose de différent de l'être auquel elle appartient. L'action est la manière d'être dont l'être à qui elle appartient est à soi-même la cause immédiate».[5] L'action ne se définit donc pas seulement par l'aséité, mais par la «causation» immédiate de soi. Alors que Dieu est l'action pure, l'activité dans l'expérience ne va pas sans un résidu de passivité. Prenons

---

[1] H., pp. 52, 53, 59 et p. 9: «Si donc le caractère de la nature, qui fait la vie, est la prédominance de la spontanéité sur la réceptivité...»
[2] *Ibid.*, p. 12.
[3] *Ibid.*, p. 5.
[4] *Ibid.*, p. 13.
[5] *Ibid.*, p. 21.

par exemple l'habitude dans l'amour: si je fais intervenir exagérément ma volonté, je brise en moi l'immédiation du penchant; pour que le penchant ait pris le relais de la volonté, il a fallu au préalable que celle-ci devînt passive. Ravaisson ne veut pas dire autre chose lorsqu'il écrit: «En toute chose, la Nécessité de la nature est la chaîne sur laquelle trame la Liberté».[1] Pour se réaliser dans notre monde, la pure activité doit se soumettre à la loi fondamentale de contrariété entre passion et action. Le possible doit se plier au réel, la conscience de l'effort se retourner dans l'inconscience du penchant. La spontanéité ainsi atteinte est au fond le seul visage possible de l'activité dans notre monde de contrariété: la spontanéité réalise la plus grande activité possible, accomplit au maximum la nature – au second sens –, compte tenu de la loi fondamentale de la nature – au premier sens.

Nous voyons donc qu'à côté de la définition générique de la nature, Ravaisson donne une définition essentielle, ontologique. Dans cette dernière perspective, la nature se définit par la spontanéité, activité maximum dans le monde de la contrariété, l'activité se définissant elle-même comme la «causation» immédiate de soi. Or, n'est-ce pas par la volonté que nous nous établissons comme causes de nous-mêmes, de nos actions? C'est justement pourquoi la volonté a pour racine la spontanéité. La volonté ne fait que projeter cette autocausation immédiate que la spontanéité permet et réalise: «C'est là le fonds, la base et le commencement nécessaire, c'est l'état de *nature* dont toute volonté enveloppe et présuppose la spontanéité primordiale».[2] L'autocausation immédiate est à la fois matière et principe – au double sens de raison et de commencement – de l'autocausation médiate. C'est pourquoi, ce fondement est un fonds, un champ aux inépuisables ressources, le champ même du réel. Car, si la définition de la nature ne se sépare pas de la définition même de l'être, nous tenons ici la définition de l'être ravaissonien: l'être pour Ravaisson est l'autocausation immédiate, dont Dieu réalise le modèle, mais qui ne se déploie au sein de notre moindre être que par la médiation immédiatisante de l'habitude.

Il en résulte que la seconde nature n'est pas un pâle substitut de la première. L'habitude, nature naturée, est bien l'oeuvre de la nature primitive, mais elle est également sa seule révélation.[3] En poussant l'idée ravaissonienne jusqu'à ses dernières conséquences, on pourrait aller jusqu'à dire que la nature primitive n'est qu'une représentation

---

[1] H., p. 57.
[2] *Ibid.*, p. 53.
[3] *Ibid.*, pp. 38–39; cf. aussi p. 16: «C'est donc dans la conscience seule que nous pouvons trouver le type de l'habitude».

qui ne tire par analogie sa réalité que de *notre* nature, l'habitude. Ce serait d'ailleurs répondre à l'exigence la plus intime de la métaphysique ravaissonienne reconstituant les caractères de la nature primitive à partir du progrès de la spontanéité, c'est-à-dire de l'autocausation. Tel est le sens de la fresque par laquelle s'ouvre *L'Habitude* et qui nous montre, telle la levée du jour, la montée de l'organisation dans la nature. La Fatalité mécanique elle-même est conçue en fonction de la spontanéité, comme son contraire: elle atteint au maximum de passivité possible; ses éléments obéissent à un rapport qui leur reste extrinsèque. Il ne faut pas croire cependant que les «plus sombres régions» de la nature n'obéissent qu'aux lois mécaniques. Lorsqu'on remonte à la racine de l'énergie motrice – qui correspond à ce que Bergson nommera l'élan vital –, on constate une «dispersion mystérieuse» des tendances, des centres et des organes, qui échappe aux synthèses mécanique, chimique: «La mécanique le cède de plus en plus au dynamisme irréprésentable et inexplicable de la vie».[1] La spontanéité ne cesse pas d'un coup; ses limites sont celles de la nature, ou plutôt celles de notre imagination et de notre entendement essayant de se représenter et de comprendre la nature.

Il est maintenant possible de répondre à la question bergsonienne: «Qu'est-ce que la nature?». La nature, dans *L'Habitude*, ne désigne pas seulement le monde phénoménal en général, mais essentiellement l'autocausation immédiate, fonds et fondement de l'être. Cette remontée au fondement va à l'encontre du réalisme qui se représente la nature primitive comme un *en soi* dont la nature naturée procède; nous avons vu au contraire que c'est de la seconde nature que la première tire son sens. Il faut avouer que Ravaisson lui-même ne fait qu'entretenir et alimenter l'ambiguïté en superposant la signification philosophique sur la représentation courante sans les distinguer explicitement l'une de l'autre. Sans doute voit-on se révéler ici le défaut de la brièveté ravaissonienne qui perd en précision et en clarté ce qu'elle gagne en sobriété.

Si l'être est autocausation immédiate, il suppose la médiation. L'être ne nous est pas présent dans sa plénitude: il ne nous est présent que «présentifié» par l'entendement qui nous en livre les contours. Si la médiation n'était qu'un détour, on pourrait imaginer la possibilité d'en faire l'économie; mais elle est aussi irréductible que l'immédiat. Que doit-on considérer comme premier, le médiat ou l'immédiat? Quand on remonte au fond premier de la connaissance, on retombe forcément

---

[1] H., p. 43.

dans ce cercle onto-gnoséologique. Le principe est-il l'être qui est donné ou la connaissance qui se le donne? Ravaisson se pose lui-même la question: «... Où trouver le commencement? La volonté en général suppose l'idée de l'objet; mais l'idée de l'objet suppose également celle du sujet».[1] La volonté se supposant elle-même, telle est l'essence de l'autocausation immédiate.

Or, il y a un être dans lequel le sujet et l'objet se confondent, comme le Bien et l'amour, et qui en même temps se suppose absolument lui-même: cet être, c'est Dieu. La définition même de la nature par Ravaisson implique donc le couronnement théologique de sa philosophie. La spontanéité parfaite, la nature en soi, est Dieu; et nous verrons que, dans des écrits postérieurs à *L'Habitude*, Ravaisson présente plus explicitement l'Absolu comme le «centre perspectif» qui explique et justifie l'univers.

*   *
*

Nous constatons, pour revenir à la critique de l'interprétation bergsonienne, qu'il y a loin d'une définition de la nature, où le mécanisme aurait la part trop belle, à la découverte authentiquement ravaissonienne du fond de la nature comme autocausation immédiate. La méprise bergsonienne sur la nature – et sur la «seconde nature» – porte aussi sur la méthode à suivre pour les connaître.

Selon Bergson, Ravaisson demande la solution du problème très général de l'habitude «à une intuition très concrète, celle que nous avons de notre propre manière d'être quand nous contractons une habitude».[2] Cette remarque, qui semble à première vue juste, et même anodine, mérite cependant examen; elle résume en effet brièvement la méthode ravaissonienne en donnant à l'observation concrète de l'expérience intérieure un rôle exclusif. Cette présentation est-elle justifiable?

La question met évidemment en cause l'emploi par Bergson du mot *intuition*. On ne peut affirmer que le mot soit utilisé au sens défini dans le célèbre passage de l'*Introduction à la métaphysique*.[3] Il est, par ailleurs, certain, comme Bergson lui-même le fait remarquer dans sa conférence *De la position des problèmes*, qu'on ne peut donner de l'intuition une

---

[1] H., pp. 40–41.
[2] P.M., p. 267.
[3] Quoique cet essai soit pratiquement contemporain de la *Notice*, puisqu'il a d'abord été publié en janvier 1903 dans la R.M.M. Il n'est pas impossible qu'il y ait eu «osmose» entre les deux textes.

définition «simple et géométrique».[1] Dans le texte que nous examinons, le mot est qualifié et explicité par Bergson: l'intuition signifie ici l'inspection immédiate que l'esprit prend de lui-même, autrement dit l'introspection. L'intuition ne semble pas devoir être à considérer ici comme une percée exceptionnelle exigeant un effort de coïncidence avec la vie dans ce qu'elle a d'inexprimable; elle adhère directement à son objet, c'est-à-dire à notre nature telle qu'elle apparaît; il semble qu'elle ne dépasse pas alors la superficie de notre être. Cependant, l'habitude livre-t-elle si facilement son secret? Certes, c'est «dans la conscience seule que nous pouvons trouver le type de l'Habitude».[2] Mais Ravaisson précise aussitôt qu'il ne suffit pas d'en observer la «loi apparente», mais qu'il faut en «pénétrer la génération» et en «comprendre la cause». Ce que Bergson ne dit pas, c'est que l'observation ravaissonienne est explicative, remonte aux principes et ne se borne pas à une simple description de l'immédiat. L'immédiation de l'habitude n'est pas donnée d'emblée: elle réalise progressivement un but d'abord visé par l'entendement. Ravaisson écrit en toutes lettres que «dans l'unité absolument indivisible de la simple intuition d'un objet simple, la science s'évanouit, et par conséquent la conscience».[3] Sans unification du divers, pas de connaissance; *a fortiori* pas de contact avec l'immédiat. Même si l'immédiat fonde ontologiquement le médiat, il lui est gnoséologiquement postérieur. En même temps que la distinction, apparaît le fond obscur sur lequel elle se détache et dont elle tire en fait sa réalité. «La pensée réfléchie implique donc l'immédiation antécédante de quelque intuition confuse où l'idée n'est pas distinguée du sujet qui la pense, non plus que de la pensée».[4] Par conséquent, si l'on prend à la lettre la référence bergsonienne à une «intuition très concrète», on s'expose à faire un contre-sens sur la méthode ravaissonienne, et du même coup sur la nature de l'habitude. Ainsi, non seulement Bergson rend le processus de l'habitude schématique parce que durci dans l'opposition entre le mécanique et le vital, mais il ne permet pas de comprendre comment l'habitude peut suggérer une analogie applicable à toute la nature. L'analogie suppose la comparaison, c'est-à-dire la distinction et l'identification, actes d'entendement. Ce n'est pas, en toute rigueur, par une «intuition très concrète» que Ravaisson essaie de retrouver l'habitude dans la série des règnes, des genres et des espèces: c'est par

---

[1] P.M., p. 29. Et pourtant, l'intuition en elle-même, «si elle est possible, est un acte simple». (P.M., p. 181).
[2] H., p. 16.
[3] *Ibid.*, p. 17.
[4] *Ibid.*, p. 56.

un acte d'entendement et d'intuition à la fois, c'est-à-dire d'intelligence. L'entendement est l'intelligence médiate, l'intuition l'intelligence immédiate; l'intelligence unit donc la médiation et l'immédiation. Le mot *intelligence* n'a pas du tout le sens limité qu'il prendra chez Bergson. Loin d'être caractérisée par une incompréhension naturelle de la vie, l'intelligence ravaissonienne est la compréhension de la nature et de la vie. Et l'intuition ravaissonienne n'est pas séparable de l'intellect qu'elle conditionne et dont elle constitue la matière.

* * *

Au terme de cette analyse du court paragraphe bergsonien sur *L'Habitude*, nous pouvons conclure que le résumé bergsonien est excessivement axé sur la notion de mécanisme, ou, plus exactement, sur la «vivante démonstration» donnée par l'habitude que le mécanisme renvoie à une activité spirituelle. A lire Bergson, on a l'impression que Ravaisson n'a écrit *L'Habitude* que pour réfuter le mécanisme et que, de toute façon, l'habitude, dans sa «phénoménalité», n'est compréhensible qu'en fonction du mécanisme. Nous avons vu que cela ne correspond ni à la lettre, ni surtout à l'esprit de l'oeuvre ravaissonienne. Il semble que Bergson ait été victime d'une sorte d'erreur d'optique, comme si un miroir s'était interposé entre le motif initial et la toile, obligeant le peintre à faire, plus ou moins, son auto-portrait. Paradoxale application de la méthode compréhensive que cette louangeuse évocation d'un Autre, mirage avantagé de soi.

CHAPITRE II

LA QUESTION DE L'ART PICTURAL

Bergson, dans sa *Notice*, accorde une grande importance aux pensées de Ravaisson sur le dessin et ses méthodes. Il a sur ce point parfaitement raison. Ravaisson, artiste lui-même – puisqu'il exposa au Salon –, n'a cessé de méditer sur cette question. En 1854 déjà, il rédige un rapport sur l'enseignement du dessin pour le ministère de l'Instruction publique; il reprend le sujet par la suite.[1] En 1870, il est nommé par Napoléon III Conservateur des Antiques et de la Sculpture moderne au Louvre, ce qui le porte à s'intéresser tout particulièrement à des problèmes qui l'occuperont jusqu'à la fin de sa vie. En dehors de ces raisons biographiques, il faut rappeler que pour Ravaisson «l'esthétique est le flambeau de la science».[2] L'étude des êtres vivants se révèle précieuse pour saisir l'économie naturelle; mais, pour découvrir l'esprit lui-même, l'art est irremplaçable. Dans les portraits de Léonard de Vinci par exemple, l'âme s'offre en sa vérité. Chez tous les grands artistes, la forme ne résulte pas seulement de combinaisons ingénieuses, elle donne une signification à déchiffrer. Si Bergson a donc raison d'accorder de l'importance à la question du dessin et de la peinture, il semble que son interprétation de la pensée ravaisonienne dans ces domaines soit beaucoup moins justifiable. Quelle est cette interprétation?

Nous savons que Ravaisson ne cesse de se référer à la pensée de Léonard selon laquelle il y a en tout être, souvent inapparente, une certaine «ligne flexueuse» qui recèle le secret du charme et de la beauté. Bergson donne à cette «ligne flexueuse» une interprétation qui paraît bien étrange quand on connaît Ravaisson; devant Monna Lisa, il semble, dit-il, que «les lignes visibles de la figure remontent vers un

---

[1] En particulier dans les articles *Art* et *Dessin* du *Dictionnaire de Pédagogie* de Ferdinand BUISSON, Paris, 1882.
[2] T., p. 85.

centre virtuel, *situé derrière la toile*, où se découvrirait tout d'un coup, ramassé en un seul mot, le secret que nous n'aurons jamais fini de lire phrase par phrase dans l'énigmatique physionomie».[1] Et encore, au paragraphe suivant: «L'art vrai vise à rendre l'individualité du modèle, et pour cela il va chercher *derrière les lignes* qu'on voit le mouvement que l'oeil ne voit pas, *derrière le mouvement lui-même* quelque chose de plus secret encore, l'intention originelle ...»[2]

Ainsi, Bergson localise la «ligne flexueuse» derrière la figure et même derrière le mouvement qui l'engendre. Cet arrière-fond n'a bien entendu rien de physique: il est au contraire la «pensée simple qui équivaut à la richesse indéfinie des formes et des couleurs».[3] Cette pensée n'équivaut, en fait, à la figure que comme le plus peut le moins; c'est dire que la pensée concentrée dans «l'axe générateur» d'un tableau contient plus encore que sa beauté manifestée. La création serait donc l'appauvrissement d'une «vision mentale simple» et il faudrait, inversement, lorsqu'on contemple l'oeuvre achevée, remonter de ses formes à sa concrétion originelle.

On ne trouve trace d'une telle interprétation ni dans Ravaisson ni dans Léonard de Vinci lui-même. Que la peinture soit qualifiée par Léonard de *cosa mentale*, cela signifie simplement pour Ravaisson que le peintre fait oeuvre spirituelle dans la mesure où il dégage de traits, de courbes, de couleurs un ensemble harmonique. Ce qui témoigne de la destination spirituelle de l'art, c'est l'ordre que recèle la beauté, ordre qui se dérobe essentiellement aux lois de la mesure mathématique, mais qui révèle une finalité spécifique: dans un chef-d'oeuvre «tout s'appelle et se répond, en quelque sorte, concordant et conspirant à un même but».[4] Même lorsque l'artiste cherche l'inspiration dans l'inorganique, lorsque par exemple Léonard peint des cataclysmes, des tourbillons, des ouragans, il y révèle un ordre, une correspondance spirituelle. La beauté est messagère du divin, puisqu'elle dévoile l'enveloppement du supérieur dans l'inférieur, l'annonce d'une suprême destination. La finalité de la beauté renvoie comme chez Kant à celle du monde, mais sans que la nature du rapport soit précisée avec la rigueur de la méthode critique. La beauté ne symbolise pas seulement la moralité; elle est déjà moralité. Et ainsi la méthode de Léonard est celle «qui demande à l'esprit qui est en nous de se mettre tout d'abord en quête de l'esprit qui est hors de

---

[1] P.M., p. 265.
[2] *Ibid.* Nous soulignons dans les deux cas.
[3] P.M., p. 265.
[4] Article *Dessin, Dict. Pédagog.*, p. 673.

Dessins à la plume de RAVAISSON

(Bibliothèque nationale, Cabinet des manuscrits)

nous».[1] Il n'y a donc pas chez Ravaisson la théorie de la «déconcentration d'esprit» que Bergson présente dans sa *Notice*. Si l'on se reporte au *Traité de la Peinture*, on n'y trouve rien non plus qui autorise l'interprétation bergsonienne. En écrivant que la peinture est *cosa mentale*, Léonard veut dire – semble-t-il – qu'il y a une science de la peinture préalable à l'exécution. Cette science concerne les «premiers principes»: elle établit ce qu'est la perspective, le volume, la couleur etc., et elle étudie leurs différents rapports. Mais ce corps de connaissances ne fait pas la peinture: il réunit simplement les conditions d'une bonne exécution. De celle-ci, «beaucoup plus noble que ladite théorie ou science», procède la peinture proprement dite, c'est-à-dire le tableau lui-même resplendissant d'une beauté originale.[2] Alors que Bergson ne présente l'exécution du tableau que comme le développement d'une intuition mentale – risquant d'être plus ou moins trahie par ses traductions sensibles –, Léonard au contraire la considère comme le déploiement même de la création artistique. L'exécution de la toile est une expérience; en peignant, le peintre parvient à vaincre une foule de difficultés qui peut-être ne resurgiront plus sous le pinceau d'aucun artiste: on ne repeindra jamais Lucrezia Crivelli. La beauté de l'oeuvre, comme celle de la nature, est le rayonnement harmonique de caractères individuels. Est-ce en développant «une vision mentale simple», comme le veut Bergson, que le peintre parvient à reproduire «à sa manière l'effort générateur de la nature»? Il n'est pas question chez Léonard d'une «vision mentale simple»: au contraire, la science de la peinture résulte d'une suite d'observations et de déductions qui mettent en oeuvre, selon la terminologie bergsonienne, au moins autant l'intelligence que l'intuition.

Il est certain que Léonard de Vinci donne peu de détails sur le processus de l'exécution. C'est justement en ce dernier que Bergson discerne une déconcentration d'esprit. Mais une raison essentielle éclaire l'«imprécision» de Léonard: il n'y a pas un procédé qui ressemble à un autre, l'expérience n'a d'autre clef qu'elle-même et c'est une recherche unique qui fait trouver l'Unique, c'est-à-dire justement le serpentement qui n'appartient qu'à *ce* visage, qu'à *ce* paysage.

Ni Léonard ni Ravaisson n'imaginent donc un centre, même virtuel, situé derrière la toile, ni l'un ni l'autre ne concentrent toute la beauté dans ce centre imaginaire. Bergson hypostasie l'idée d'une oeuvre, de

---

[1] *Art. cit.*, p. 679.
[2] Cf. *Traité de la Peinture*, éd. CHASTEL, Paris, Club des Libraires de France, 1960, pp. 35–36.

manière toute platonicienne. Ce faisant, il transforme et appauvrit l'apparaître en apparence. La beauté devient le reflet d'un soleil caché.

En fait, de même que l'âme n'est pas concentrée derrière le corps, mais l'habite, la «ligne flexueuse» n'est pas localisable, même mentalement. Et ce n'est pas parce qu'elle «n'est pas plus ici que là» qu'elle doit se réfugier dans une topologie idéale. Dire qu'un paysage possède un «centre perspectif», ce n'est pas lui superposer une image, c'est indiquer qu'il y a une position du regard qui permet de le découvrir dans toute son ampleur, de même qu'un certain éclairage peut rendre un tableau particulièrement frappant. Mais comprendre l'agencement d'un chef-d'oeuvre, ce n'est pas trouver une clef définie, séparée de lui, qui permettrait en quelque sorte de pénétrer ensuite son mystère à volonté: c'est saisir l'unité du tout, sans pour autant pouvoir séparer la forme de la matière. Bergson commet exactement l'erreur idéaliste dont il désigne pourtant avec justesse le défaut dans le même développement: l'art du peintre, écrit-il, ne consiste pas à «figurer je ne sais quel type impersonnel et abstrait, où le modèle qu'on voit et qu'on touche vient se dissoudre en une vague idéalité».[1] Mais Bergson lui-même, sans s'en rendre compte, imagine derrière la toile un en soi, concrétion idéale du motif. Si Bergson est ainsi idéaliste malgré lui, ce n'est pas en projetant schématiquement un modèle sur la chose; c'est, inversement, en ne comprenant la chose qu'en référence à la vie intérieure. Le schématisme est renversé. L'idéalisme, d'objectif qu'il était, devient subjectif; il n'en demeure pas moins. L'arrière-fond du tableau, que Bergson situe derrière la toile, est en nous: cet au delà est un en deçà; il est la richesse infinie de notre vie intérieure, le jaillissement en nous de l'élan vital. Il faut ici se reporter à *L'Évolution créatrice* que Bergson élabore au moment où il écrit la *Notice* sur Ravaisson. La figure renvoie à une pensée simple, comme la matière à la vie spirituelle concentrée dont elle est la «distension».[2] Un tableau ne nous livre qu'un développement plus ou moins discontinu, que l'étalement d'une intuition unique, tout comme le monde nous fait déchiffrer, à travers son histoire et sa préhistoire, la densité inouïe du bouillonnement vital.

Dressons le bilan de notre enquête. Si Ravaisson harmonise des vues éparses du *Traité de la Peinture* et leur donne une portée métaphysique qu'elles n'avaient pas initialement, Bergson fait plus encore: en reconstituant la genèse de l'acte créateur d'après le modèle de la genèse

---

[1] P.M., p. 265.
[2] E. C., p. 211; et tout le chap. III de *L'Évolution créatrice*.

idéale de la vie, il plaque sa propre théorie psychologique et métaphysique sur l'interprétation de Léonard par Ravaisson, et nous semble être infidèle à l'esprit du premier en sollicitant les textes du second.

* * *

Les pensées de Ravaisson sur l'art sont inséparables de ses idées sur la pédagogie du dessin. Si l'oeuvre picturale est belle par l'unité qui s'impose en elle, l'enseignement du dessin devra être conçu en fonction de cette unité, et non simplement à partir de recettes. Cela, Bergson l'expose dans sa *Notice* avec justesse .[1]

Rappelons que la cible sur laquelle Ravaisson concentre toutes ses attaques est la méthode de Pestalozzi. Sous prétexte de faciliter l'enseignement du dessin et d'aller du simple au composé, Pestalozzi préconise une méthode dans laquelle les formes vivantes sont reconstituées à partir de figures géométriques. Après avoir dessiné des droites, on les combine en triangles, en carrés, puis on passe au cercle, etc. Selon Ravaisson, cette méthode implique une erreur identique à celle de l'idéalisme comme du matérialisme, qui, tous deux, par des voies inverses, prétendent ramener le réel à ses conditions élémentaires. Pestalozzi prône un procédé d'apparence synthétique, mais qui suppose à tout instant, comme sa condition absolument nécessaire, une analyse des figures géométriques qui doivent se combiner. Il donne donc l'exemple d'une de ces fausses synthèses dans lesquelles retombe toujours l'abstraction. La vraie synthèse saisit l'unité du tout sans le décomposer, ce qui n'interdit pas d'appliquer d'abord son attention à une partie: dans chaque partie d'un tout organique se reflète l'économie de ce tout; ce qui est vrai pour le corps l'est aussi pour le monde: ainsi le veut l'analogie universelle. En dessin comme en philosophie, «la méthode est de se placer au Centre, au Foyer, qui est l'Ame».[2] Ce foyer est la ligne flexueuse que Ravaisson va jusqu'à nommer «ligne métaphysique, morale»; et il ajoute: «elle fascine et entraîne dans son tourbillon, comme fascine le serpent. En cela consiste la Magie naturelle».[3]

Si l'on se demande ce que devient la ligne dans une telle perspective, on s'aperçoit qu'elle n'a plus la priorité que lui conférait la méthode géométrique. La ligne, le contour sont subordonnés à ce qu'ils expriment. Ainsi l'apprenti dessinateur cherchera-t-il d'abord à discerner

---

[1] P.M., pp. 276, 278, 283–285.
[2] D., p. 373. Fragments 10 et 11.
[3] *Ibid.*, frag. 8.

les mouvements, ensuite seulement les formes.[1] Le mouvement anime
la forme, il en est l'esprit; c'est lui qui compte avant tout; et pourtant il
n'est rien, il nous reste caché, si la forme le trahit. L'apparition de la
beauté est donc subordonnée à l'harmonie – immanente à la création
artistique, par hypothèse – entre la forme et ce qu'elle traduit. Pour
reprendre un mot de Leopardi, l'un des poètes préférés de Ravaisson,
l'esprit est sans éclat si la forme est sans grâce.

Si la ligne ne constitue pas le principe du dessin, elle n'en est pas non
plus la fin: «Léonard veut qu'un dessin terminé, tout s'y perde aux
limites comme la fumée, et ainsi que disparaisse à la fin toute indication
de limite».[2] Le comble de l'art dit encore Ravaisson, c'est «que les
contours promettent encore au delà de ce qu'ils montrent».[3] Pour atteindre à cette promesse, il faut qu'ils soient affaiblis, dégradés, effacés;
cet abandon de la forme rigide, ce *sfumato* s'épanouit dans les airs de
tête, surtout dans les regards. Alors se fait pressentir le secret du monde,
la loi d'amour. Les chefs d'oeuvre ouvrent une vision en Dieu.[4]

Il n'y a pas ici, bien entendu, une contestation systématique de la
ligne. On ne peut isoler la pensée esthétique de Ravaisson de l'ensemble
auquel elle se rattache. Il est donc impossible de représenter Ravaisson
comme un précurseur en ce domaine. Il n'empêche que les reproches
formulés par Merleau-Ponty envers Ravaisson dans *L'Oeil et l'Esprit*
nous paraissent en grande partie injustifiés. Ces reproches, ou du moins
ces réserves, ne sont pas clairs, justement parce qu'ils s'adressent –
comme nous l'avons déjà signalé – à Ravaisson *et à Bergson*. Merleau-
Ponty ne connaît le premier que par l'intermédiaire du second; presque
aussitôt après avoir cité Ravaisson, il concentre ses feux sur Bergson
qui, selon lui, «ne cherche guère le serpentement individuel que chez
les êtres vivants».[5] Il ne nous appartient pas ici de déterminer si l'objection est fondée en ce qui concerne Bergson. Pour Ravaisson, elle ne
l'est pas, si l'on désigne par «êtres vivants» les êtres organisés qu'étudie
la biologie. Le sommet de la beauté n'est pas atteint, selon lui, dans les
représentations encore peu spiritualisées d'animaux, mais dans les portraits, les «airs» de tête qui expriment l'abandon et l'amour. Il est
évident que le rejet de la primauté du contour ne va pas jusqu'à la
remise en question de la figuration elle-même: l'art continue de puiser

---

[1] T., p. 95.
[2] *Ibid.*, p. 138.
[3] *Ibid.* Cf. G. Braque: «Je ne cherche pas la définition. Je tends vers l'infinition». (*Le Jour et la Nuit*, Paris, Gallimard, 1952, p. 30).
[4] Cf. T., p. 95.
[5] *L'Oeil et l'Esprit, op. cit.*, p. 73.

son inspiration dans les formes naturelles. Merleau-Ponty reproche à Ravaisson et Bergson de ne pas avoir «osé déchiffrer jusqu'au bout l'oracle». Jusqu'au bout, cela veut-il dire jusqu'à la mise en question de la ligne, du contour, de la profondeur, de la figure, par Cézanne, le cubisme, l'impressionnisme, le non-figuratisme? Si tel est le cas, la «timidité» de Ravaisson s'explique assez bien: mort en 1900, à quatre-vingt-sept ans, il pouvait difficilement «oser» déchiffrer la signification de révolutions pour la plupart à peine ébauchées. Il a consulté et inter-prété de non négligeables oracles, les grands peintres de la Renaissance, la sculpture antique; il en tire des enseignements que Merleau-Ponty aurait peut-être mieux appréciés s'il s'y était directement reporté; il y aurait peut-être découvert entre la forme et la signification, entre l'art et la philosophie, une rencontre de même lignée que celle qui le hante lui-même. Si Ravaisson en reste au dessin d'imitation, c'est pour des raisons qui tiennent à sa philosophie: les formes vivantes et humaines témoignent au mieux de l'économie universelle. Pour Ravaisson, il y a une clef à trouver: l'harmonie esthétique est le signe de l'ordre du mon-de et l'annonce de Dieu. Merleau-Ponty, lui, doit déchiffrer le naufrge des formes et l'errance des signes. Entre l'un et l'autre, l'abîme qui sépare deux époques. Mais chez tous deux se déploie un dialogue entre le visible et l'esprit, systématique – du moins relativement – chez Ra-vaisson, moins harmonique mais non moins vivant chez Merleau-Ponty: ses ultimes pensées s'inscrivent dans la perspective ouverte par toute son oeuvre: «Toute l'histoire moderne de la peinture, son effort pour se dégager de l'illusionnisme et pour acquérir ses propres dimen-sions ont une signification métaphysique».[1] Que cherche en effet Merleau-Ponty, particulièrement dans *L'Oeil et l'Esprit*? Il tâche de découvrir la genèse unique de l'acte pictural à travers toutes ses formes. Il doit, pour cela, d'abord se dégager de l'interprétation classique, c'est-à-dire cartésienne, de l'espace: aussi conteste-t-il que la représen-tation de l'espace comme étendue géométrique puisse permettre de rendre compte des mutations accomplies par la peinture moderne. Du même coup, on ne peut plus concevoir une ligne en soi, une profondeur en soi. La profondeur pour Cézanne est aussi dans la ligne; l'impres-sionnisme révèle que la ligne ne constitue pas l'objet. Que subsiste-t-il, alors, au fond de la vision? Non la représentation, mais, plus originelle-ment, la présentation même de la forme, la «venue à soi» du visible, son «animation interne» à partir de la «déflagration de l'Être».[2]

[1] *L'Oeil et l'Esprit*, p. 61.
[2] *Ibid.*, pp. 69, 71, 65.

Peut-être voit-on mieux maintenant ce qui a pu retenir l'attention de Merleau-Ponty dans l'évocation ravaissonienne de la «ligne flexueuse» de Vinci. Il y trouve une mise en question de la conception classique de la ligne comme en soi enserrant irrémédiablement les choses dans ses contours. Or la ligne flexueuse, comme le remarque Ravaisson, est moins dessinée par les contours que suggérée par l'unité du Tout. Elle est le point de convergence de l'ensemble ou encore son axe générateur, sans se confondre ni avec un point ni avec un axe. Elle est l'âme de l'oeuvre, son «onde mère».[1]

* * *

Cette courte étude sur la question de l'art pictural telle qu'elle se présente dans la perspective de la critique de l'interprétation bergsonienne de Ravaisson a donc montré que la présentation bergsonienne fait, une fois de plus, écran entre Ravaisson et nous. Cet écran commence, il est vrai, à laisser transparaître, comme en filigrane, la stature ravaissonienne en train de se redessiner.

---

[1] D., p. 378.

CHAPITRE III

LE «RAPPORT»

Il s'en faut de beaucoup que le compte rendu bergsonien sur le *Rapport* présente des défauts aussi graves que le maigre paragraphe consacré à *L'Habitude* ou même les passages sur l'art pictural. On est au contraire frappé par la justesse de la plupart des notations bergsoniennes. Tout d'abord, d'un point de vue global, il est certain que le *Rapport* sur *La Philosophie en France au XIXème siècle* représente, de la part de Ravaisson, une sorte de performance, non seulement par la massive documentation qu'il a dû rassembler, mais surtout par la souveraine organisation qu'il en dégage. Comme l'a écrit Bergson: «Ayant tout lu, il prit ensuite son élan pour tout dominer».[1] Cet effort d'unification comporte un revers: au lieu de critiquer brutalement les auteurs qu'il n'approuve pas – matérialistes et idéalistes –, il prétend pénétrer leurs pensées mieux encore qu'eux-mêmes et discerner, à travers les formules et les systèmes, l'élan intime qui les pousse à leur insu dans une unique direction, celle qui conduit au spiritualisme. Il engage ainsi par exemple Comte, Claude Bernard ou même, d'une manière chaque fois différente et d'ailleurs toujours nuancée, Littré ou Renan sur une voie qu'ils récusent ou ne soupçonnent même pas. Si excessivement harmonique qu'elle soit, cette interprétation d'ensemble de la pensée du siècle est cependant mue par une idée très féconde, à savoir que l'étude des êtres vivants impose à la science, et par conséquent aussi à la pensée, une révision complète de méthode. Les règles géométriques ou mécaniques doivent être complétées par une compréhension de la finalité du vivant, ce que Claude Bernard nomme «l'idée directrice»: «Un penseur comme M. Claude Bernard comprend mieux que personne que, outre les différents phénomènes qu'il explique par des faits physico-chimiques, il y a dans l'organisme l'ordre et le concert que forment ces phénomè-

---

[1] P.M., p. 272.

nes ...»[1] Claude Bernard est donc amené à concevoir une nouvelle méthodologie en fonction de ce qu'il appelle lui-même un «déterminisme supérieur». De même Auguste Comte, après avoir réduit, dans le premier volume de son *Cours de philosophie positive*, les êtres organisés aux phénomènes inorganiques, prend de plus en plus conscience, par la suite, de la spécificité des phénomènes biologiques: «D'accord maintenant avec Platon, Aristote, Leibniz, il déclarait que l'ensemble étant le résultat et l'expression d'une certaine unité, à laquelle tout concourt et se coordonne et qui est le but où tout marche, c'est dans cette unité, c'est dans le but, c'est dans la fin ou cause finale qu'est le secret de l'organisme».[2] La nécessité d'un tel élargissement méthodologique, lorsqu'on aborde les phénomènes de la vie, peut nous paraître aujourd'hui évidente: comme le dit très bien Bergson: «au temps où M. Ravaisson écrivait, il fallait un véritable effort de divination pour assigner ce terme à un mouvement d'idées qui paraissait aller en sens contraire».[3] Mais là ne se borne pas la méditation de Ravaisson dans le *Rapport*. Il ne se contente pas de comprendre les êtres vivants selon des méthodes appropriées; il remonte à leur origine. Aussi Bergson précise-t-il qu'à côté de la première thèse sur la spécificité du vivant, le *Rapport* en comporte une seconde, non moins importante, selon laquelle Dieu a créé l'univers par un acte de «condescendance», par une détente, une diffusion de son être parfait. Bergson lie entre elles ces deux thèses par la référence aux idées de Ravaisson sur le dessin. De même qu'on ne peut reconstituer un visage géométriquement sans le déformer, ainsi ne reconstitue-t-on pas la vie par composition. Inversement, comme la figure dessinée est la manifestation plus ou moins schématique d'un mouvement continu, le monde est l'extériorisation et, en quelque sorte, la schématisation de la plénitude divine. Comme l'écrit Bergson: «L'univers visible nous est présenté comme l'aspect extérieur d'une réalité qui, vue du dedans et saisie en elle-même, nous apparaîtrait comme un don gratuit, comme un grand acte de libéralité et d'amour».[4]

En tout ceci l'analyse bergsonienne semble exempte de «bergsonification». Bergson d'ailleurs, conscient de la difficulté, renvoie lui-même au texte: «Nulle analyse ne donnera une idée de ces admirables pages».[5] Ces pages, Bergson en a d'abord pris connaissance dans sa

---

[1] R., p. 125.
[2] *Ibid.*, p. 76.
[3] P.M., p. 276.
[4] *Ibid.*, p. 275.
[5] *Ibid.*

jeunesse pour des raisons scolaires: Ravaisson ayant été Président du Jury d'Agrégation, il n'est pas surprenant que des générations d'élèves aient appris des pages du *Rapport*, et spécialement la fin, par coeur. Mais il y a eu chez Bergson un contact plus personnel avec le texte ravaissonien: la chaleur de ton de la *Notice* en témoigne; surtout, un passage du chapitre III de *L'Évolution créatrice* montre que Bergson n'a pas seulement été impressionné, mais véritablement inspiré par la fin du *Rapport*.[1]

Malgré ce que nous venons de dire, qui nous a permis de rendre justice à Bergson sur plus d'un point, nous allons voir qu'il y a des réserves à faire sur la manière dont il résume le *Rapport*. La première des deux thèses présentées par Bergson comporte déjà un appauvrissement par rapport au texte. Rappelons cette thèse: du mécanique on ne peut passer au vivant par voie de composition. Mais Ravaisson, reprenant Comte, affirme d'une manière plus générale: de l'inférieur on ne peut passer au supérieur par voie de composition. Ce qui est vrai du vivant l'est aussi, et plus encore, de l'être intellectuel et moral. Aussi Ravaisson ne cesse-t-il, tout au long du *Rapport*, de s'insurger contre des entreprises qui, comme la phrénologie, prétendent réduire la pensée à ses conditions physiques. Nous avons signalé plus haut la prise de conscience de Comte concernant la spécificité du vivant, mais il ne s'arrêta pas à cette étape: «Dans sa *Politique positive*, publiée de 1851 à 1854, Auguste Comte alla, dans ce même sens, beaucoup plus loin encore. Ce n'était plus cette fois la vie seulement qu'il avait à étudier, c'était la vie morale, celle de l'intelligence et du coeur».[2] Pour Ravaisson, le sommet de l'être n'est pas la vie, c'est l'esprit; et l'esprit lui-même culmine dans la Perfection, ce Bien non idéal, mais effectif, qu'est Dieu. Or, suivant les propres termes de Ravaisson, ce jugement synthétique par lequel nous remontons à la cause première – à la fois efficiente et finale – s'opère «en présence des êtres organisés, et *mieux encore* en présence des êtres intelligents et moraux».[3] Bergson fait d'une étape indispensable – le dépassement du mécanisme au profit du vital – l'unique centre de référence. Il ne cesse de dépasser le mécanisme, mais la perpétuité même de ce dépassement le ramène toujours à ce qu'il dépasse: nous avons déjà constaté ce fait à propos de *L'Habitude*: «L'habitude nous donne ainsi la vivante démonstration de cette vérité que le mécanisme

---

[1] E.C., p. 211.
[2] R., p. 82.
[3] *Ibid.*, p. 240. Nous soulignons. Cf. aussi p. 98 «. . . la direction qui mène au spiritualisme et celle où acheminent la biologie et surtout les sciences morales et esthétiques».

ne se suffit pas à lui-même».[1] La pensée bergsonienne est fascinée par l'antinomie entre la vie et le mécanisme; ce n'est pas du tout le cas chez Ravaisson. Si celui-ci s'intéresse à la spontanéité vitale, ce n'est pas par vitalisme, mais parce qu'elle offre, dès son niveau le plus inférieur, l'image d'une spiritualisation de la matière: elle annonce la liberté. Pour Ravaisson, la nature en son fond est spirituelle, puisque même l'inertie recèle une spontanéité.[2] Dans la dispersion matérielle l'esprit, étranger à lui-même, ne cesse pourtant d'être en rapport avec lui-même: «la nature est comme une réfraction ou dispersion de l'esprit».[3]

Donc, si le vivant ne bénéficie pas chez Ravaisson de la priorité et même de l'exclusivité que lui accorde Bergson, c'est parce qu'il s'insère dans une échelle d'êtres dont le sommet est Dieu. Selon la terminologie bergsonienne, on passe ici de la première à la seconde thèse. Mais justement la référence au dessin dans l'exposé bergsonien ne suffit pas à faire comprendre la *nécessité* du passage de la physique à la métaphysique, ou plus exactement de la biologie à la théologie. Ne serait-ce pas que Bergson prétend faire l'économie des concepts d'identité personnelle et de personne divine à la lumière desquels seulement s'éclaire la remontée ravaissonienne à l'absolu? Il le semble en effet: il n'y a pas de référence au *cogito* dans la *Notice* de Bergson et Dieu n'y est nommé que comme la «pensée infinie». Or si la pensée humaine saisit la nécessité de l'absolu, c'est d'abord parce qu'elle le trouve en elle-même dans la réflexion sur elle-même. Ravaisson suit la voie cartésienne remontant du moi à Dieu par l'intermédiaire de l'idée innée de parfait. L'absolu dont il est question ici n'a rien d'une plénitude continue de jaillissement vital; c'est l'absolu de la métaphysique classique: l'être infini, parfait, éternel, personnel, bref le Dieu des philosophes: «L'absolu de la parfaite personnalité, qui est la sagesse et l'amour infinis, est le centre perspectif d'où se comprend la système que forme notre personnalité imparfaite, et, par suite, celui que forme toute autre existence».[4] Si «Dieu sert à entendre l'âme et l'âme la nature», c'est que Dieu est la pensée de la pensée, la spontanéité absolue, l'accomplissement parfait auquel aspire la nature entière. Car la spontanéité se retrouve à tous les niveaux, mais de plus en plus atténuée et comme l'ombre d'elle-même lorsqu'on descend au dernier degré. De cette notion-clef de spontanéité, il n'est pas question en ce sens dans la *Notice*, mais uniquement au sens biologique; Bergson évite le «point de vue central de la

---

[1] P.M., p. 267.
[2] R., pp. 248 sqq.
[3] *Ibid.*, p. 255.
[4] *Ibid.*, p. 246.

réflexion sur soi» pour des raisons sans doute très compréhensibles dans
une perspective bergsonienne – car qui dit réflexion dit intelligence,
donc spatialité –, mais qui «bergsonifient» d'autant Ravaisson. On
comprend peut-être mieux maintenant que, dans la présentation
bergsonienne, l'esprit et la matière se trouvent seuls, pour ainsi dire
face à face. Bergson écrit que Ravaisson nous montre «dans la production originelle de la matière un mouvement inverse de celui qui s'accomplit quand la matière s'organise».[1] Assurément. Mais, dans le passage dont Bergson s'inspire, c'est la cause première qui «déroule» l'existence en matérialité et qui pose la base sur laquelle tout revient à
l'unité spirituelle. Bergson retient la symétrie des deux mouvements, la
matérialisation de l'esprit et la spiritualisation de la matière, mais elle
n'est plus rapportée au centre perspectif qui lui donne sa signification
totale. Ravaisson dans le passage en question ne fait que développer
une image stoïcienne. Sans doute Bergson prend-il trop à la lettre le
«langage tout physique» des Stoïciens. Mais pourquoi? Ce langage ne
s'accorde-t-il pas avec sa propre cosmologie? Le passage de *L'Évolution
créatrice*, déjà cité, semble le confirmer; nous y voyons Bergson en quête
d'une cosmologie qui, remontant à l'origine – spirituelle – de la matière
par un acte d'inversion ou de conversion, ne serait qu'une «psychologie
retournée».[2] Car, pour Bergson, la genèse de l'intelligence et la genèse
de la matière sont simultanées. *«C'est la même inversion du même mouvement
qui crée à la fois l'intellectualité de l'esprit et la matérialité des choses».*[3] En se
détendant, l'esprit se représente sa possible *extension.* Nous avons l'intuition
de ce rapport lorsque nous nous concentrons en nous-mêmes en essayant de remonter au centre le plus intime de notre propre durée:
dans un instant exceptionnel un présent nouveau vient grossir la masse
mouvante de nos souvenirs. Sortons-nous au contraire de nous-mêmes,
nous voici livrés à un présent perpétuel éparpillé dans des instants extérieurs les uns aux autres. C'est cette dernière représentation qui
semble le mieux figurer la spatialité matérielle, et qui fait comprendre
sa coïncidence directe avec notre intelligence. Si celle-ci épouse
harmonieusement l'homogénéité matérielle, c'est qu'il y a eu adaptation réciproque entre elle et la matière dans ce mouvement d'inversion
dont il a été question. Bergson en vient donc à supposer que «le
physique soit simplement du psychique inverti».[4] Or, si l'on se reporte
à la *Notice,* et spécialement au paragraphe concernant la relation entre

[1] P.M., p. 275.
[2] E.C., p. 209.
[3] *Ibid.,* p. 207. Italiques de Bergson.
[4] *Ibid.,* p. 203.

l'organisation vitale et sa production originelle,[1] on constate que Bergson y expose déjà, trois ans avant la publication de *L'Évolution créatrice*,
pratiquement dans les mêmes termes, la même idée, mais en la prêtant
telle quelle à Ravaisson, puisque – comme nous l'avons déjà signalé – il
prétend que Ravaisson nous montre «dans la production originelle de
la matière un mouvement inverse de celui qui s'accomplit quand la
matière s'organise».[2] Si Bergson élimine prestement l'intervention divine, c'est que pour lui le vital est l'absolu; c'est pourquoi, une physique
envisagée d'un point de vue suffisamment large «touche à l'absolu».[3]

La différence entre la pensée de Bergson et celle de Ravaisson restituée à elle-même nous semble assez nette, le subreptice glissement de
sens bergsonien assez caractérisé pour nous amener à réviser notre premier jugement: Bergson a beau bien connaître le *Rapport*, il a beau lui
consacrer dans sa *Notice* un développement fort conséquent, sa présentation n'est cependant pas intégralement fidèle à l'original. Quelle
signification attribuer, dès lors, à l'inspiration puisée par Bergson dans
le *Rapport*? Cette importante question mériterait examen; contentons-
nous pour l'instant de noter que l'allusion explicite faite à Ravaisson,
au terme du passage susdit de *L'Évolution créatrice*, révèle, une fois de
plus, un malentendu. Voici cette référence: «La relation que nous établissons, dans le présent chapitre, entre l'«extension» et la «distension»,
ressemble par certains côtés à celle que suppose Plotin (dans des développements dont devait s'inspirer M. Ravaisson), quand il fait de
l'étendue, non pas sans doute une inversion de l'Être originel, mais un
affaiblissement de son essence, une des dernières étapes de la procession».[4] Il paraît vraisemblable, comme l'indique M. André Robinet,[5]
que Bergson songe ici justement aux dernières pages du *Rapport* de
Ravaisson. Mais d'une part Ravaisson, d'après ses propres termes, ne
s'y inspire pas seulement de Plotin, mais de presque tout l'ancien
Orient et surtout, essentiellement, du Christianisme. D'autre part,
Bergson est lui-même obligé d'avouer le caractère approximatif de sa
référence à Plotin, spécialement en ce qui concerne «l'inversion de
l'être». Pour Bergson, suppression de réalité positive et inversion reviennent au même,[6] mais il reconnaît que ce n'est pas vrai chez Plotin
puisqu'on ne peut y confondre l'affaiblissement de l'essence avec le

---

[1] P.M., p. 275.
[2] *Ibid.*
[3] E.C., p. 200.
[4] *Ibid.*, p. 211, n. 1.
[5] Bergson, *Oeuvres*, éd. du Centenaire, P.U.F., Paris, 1959, p. 1564.
[6] E.C., p. 211.

concept bergsonien d'inversion. Seulement, Bergson ne se rend pas compte que le scrupule qui le retient à propos de Plotin ne semble pas l'avoir effleuré, trois ans plus tôt, lorsqu'il a écrit sa notice sur Ravaisson. L'abaissement de la Divinité n'est jamais envisagé par Ravaisson comme un retournement de son essence ; condescendance n'est point conversion. Ravaisson s'inspire il est vrai de Plotin, mais plus littéralement que Bergson. Ce dernier n'y a pas pris garde. Sans doute d'avance persuadé de la communauté de vues entre son maître et lui, il s'est cru de plain-pied avec lui : nous venons de vérifier, une fois de plus, que ce n'est pas le cas.

Concluons sur ce point. La critique principale que l'on peut faire à Bergson sur son compte rendu du *Rapport* est qu'il transforme l'esprit de la métaphysique ravaissonienne en ôtant tout rôle véritablement actif à son couronnement, l'absolu, et qu'il en change par conséquent le centre perspectif. Le dynamisme vital devient l'essentiel aux dépens d'un ordre ontologique hiérarchisé commandé par la spontanéité absolue de Dieu. Certes, Bergson signale que pour Ravaisson le fond de la réalité est «un don gratuit, comme un grand acte de libéralité et d'amour»,[1] mais il ne tire pas parti de sa remarque ; et, comme nous l'avons vu, il présente artificiellement les vues ravaissoniennes sur la «condescendance» divine comme la seconde thèse du *Rapport,* sans montrer clairement l'unique nécessité métaphysique qui justifie et relie les deux thèses.

---

[1] P.M., p. 275.

CHAPITRE IV

DERNIÈRES MISES AU POINT ET BILAN

Sur certains points la *Notice* de Bergson est irréprochable, par exemple en ce qui concerne le premier volume de l'*Essai sur la Métaphysique d'Aristote*. Il nous faut en effet donner raison à Bergson lorsqu'il écrit: «La métaphysique qu'il (Ravaisson) nous expose à la fin de son premier volume, c'est la doctrine d'Aristote unifiée et réorganisée».[1] La plupart des interprètes d'Aristote l'ont noté; encore tout récemment M. Aubenque.[2] Mais il faut également rendre justice à Bergson lorsqu'il loue le style de Ravaisson dans l'*Essai*, cette langue «où la fluidité des images laisse transparaître l'idée nue». Il y aurait bien des passages à mettre à l'honneur; bornons-nous à signaler cette page sur Platon et le «demi-jour des Mathématiques»,[3] cette autre sur le plaisir,[4] cette autre encore sur l'éveil de l'âme à la connaissance,[5] enfin l'admirable péroraison.

Il est plus difficile de suivre Bergson lorsqu'il met en cause la présentation ravaissonienne de la critique de Platon par Aristote. Il est certain qu'ici comme ailleurs Ravaisson a tendance à systématiser, en l'occurrence à schématiser à gros traits, pour mieux le flétrir, l'idéalisme platonicien. Faut-il pour autant soutenir avec Bergson que Ravaisson va jusqu'à «convertir en opposition radicale la différence souvent légère et superficielle, pour ne pas dire verbale, qui sépare Aristote de Platon»?[6] Bergson plaide ici *pro domo*: c'est lui qui convertit l'opposition aristotélicienne vis-à-vis de Platon en «différence verbale». Il suffit, pour le constater, de se reporter au chapitre IV de *L'Évolution créatrice*. Nous y lisons que la théorie platonicienne des Idées consiste à appliquer «le mécanisme cinématographique de l'intelligence à l'analyse du réel»[7] et

---

[1] P.M., p. 256.
[2] *Le problème de l'être chez Aristote*, Paris, P.U.F., 1962, p. 7.
[3] E, I, p. 322.
[4] *Ibid.*, p. 444.
[5] *Ibid.*, p. 505.
[6] P.M., p. 258.
[7] E.C., p. 314.

qu'Aristote «essaie en vain de s'y soustraire»,[1] puisque le νοῦς ποιητικός établit «la *possibilité d'un déversement* des Idées platoniciennes hors du Dieu aristotélique».[2] Ces pages si rapides suffisent-elles à démontrer que la différence entre Aristote et Platon n'est que «verbale»? S'il vaut mieux, entre deux systématisations, choisir la moindre, celle-ci serait-elle bergsonienne?

Si pour Bergson la différence entre Platon et Aristote est négligeable, c'est qu'ils cèdent tous deux à la tendance intellectualiste immanente à l'esprit humain. Platon et Aristote formulent, chacun à leur manière, le «mouvement naturel de l'intelligence».[3] Encore le cas d'Aristote se révèle-t-il, à l'examen, plus grave que celui de Platon, car, tout en paraissant se dégager de la doctrine des Idées, il y reste fidèle; et même, sans se contenter d'accorder aux Idées une existence indépendante, il place au-dessus d'elles l'Idée des Idées, la Pensée de la Pensée. Le Dieu d'Aristote n'est donc que «la synthèse de tous les concepts en un concept unique».[4] Voici qui démontre incontestablement que Bergson est ici en opposition complète par rapport à Ravaisson. Cette opposition ne transparaît pas explicitement dans la *Notice*: faut-il croire que Bergson n'en avait pas encore pris conscience au moment de la composition du texte? Ne faut-il pas plutôt penser qu'il n'a pas voulu faire état de ses propres réserves, dans un texte d'hommage? Serait-ce un prétexte suffisant pour présenter la méthode aristotélicienne en des termes si généraux – et si personnels en même temps – qu'on en vient à se demander en quoi elle diffère de la dialectique platonicienne? Laissons le lecteur juger sur pièces: après avoir rappelé les défauts opposés, mais pourtant concordants, du sensualisme des «physiciens» et de l'intellectualisme des platoniciens, Bergson ajoute qu'il y a «un autre parti à prendre». Lequel? «Ce serait, par un puissant effort de vision mentale, de percer l'enveloppe matérielle des choses et d'aller lire la formule, invisible à l'oeil, que déroule et manifeste leur matérialité. Alors apparaîtrait l'unité qui relie les êtres les uns aux autres, l'unité d'une pensée que nous voyons, de la matière brute à la plante, de la plante à l'animal, de l'animal à l'homme, se ramasser sur sa propre substance, jusqu'à ce que, de concentration en concentration, nous aboutissions à la pensée divine, qui pense toutes choses en se pensant elle-même. Telle fut la doctrine d'Aristote».[5] En quoi cette «méthode de philosopher» se

---

[1] E. C., p. 321.
[2] *Ibid.*
[3] *Ibid.*, p. 322.
[4] *Ibid.*, p. 321.
[5] P.M., p. 258.

distingue-t-elle de la dialectique ascendante de Platon? Il est difficile de
s'en faire une idée d'après ce texte. On sent trop que Bergson se voit
contraint, pour paraître sincère dans sa défense de la méthode aristotélicienne, de la «bergsonifier». Expliquons-nous: Bergson doit montrer
l'originalité de la méthode aristotélicienne; au lieu de cela, que fait-il?
Il reconstruit à sa façon Aristote, sympathiquement, pour le rendre plus
attirant. Il en résulte que la seule lecture cohérente du texte ne peut
être que bergsonienne, mais assurément ni péripatéticienne ni platonicienne. L'intuition, la matérialité déroulant la vision mentale, la pensée
aboutissant au divin par concentration: autant de termes ou d'expressions qui rappellent *Matière et Mémoire* ou annoncent *L'Évolution créatrice*,
mais ne se rattachent que de loin au sujet. L'allusion à l'intuition ne
peut se justifier qu'en référence à un passage de l'*Essai sur la Métaphysique d'Aristote* [1] où Ravaisson évoque le rapprochement établi par
Aristote entre la vue et l'esprit, pour légitimer l'emploi du mot *intuition*: «Aux deux bouts de la science, au commencement et à la fin,
l'intuition; à une extrémité l'intuition sensible, à l'autre, l'intuition
intellectuelle». Ces deux intuitions ne sont pas liées par la continuité
d'un «puissant effort de vision mentale» comme le fait croire l'exposé
bergsonien, mais séparées par l'immense «monde de la contrariété»,
celui de la science de la nature, c'est-à-dire de la science proprement
dite.

Bergson ne signale pas un fait qui pourtant ne pouvait le laisser in-
différent: dans le deuxième volume de l'*Essai*, publié neuf ans après le
premier, Ravaisson émet des doutes sur sa propre théorie échafaudée
dans l'enthousiasme de la jeunesse. D'après le premier volume, la Pensée de la Pensée est «pensée substantielle»: que Dieu «ne descende point
à gouverner les choses», cela n'est pas considéré comme une difficulté,
mais signifie simplement que l'architectonique du monde relève de la
nature. Mais, dans le deuxième volume, Ravaisson n'hésite pas à mettre
en cause «la réalité, la possibilité même du principe aristotélicien». Il
semble qu'Aristote «n'ait fait encore que substituer à une abstraction
une autre abstraction non moins dépourvue de réalité». Finalement, la
pensée absolue est-elle pure idéalité ou «l'être unique et total par lequel,
dans lequel seuls tous les êtres existent»? Ravaisson ne se prononce pas
nettement.[2] Ce beau texte, Bergson aurait pu, en s'attribuant le bénéfice du doute ravaissonien, le citer à l'appui de sa propre interprétation
d'Aristote: encore aurait-il fallu que cette dernière fût clairement op-

[1] E, I, p. 530, n. 4.
[2] E, II, p. 568.

posée à celle de Ravaisson, et non fondue dans un exposé faussement synthétique.

Ceci tendrait à prouver que Bergson n'a pas relu le deuxième volume de l'*Essai* avant d'écrire sa *Notice*.[1] En effet, dans les cinq lignes que Bergson consacre nommément à ce volume, il écrit que c'est «l'âme même de l'aristotélisme» que Ravaisson cherche à y dégager, ce qui n'est pas faux mais fort incomplet. Car s'il est vrai que le second volume de l'*Essai* ne perd jamais de vue – et pour cause – l'aristotélisme et tente de le mieux comprendre à la lumière de ses interprétations et même de ses déformations, son objet est plutôt d'expliquer la chute de la pensée antique à partir de l'éclipse que subit la philosophie péripatéticienne dans le néoplatonisme. Alors qu'Aristote plaçait le premier Principe en dehors de notre monde et que le Stoïcisme l'y répandait, l'Un plotinien se condense en lui-même et se diffuse en même temps dans le monde. Mais, ce qui intéresse Ravaisson est moins l'enchaînement des différents degrés de la procession que l'échec du dépassement de toute finité dans l'Un: dans sa volonté de chercher un principe suprême au delà de la pensée, Plotin tend à «résoudre l'Un lui-même dans l'indétermination absolue de la matière».[2] C'est pourquoi il retombe par un surcroît d'abstraction dans le défaut du platonisme. Chercher l'absence d'attributs, c'est s'en tenir à la simplicité logique: «Après s'être élevé, avec Aristote, de la simple existence à la vie, de la vie à la pensée, c'est-à-dire du plus imparfait au plus parfait, le néoplatonicien retourne, sans s'en apercevoir, du plus parfait au plus imparfait».[3] On retrouve ici un thème constant de Ravaisson: à trop pousser la rationalisation, la philosophie tombe dans l'excès apparemment inverse, le primat de la matière. Apparemment inverse, car au fond le matérialisme procède inconsciemment, et quoique plus rudimentairement, par abstraction. Ce péché subtil de la philosophie la tente toujours, du fait de l'immanence de la généralisation à la raison. L'excès de zèle rationaliste fait quitter le terrain de l'expérience et fait perdre au principe recherché toute détermination: on croyait pouvoir conceptualiser Dieu et l'on ne saisit que son fantôme. Hegel n'a-t-il pas nommé la Logique le Royaume des ombres? Ravaisson n'a pas pressenti la portée de la logique hégélienne et du dépassement de l'abstraction par son retournement sur elle-même. Mais cela n'ôte aucune valeur à sa critique de

---

[1] Ce qui, dans la *Notice*, suit immédiatement l'allusion au second volume ne peut, en fait, se rapporter au premier.

[2] E, II, p. 463.

[3] *Ibid.*, p. 579.

l'idéalisme plotinien. Il est certain que Plotin retrouve dans l'Un, à force de négations, l'indétermination et les ténèbres qu'il fuit dans la matière. Ténèbres de chaos ici, d'éblouissement là? Le second volume de l'*Essai* ne répond pas à la question, ne se satisfait pas de cette incertitude, mais revient au «monument impérissable» de l'aristotélisme, insuffisant encore, puisqu'il ne conçoit pas Dieu comme volonté souveraine, mais déjà proche du Christianisme par sa pensée du divin comme vie et pensée autonomes.

Tout cela, Bergson ne le suggère même pas, dans sa *Notice*. Il est vrai que ce n'est qu'une notice et qu'il n'a pas la prétention d'y être complet. Ce qu'on peut cependant lui reprocher, c'est de ne pas évoquer – ne fût-ce que par une phrase – la question essentielle du second volume, à savoir la critique par Ravaisson du néoplatonisme, spécialement de Plotin. Bergson a pourtant lui-même été très inspiré par Plotin: cette question aurait donc dû retenir son attention, comme ce sera le cas dans *L'Évolution créatrice* lorsqu'il remarquera que Ravaisson s'est inspiré de Plotin dans certains développements.[1] Citons par exemple ce passage de la fin du *Rapport*: «Ne pourrait-on dire ... que ce que la cause première concentre d'existence dans son immuable éternité, elle le déroule, pour ainsi dire, détendu et diffus dans ces conditions élémentaires de la matérialité, qui sont le temps et l'espace; qu'elle pose ainsi, en quelque sorte, la base de l'existence naturelle, base sur laquelle, par ce progrès continu qui est l'ordre de la nature, de degré en degré, de règne en règne, tout revient de la dispersion matérielle à l'unité de l'esprit».[2] On trouve dans ce texte les notions plotiniennes d'expansion de l'Un produisant la matière comme son hypostase et d'un retour progressif à l'unité à travers les degrés de la nature. Mais, comme nous l'avons déjà signalé, Ravaisson introduit dans ce schéma l'idée chrétienne de libre création par amour. Au total, les seules critiques sérieuses que l'on puisse faire à la présentation bergsonienne de l'*Essai* concernent le second volume. Quant au *Testament philosophique*, ses pensées essentielles sont évoquées avec talent et sympathie par Bergson, en particulier cette idée que l'héroïsme de l'amour est naturel en nous et qu'il suffit de ne pas y faire obstacle par un usage égoïste de notre volonté. L'idée du caractère inné de l'héroïsme est stoïcienne et grecque, non chrétienne, le seul point peut-être où Ravaisson et Nietzsche convergent: pour Ravaisson les héros sont des généreux au sens

---

[1] E.C., p. 211, n. 1.
[2] R., p. 262.

propre, ils font preuve d'une «native magnanimité»;[1] et Nietzsche écrit: «L'aristocratie native (γενναῖος signifie naïf): une façon instinctive d'agir et de juger est le signe d'une bonne race . . .»[2] Seulement, les aristocrates nietzschéens ne sont pas des généreux, ou du moins pas intrinsèquement, tandis qu'au fond de l'innéisme ravaissonien de la grandeur il y a toujours l'exaltation du don de soi et de l'amour envers le prochain.

* * *

En matière philosophique les critiques ne s'additionnent pas comme des chiffres: un bilan est donc à peine possible. D'abord, du point de vue de notre propre méthode, nous sommes parfaitement conscient du caractère souvent ingrat de la critique presque mot pour mot d'un texte, surtout lorsqu'il est signé Bergson. Les grands écrits ne se laissent certes pas corriger comme des copies, mais seuls ils supportent le mot à mot d'une lecture, d'une critique. Notre rigueur envers le texte bergsonien est donc un hommage. En outre la *Notice* est écrite avec tant de talent qu'il en coûte au censeur de tailler à coups de serpe dans un parterre si plein de roses. Mais il est évident que ni le talent ni la maîtrise de Bergson ne le garantissent de quelques faux pas lorsqu'il s'aventure sur un terrain qui n'est plus strictement le sien; à notre avis la *Notice* ne fait pas partie de l'oeuvre de Bergson au même titre que ses autres textes philosophiques: elle n'est pas – du moins en droit – intérieure à la problématique bergsonienne.

Si maintenant, pour en revenir au fond, nous récapitulons nos critiques à l'encontre de la *Notice*, nous constatons qu'elles vont en importance décroissante dans l'ordre où nous les avons classées: sur la nature de l'habitude, Bergson fait une grave méprise, puisqu'il minimise le rôle ontologique assigné à l'habitude par Ravaisson; dans la question de l'art pictural, il opère un gauchissement d'esprit platonicien; le *Rapport* est présenté de manière artificielle et Bergson ôte tout rôle véritablement actif et libre à l'Absolu; les insuffisances que nous signalons par ailleurs procèdent d'omissions. Au total, la *Notice* de Bergson se révèle défectueuse du fait d'erreurs caractérisées, mais aussi par des glissements de sens: les premières sont facilement isolables; les seconds composent une sorte de halo dont la critique, quoiqu'aussi nécessaire, se révèle moins facile: lorsque – par exemple – Bergson emploie dans sa

---

[1] T., p. 65.
[2] *La volonté de puissance*, trad. BIANQUIS, Paris, Gallimard, 1948, II, p. 333.

Notice le mot *intuition*,[1] on ne peut lui reprocher que de le faire dans un contexte qui n'est plus celui de Ravaisson, mais le sien. De l'ensemble résulte l'image bergsonienne de Ravaisson, qui – en fait – n'est qu'un reflet de la pensée de Bergson lui-même. Ainsi l'interprétation ravaissonienne d'Aristote est-celle qualifiée de «hardie» et l'esprit de l'oeuvre est-il présenté comme «nouveau», «en avance».[2] En avance par rapport à quoi, ou plutôt à qui, sinon à Bergson? «Quoi de plus hardi, quoi de plus nouveau que de venir annoncer aux physiciens que l'inerte s'expliquera par le vivant, aux biologistes que la vie ne se comprendra que par la pensée, aux philosophes que les généralités ne sont pas philosophiques . . . ?»[3] N'est-ce pas ce que Bergson lui-même prétend faire au début du XXème siècle, en avance sur son époque? Si Ravaisson présentait déjà des idées prébergsoniennes plus d'un demi-siècle avant, n'était-il pas plus «hardi» encore? Le mérite que Bergson reconnaît à Ravaisson est d'avoir été son précurseur. Loin de nous l'idée de nier le rôle avant-coureur de Ravaisson dans le lien qu'il établit entre la biologie et la philosophie; il est certain, aussi, que Ravaisson a inspiré plusieurs générations de philosophes dits spiritualistes dont il avait annoncé le règne par ces lignes: «A bien des signes, il est . . . permis de prévoir comme peu éloignée une époque philosophique dont le caractère général serait la prédominance de ce qu'on pourrait appeler un réalisme ou positivisme spiritualiste . . .»[4]

Nous voyons ici Ravaisson lui-même céder à la tentation de l'étiquetage. Il y a eu effectivement dans la philosophie française une époque spiritualiste, comme il y a eu en politique un règne du parti radical. Mais si Ravaisson est penseur, c'est – à notre avis – en un sens plus originel et plus secret que nous allons essayer de décrypter et d'expliciter dans la suite de cet ouvrage.

* * *

Un trait encore. Bergson l'a réservé pour sa péroraison; il est donc légitime de le mettre en cause en dernier lieu: Bergson convient du caractère «vague» de la langue de Ravaisson: «elle l'est dans ce qu'elle exprime»;[5] et quelques lignes plus bas: «Que la forme en soit un peu vague, nul ne le contestera: c'est la forme d'un souffle . . .»[6] Le lecteur

---

[1] P.M., p. 258.
[2] *Ibid.*, pp. 257, 291.
[3] *Ibid.*, p. 291.
[4] R., p. 258.
[5] P.M., p. 290.
[6] *Ibid.*

risque de ne pas faire la distinction entre l'expression et la pensée. Il est vrai que Bergson ajoute: «. . . mais le souffle en vient de haut et nette en est la direction». Le fond rachète donc une certaine déficience de forme; mais l'établissement d'une telle compensation ne signifie pas grand chose tant qu'on n'a pas posé la question essentielle de savoir à quelle nécessité métaphysique fondamentale répond la pensée de Ravaisson. On ne s'étonne pas d'un certain vague dans un poème. On s'en étonnerait moins dans une philosophie si l'on reconstituait de l'intérieur son «devenir-poésie». On s'apercevrait peut-être alors que cet énigmatique détour n'est pas dû au hasard ni à la fantaisie de l'auteur. Découvrir le lieu le plus intime de la pensée permet de porter au jour le lien entre la forme sous laquelle cette pensée se manifeste et ce qui la fonde. Tel est notre but, mais il ne faut pas s'étonner que le premier regard soit dépaysé par l'infléchissement d'un style et d'un ton. Ce qu'on ne comprend pas dans la pensée, on cherche à l'expliquer par la vie. Or, le personnage Ravaisson ne livre pas facilement ses secrets: comme l'écrit Bergson: «Il ne donnait pas de prise».[1]

Les explications psychologiques, sociales, historiques peuvent-elles rendre compte de ce retrait? Devrons-nous, pour réussir l'approche d'une pensée si secrète, la rattacher aux diverses conditions de son apparition? Ou renverserons-nous cette perspective et, sans perdre de vue les modalités qui ont présidé au développement de la philosophie étudiée, les comprendrons-nous à partir de la signification qu'elles prennent sous la lumière de la pensée considérée dans le déploiement qui lui est propre? C'est avec ces questions que nous allons être confronté, au seuil de la présentation de la philosophie de Ravaisson.

---

[1] P.M., p. 270.

DEUXIÈME PARTIE

RAVAISSON

MÉTHODE, STRUCTURE ET PORTÉE DE SA PHILOSOPHIE

INTRODUCTION

> Je vous lis, vous admire. C'est surprenant de calme et de lumière.
>
> MICHELET à RAVAISSON (23 mai 1868).[1]

Après avoir détruit, il faut reconstruire. Nous avons critiqué l'interprétation bergsonienne de Ravaisson: à nous de restituer la pensée ravaissonienne «telle qu'en elle-même», ou, du moins, de proposer une interprétation, aussi proche que possible des textes, permettant d'opérer la «correction de perspective» annoncée plus haut. Instruit par l'exemple en partie négatif de Bergson, nous devons prendre garde à ne pas nous laisser fasciner par le mirage d'une coïncidence intuitive avec l'auteur. Une autre approche est-elle possible? La doctrine de Ravaisson, d'après M. Lenoir, «offre peu de prise à une étude désireuse de restituer l'organisation interne et le développement autonome de concepts».[2] Notre but est pourtant de comprendre la philosophie de Ravaisson en ses principes, en sa structure. Si l'entreprise ne peut être menée exclusivement à partir de *concepts,* sans doute doit-elle l'être à partir d'une *pensée* essentielle qui constitue la méthode même de Ravaisson. Dans cette perspective, le véritable point de départ ne se réduirait pas à une proposition de base: il ne ferait qu'un avec la marche même de la méditation.

Cette tentative de restitution pourrait être nommée aussi bien présentation de la philosophie de Ravaisson dans ses principes essentiels. Mais, pour présenter une pensée, ne faut-il pas tenir compte également du penseur? Arrêtons-nous à cette question. Descartes n'est pas seul à s'avancer masqué: chez tout philosophe authentique, le visage même que présente sa vie est ce masque. Le biographe, en croyant faire l'économie des énigmes d'une pensée, risque finalement de ne regrouper que des données vides, des orientations trop générales. Dans le cas de Ravaisson, nous nous trouvons devant un personnage discret, renfermé, qui ne partage pas le goût de son siècle pour les professions de foi

---

[1] *Lettres à Ravaisson,* R.M.M., 1938, p. 182.
[2] *La doctrine de Ravaisson et la pensée moderne,* R.M.M., 1919, p. 354.

politiques ou les confessions. Les prédéterminations psychologiques qui paraîtraient devoir expliquer son orientation philosophique posent en fait plus de questions qu'elles n'en résolvent, dès qu'on quitte le terrain des généralités. Voici un jeune et brillant docteur en philosophie qui renonce à la carrière universitaire: l'incompatibilité d'humeur avec Cousin suffit-elle à expliquer ce retrait? Dès 1840, et pour longtemps, il s'aliène les Cousiniens.[1] Mais, plus tard, il n'est pas plus suivi chez les archéologues: «il avait jadis essayé un mariage paradoxal pour tous les vrais archéologues, entre la Vénus de Milo et le Mars Borghèse, quand ce dernier est manifestement d'un style plus primitif».[2] On s'accorde en général à reconnaître son indépendance d'esprit:[3] Michelet le range parmi les «quatre esprits critiques» qu'il ait connus [4] et le propose le 29 février 1848 au Ministre de l'Instruction publique sur une liste de dix personnalités dignes d'entrer à l'Académie des Sciences morales, avec Béranger, Arago, Lamennais, Pierre Leroux, etc. Bergson résume bien l'impression produite par Ravaisson sur ses contemporains: «C'est aux pures idées que M. Ravaisson s'attachait. Toute sa personne respirait cette discrétion extrême qui est la suprême distinction ... Il ne donnait pas de prise ...»[5] Mais si Ravaisson surprend, il n'est pas sans fasciner. Ingres lui aurait dit: «Vous avez le charme».[6] Boutroux remarque qu'il se «distinguait d'abord par une aisance, une distinction souriante qui jamais ne se démentait».[7] Même Andler qui ne nous laisse des impressions que sur le vieux Ravaisson, présidant le Jury d'Agrégation «les yeux creux pleins de la sagesse des mondes», ne manque pas d'ajouter: «il était sympathique».[8] Cousin lui-même a reconnu: «C'est l'esprit le plus fort que j'aie connu parmi tous les jeunes gens qui me sont passés par les mains».[9] Et Edgar Quinet n'a-t-il pas écrit un jour à Ravaisson: «Chacun de vos pas a été du côté de la lumière»?[10] Bref, l'impression d'ensemble qui se dégage du personnage est celle de quelqu'un d'attachant malgré – ou à cause de – son étrangeté. Le penseur, du moins dans ses écrits les plus originaux et les plus spontanés,

---

[1] Observations de M. Charles WADDINGTON, *Séances et Débats de l'Acad. des Sciences mor.*, 5 mars 1901, vol. 61.
[2] Charles ANDLER, *Vie de Lucien Herr*, Paris, Rieder, 1932, p. 25.
[3] WADDINGTON, *op. cit.*
[4] Lettre de MICHELET à QUICHERAT, citée par LÉGER, *Notice sur Ravaisson, Comptes rendus de l'Acad. des Inscript.*, 14 juin 1901, p. 351.
[5] P.M., p. 270.
[6] *Ibid.*, p. 264.
[7] Extrait de la R.M.M., nov. 1900, pp. 17–18.
[8] ANDLER, *op. cit.*, pp. 24–25.
[9] Cité par WADDINGTON, *op. cit.*
[10] *Correspondance Quinet-Ravaisson*, publiée par M. SCHUHL, R.M.M., 1936, p. 490.

ne se révèle pas moins discrètement énigmatique. Le but d'une présentation n'est-il pas justement de rendre l'étranger familier?

La vie renvoie à l'oeuvre; pour comprendre celle-ci, il faut remonter à ses principes. On doit, selon Valéry, «former en soi une question antérieure à toutes les autres et qui leur demande ce qu'elle vaut». Le principe des principes, le véritable commencement, nous semble être justement cette «question antérieure» qui se dérobe à une étude uniquement formelle, qui doit être considérée en elle-même, mais aussi en rapport avec les questions qui procèdent d'elle ou auxquelles elle se heurte. Présenter la philosophie de Ravaisson, ce sera donc initier non à un mystère mais à un noeud de questions, renouant avec la grande Question sans cesse reposée, retraduite, réfractée par tous les langages à travers lesquels s'anime et se développe la métaphysique.

Ne se réduisant ni à une énumération de formules ni à l'établissement d'un contact du genre mystique, une telle présentation peut cependant laisser le lecteur insatisfait, car elle n'est qu'introductive. Aussi peut-on lui imputer le défaut de toute présentation, même sérieuse: elle ne renseigne pas encyclopédiquement; elle permet simplement de lier connaissance. Notre introduction à la philosophie de Ravaisson est volontairement plus suggestive qu'exhaustive. Elle serait exhaustive si elle récapitulait ou reconstituait tous les thèmes et les développements de la pensée de Ravaisson, si elle comportait également une étude complète de l'évolution de sa pensée. L'entreprise que voici s'inscrit dans un cadre plus limité: elle vise uniquement à rendre présente, sans l'actualiser artificiellement, une pensée dont les contours sont gommés par l'oubli.

Toute présentation implique, sinon une interprétation, du moins une certaine traduction du langage de l'auteur, un certain regroupement des notions-clefs. Mais il faut que ce décalage, même réduit au minimum, soit consciemment accepté, explicitement avoué. Il devient même alors, pour le lecteur, une invitation à mettre la présentation à l'épreuve de ce qu'elle prétend présenter. Cette mise à l'épreuve doit être inaugurée au sein de la présentation et se poursuivre dans un dialogue direct entre le lecteur et l'auteur présenté. C'est, selon nous, une erreur de croire, comme Bergson, que la relative infidélité de toute interprétation puisse être surmontée par une adhésion sympathique: de là découle le malentendu que nous nous sommes efforcé de mettre au clair.

Aussi n'est-il pas étonnant que notre critique de l'interprétation bergsonienne de Ravaisson ait été à la fois une introduction à la présentation proprement dite de la philosophie ravaissonienne et déjà, en un sens, cette présentation elle-même. A chaque fois que nous avons dû noter une divergence, il a fallu du même coup la circonscrire à partir des textes mêmes de Ravaisson. Ce sont maintenant ces derniers que nous allons directement interroger. C'est dire que nous ne procéderons pas suivant le même itinéraire que dans la première partie: nous suivions un texte bergsonien, nous allons être maintenant en contact immédiat avec l'oeuvre dont la signification est en cause.

Dans notre premier chapitre, nous nous attacherons donc à dégager ce que Ravaisson a voulu dire, non pas ce que nous voudrions qu'il ait dit. Nous tenterons de faire apparaître le Principe et les principes de sa méthode philosophique. La difficulté essentielle à laquelle nous nous heurterons est le caractère implicite de la plupart des orientations fondamentales de sa pensée. Celle-ci ne se présente jamais comme un ensemble de propositions déduites les unes des autres; elle se situe aux antipodes de l'*Éthique* ou de la *Wissenschaftslehre*. Nous serons, de ce fait, contraint d'entrer, en partie, dans le jeu de notre philosophe, c'est-à-dire de faire appel autant à l'intuition qu'à la conceptualisation, tout en gardant une certaine distance vis-à-vis de l'oeuvre étudiée, grâce au recul qu'offre la référence constante à la tradition métaphysique.

Notre tâche sera relativement plus facile dans le second chapitre où nous examinerons quelle structure générale résulte des principes que nous aurons dégagés: il s'agira de voir précisément comment s'articulent les notions-clefs de la philosophie ravaissonienne, s'il y a une évolution ou une constance des thèmes et de leurs relations respectives. Cette reconstitution structurelle resterait, à notre avis, sans portée profonde si elle n'était que formelle; placée en revanche dans la lumière de l'histoire de la philosophie, elle nous permettra de redonner à la pensée ravaissonienne son véritable cadre et de lui rendre le relief auquel elle a droit.

* * *

Lorsque Michelet félicite Ravaisson après avoir lu son *Rapport*, il est significativement partagé entre l'enthousiasme et la déception: «Je ne me lasse pas d'admirer la lumière calme et blanche que vous mettez sur ce tourbillon de pensée ...» Plus loin cependant: «Mais quelle déception! C'est pour rentrer dans la controverse du beau, de l'harmonie qui implique complexité, de l'amour compris dans tant de sens, l'amour, cette énorme équivoque qui nous écrasa deux mille ans». Et Michelet ajoute: «Vous avez trop un parti pris».[1] Entre ces deux visages de Ravaisson, nous ne voudrions pas opérer d'arbitrage, mais permettre au lecteur de discerner ce que Michelet appelle le «parti pris» de Ravaisson – son «choix métaphysique» – au sein même de ses inventions les plus spontanées.

---

[1] Lettre du 28 mai 1868, *Lettres à Ravaisson* publiées par M. Schuhl, *op. cit.*
Renan a une réaction comparable dans cette note inédite tirée de ses papiers tardifs: «Parti pris de médiocrité intellectuelle chez Binet, Dumas? *Qui spem non habent.* Hé bien, ma foi, tant mieux après *actor* Ravaisson». (B.N., *Nouvelles acquisitions françaises*, 14.201, n° 95).

CHAPITRE I

LA MÉTHODE

On a parfois présenté la philosophie de Ravaisson comme le produit de l'émotivité de son auteur, donc comme une sorte d'impressionnisme; G. Madinier, pour sa part, emploie le mot *romantisme*.[1] Ravaisson n'aurait-il d'autre méthode que celle qui lui serait dictée par ses goûts esthétiques liés à l'irrationalisme néo-chrétien issu du *Génie du Christianisme* et à l'influence de la philosophie et de la poésie allemandes? De fait, certains textes, surtout dans le *Testament* et les inédits, offrent au premier regard un enchevêtrement de poésie et de philosophie, une sorte de rêverie métaphysique apparemment livrée aux hasards des associations d'idées. Ainsi, nous lisons dans le *Testament*: «... l'élément négatif n'est pas absolument l'ennemi. (Böhme rapproche le feu et le principe divin de la colère. Pour Léonard, Rembrandt, Van der Meer, Corrège, même *l'ombre* est amie. De même le fuyant de la perspective, *l'evanescentia* de la mort, la *morbidezza* des grands peintres, la δύναμις d'Aristote ...)»[2] Ravaisson ne dote-t-il pas ici le négatif d'une charge affective, n'introduit-il pas les jeux de l'imagination dans le domaine logique, ne cite-t-il pas d'ailleurs des noms d'artistes pour venir illustrer une vérité philosophique mal précisée?

En nous en tenant à cet exemple, nous allons nous demander si les critiques que nous venons de formuler à l'encontre de Ravaisson résistent à un examen plus poussé. Si nous lisons de près le court passage qui est en cause, sans nous en tenir à l'impressionnisme apparent du langage et de la méthode, nous découvrons qu'une vérité philosophique capitale y est exprimée. Cette vérité, n'est-elle pas comparable à la pensée fondamentale de la dialectique de Hegel, ne lui correspond-elle

---

[1] *Conscience et Mouvement*, Paris, Alcan, 1938, p. 285; voir également M. LENOIR, *La doctrine de Ravaisson et la pensée moderne*, art. cit.

[2] T., p. 185.

pas? Expliquons-nous: si l'élément négatif n'est pas l'opposé absolu du positif, c'est qu'il n'est pas sans rapport avec lui, bref c'est qu'il y a une positivité du négatif. Héraclite, Empédocle ne cherchent-ils pas déjà à penser l'union des contraires? Et le *Sophiste* de Platon ne réintègre-t-il pas le non-être dans l'être, comme Autre? En termes platoniciens l'«amitié» de l'élément négatif avec le positif consiste dans la κοινωνία τῶν γενῶν ou encore la συμπλοκὴ τῶν εἰδῶν.[1] On comprend, dans cette perspective, l'allusion de Ravaisson à la δύναμις d'Aristote, qui n'est pas une privation fermée sur soi, mais relative à ce dont elle est puissance: d'après la *Métaphysique* (Δ, 12), en tant que principe du changement, elle constitue l'altérité introduite au sein du Même; à ce titre, la δύναμις caractérise la ὕλη. Celle-ci est «amie» de la forme dans la mesure où elle aspire, en tant que δύναμις, à prendre forme. Le monde physique vibre ainsi pour la Forme parfaite, le Premier Moteur, modèle universel.

Par conséquent, la pensée qui se cherche dans le fragment de Ravaisson conflue avec le cours principal de la métaphysique, à ceci près qu'elle n'est conçue thématiquement et systématiquement que par l'idéalisme spéculatif. Nous n'avons cité jusqu'ici que Hegel; le nom de Schelling ne s'impose pas moins: on sait d'ailleurs quel rôle Böhme – cité par Ravaisson – a joué sur l'un et sur l'autre. Si Dieu-Amour est également colère, haine, exclusion, retrait, froideur, c'est que le négatif règne au sein même du positif, c'est que le coeur même du réel est le négatif. Cette intime correspondance de l'expansion et du retrait, de l'amour et de la haine, Schelling la saisit dans le rapport plus secret entre le *Grund* et l'*Existenz*: ce qui fonde la diffusion de l'amour divin, c'est sa résistance intime à toute expansion, l'*an-sich-halten* de son égoïté; mais ce retrait du fond qui, chez l'homme, se coupe de ce qu'il fonde et produit le mal constitue en Dieu la condition même de son être, la densité de son amour, l'émotion qui ombre de pudeur sa venue au jour.

Ce qui vient d'être dit ne s'applique pas seulement à l'oeuvre tardive de Ravaisson. Dès *L'Habitude*, «l'ombre même est amie», l'ombre correspondant à l'inorganique, l'involontaire, le passif réconciliés – dans l'immédiation progressive de l'habitude – avec la liberté spirituelle. Ravaisson cite à la fin de *L'Habitude* le mot de Fénelon: «la nature est la grâce prévenante». Elle l'est doublement, en fonction même du double sens du mot grâce: la nature est grâce en tant que le meilleur en elle atteint au comble de la beauté, car «la beauté, et principalement la

---

[1] *Sophiste*, 257 a; 259 e.

plus divine et la plus parfaite, contient le secret du monde»,[1] et ce secret, c'est l'amour; mais, au fond, la nature est la grâce divine transformée à notre mesure, déjà présente auprès de nous, prévenant notre attente. Certes le Bien reste transcendant, mais au lieu qu'il faille se tendre vers lui comme chez Platon, c'est par la détente de la volonté qu'on l'accueille. La surnature est intra-nature, naturante; ainsi, la pesanteur *est* la grâce, puisque le temps qui régit notre monde diminue la passivité, augmente l'activité, par la répétition. La différence théologique entre nature et surnature ne disparaît pas, mais devient méconnaissable: elle se trouve réintégrée dans la nature, une nature à deux dimensions qui se compénètrent l'une l'autre en douceur. Ainsi l'habitude, comme l'Erôs du *Banquet* né d'Expédient et de Pauvreté, unit l'esprit et la nature: elle spiritualise la nature et naturalise l'esprit. Cette liberté inconsciente qui permet la reviviscence d'un geste, d'une parole ou d'un regard, notre personne tout entière en porte la marque, en est pétrie. Que serait la réflexion sans «l'intelligence obscure» qui la permet et la prolonge, que serait la volonté sans le penchant qui la meut et la sublime? L'habitude nous enracine en notre séjour dont l'immédiateté même nous dérobe les contours. C'est cette «amitié de l'ombre» présente en nous que Proust, à propos de la transparence du jeu de la Berma, fait resurgir «... ô miracle, comme ces leçons que nous nous sommes vainement épuisés à apprendre le soir et que nous retrouvons en nous, sues par coeur, après que nous avons dormi, comme aussi ces visages des morts que les efforts passionnés de notre mémoire poursuivent sans les retrouver et qui, quand nous ne pensons plus à eux, sont là devant nos yeux avec la ressemblance de la vie ...»[2]

Ainsi, d'un bout à l'autre de son oeuvre, Ravaisson médite la même question fondamentale, celle de l'unité du Tout. Malgré l'apparence parfois «impressionniste» de la forme, malgré même certaines négligences incontestables, nous pensons que la méthode de notre philosophe a une cohérence qui répond à l'ampleur et à la profondeur de la problématique que lui lègue la tradition.

Pour le vérifier, nous allons remonter aux principes de base de la philosophie ravaissonienne, tenter de discerner ce que Ravaisson *veut* dire, même quand il ne *peut* le dire: «Il faut – écrit Valéry – regarder les livres par-dessus l'épaule de l'auteur».[3] Ainsi encouragé, tentons

---

[1] R., p. 232.
[2] *Oeuvres*, éd. de la Pléiade, II, p. 47.
[3] *Oeuvres*, éd. de la Pléiade, II, p. 626.

l'entreprise, bien qu'elle ne paraisse pas aussi aisée en philosophie qu'en littérature.

*   *   *

Si la philosophie de Ravaisson ne se réduit ni à un impressionnisme ni à un romantisme, si en elle se trouve posée de nouveau l'aporie la plus essentielle de la métaphysique, on doit lui reconnaître des principes: ceux-là mêmes qui sont à la base de toute métaphysique. Ces principes sont en grande partie implicites, non parce qu'ils sont inessentiels, mais parce que leur évidence ne fait pas de doute aux yeux de Ravaisson. Ainsi, les deux principes traditionnels de la logique – identité et non-contradiction – sont admis par Ravaisson comme allant de soi; on trouve, juste dans un fragment, pour justifier le principe de non-contradiction, une critique très rapide et hautaine d'Héraclite: «Héraclite (en soutenant le principe de contradiction) ne s'est pas compris».[1] Ravaisson ne saurait admettre que, comme le dit le mot d'Héraclite, le chemin qui monte et le chemin qui descend soit le même: «κάθοδος promet ἄνοδος s'il est gradué, si les attaches ne sont pas rompues».[2] Les contraires ne s'affrontent pas dans la nudité d'un impitoyable combat, mais s'inscrivent dans la continuité d'une oscillation, dans l'unité victorieuse de l'harmonie: «Tout est mécanisme à la surface, au fond *Musique*, ou Persuasion».[3] Or la loi qui régit la musique, à l'image de l'être lui-même, c'est «une perpétuelle union des contraires pourtant harmoniques».[4] Ravaisson sait qu'entre la monotonie et la cacophonie, il n'y a d'harmonie que si se fait jour une mesure au sein du contraste, mais, pour lui, seule compte vraiment la Fin qui est Principe. Comme il y a un accord final annoncé dans le ton premier de la symphonie, il y a un *dernier mot* du monde, le seul qui soit fondamentalement réel. Ce dernier mot est découvert par la «pensée de derrière la tête», si l'on reprend l'expression de Ravaisson lui-même citant Pascal pour qualifier la pensée métaphysique.[5]

Les principes logiques sont donc à la fois fondés et justifiés par le principe métaphysique par excellence, le principe des principes, par lequel est affirmée la rationalité du réel. Sur ce point capital, Ravaisson adopte les vues leibniziennes et le précise clairement à la fin du *Rap-*

---

[1] D., p. 381.
[2] *Ibid.*, p. 388.
[3] *Ibid.*, p. 374.
[4] T., p. 96.
[5] R., p. 256.

port: «Rien n'arrive, rien n'existe, disait Leibniz dont il n'y ait une raison»; «Tout a sa raison, a dit Leibniz. De là il suit que tout à sa nécessité».[1]

Il ne faut entendre l'affirmation de la rationalité du réel ni au sens d'une réduction du réel aux critériums rationnels – le rationalisme étant sans cesse exclu par Ravaisson –, ni au sens spéculatif de Hegel. Cette rationalité profonde que notre raison doit admettre au fond d'elle-même, au delà de ses propres limites, implique que tout soit harmoniquement lié, que tout se réponde dans la nature: «Tout est proportionné, analogue, harmonique, tout se tient, se continue suivant un enchaînement que rien n'interrompt: c'est la loi de continuité universelle ...»[2] Un autre nom de cette loi est finalité: la Fin, comme nous l'avons vu, est Principe, cause efficiente en même temps que finale, Dieu. Tout étant ordonné à l'unité du Principe, le monde est harmonisé par la raison de l'harmonie, qui est l'amour divin. C'est pourquoi, chez Ravaisson comme chez Leibniz, le principe de raison se développe en une théodicée.

Le premier principe de la méthode ravaissonienne est donc la rationalité du réel, l'unité du Tout, reposant dans l'οἰκονομία de l'amour divin. Rationalité ne signifie pas obligatoirement conceptualisation totale: la rationalité profonde du Tout débordant les capacités de la raison, celle-ci doit recourir au symbole, à l'analogie. La poésie vient donc au secours de l'entendement et la liberté apparente de l'inspiration ne doit pas cacher que la dimension de cette pensée reste en profondeur celle de la métaphysique. Mais cette méthode – objectera-t-on – se passe allègrement de la certitude et de ses impératifs: elle sombre dans l'irrationnel sans formuler, comme Schelling le fait par exemple, la problématique rationnelle du dépassement de la raison. Il est certain que Ravaisson n'échafaude pas thématiquement une telle problématique. Cependant, son orientation métaphysique fondamentale ne résulte pas d'un saut irraisonné dans le mystère: «La vraie méthode – écrit-il – consiste dans le choix des hypothèses».[3] Cette règle vaut pour toutes les sciences comme pour la science des sciences; seulement, étant donné que l'objet de cette dernière dépasse l'expérience sensible, on ne peut l'établir sur des vérifications partielles, mais sur la vraisemblance de la synthèse résultant de l'hypothèse première. La méthode est bien une synthèse, puisqu'elle remonte «de composition en composition de plus

---

[1] R. pp. 238, 251.
[2] *Ibid.*, p. 7.
[3] D., p. 373.

en plus haut» pour finalement tout expliquer par la perfection absolue,[1] mais cette synthèse compose un ordre hypothétique. «L'emploi de l'analogie suppose l'ὁμολογία et *constantia* universelle; laquelle ne peut s'expliquer que par l'οἰκονομία d'une volonté unique . . .»[2] L'intuition permet l'hypothèse étayée par des «approximations rationnelles» – les analogies – et confirmée une nouvelle fois par l'intuition «à laquelle appartient le dernier mot».[3]

La mise en oeuvre du principe de rationalité universelle sera l'exercice même de la méthode. Avant d'en venir à l'application de l'analogie, il nous faut encore préciser la condition essentielle de son déploiement: nous lisons dans le *Rapport* que la finalité du Tout se découvre d'après le «type unique de l'organisme intérieur»;[4] autrement dit, le point de départ de la méthode est la découverte de soi dans la réflexion sur soi. Voici donc mise en cause la signification du *cogito* dans la méthode ravaissonienne.

Faisant l'économie des règles par lesquelles Descartes constitue une science certaine, Ravaisson ne se passe-t-il pas facilement du *cogito*? Toute sa pensée ne tente-t-elle pas de placer l'être hors des prises de la réflexion? Pourtant nous lisons à maintes reprises dans son oeuvre que la réflexion sur soi est le «centre perspectif» à partir duquel tout s'éclaire: le *cogito* est ce «point central et interne, ce foyer visuel de la réflexion, duquel doit enfin se découvrir dans son harmonie générale et dans sa vérité tout le vaste système de la métaphysique».[5] Ainsi, d'un côté, le *cogito* semble inessentiel, de l'autre il paraît au contraire absolument nécessaire. Ravaisson lui-même a pris conscience de cette aporie: «Je puis tout embrasser parce que j'ai le retour, la réflexion pour former le cercle? Elle me ramène à Dieu? Qui est le roc, burg? Toute la nature est projection de ce cercle, imitation déformante . . .»[6] Nous voyons ici Ravaisson remonter au principe le moins explicité de sa méthode. Pour tout ordonner en fonction de l'hypothèse métaphysique, il faut en effet que cette hypothèse nous place d'emblée, sinon au sommet de l'être, du moins au point focal d'où ce sommet est particulièrement perceptible. Or le supérieur par lequel j'explique l'inférieur est la suprême perfection de la réflexion absolue sur soi. Pour trouver Dieu, il faut au préalable que je me pose comme le dieu du Tout. Cet acte par lequel

[1] R., p. 241.
[2] D., p. 373.
[3] *Ibid.*, p. 376.
[4] R., p. 246.
[5] E, II, p. 569.
[6] D., p. 388.

je me saisis comme sujet auto-nome et je découvre au fond de ma subjectivité la possibilité d'une subjectivité absolue universellement fondatrice n'est autre que le *cogito*. C'est lui qui constitue l'intuition première permettant de fonder la rationalité du réel. Par lui, ma subjectivité m'ouvre la Subjectivité. Cette Subjectivité originairement fondatrice n'apparaît ni chez Descartes ni chez Ravaisson comme origine transcendantale de toute constitution ou, selon l'expression de Merleau-Ponty dans *Le Visible et l'Invisible*, comme Spectatrice idéale du monde; dans le projet ravaissonien, la subjectivité originairement fondatrice n'est pas transcendantale, mais transcendante: c'est Dieu. Le pouvoir originairement constituant de la conscience n'est pas dégagé *comme tel* du cadre onto-théologique traditionnel dans lequel il s'insère. De ce point de vue, la démarche de Ravaisson est cartésienne: le «roc» que cherche Ravaisson est le «point fixe et assuré» d'Archimède, dont Descartes s'enquiert au début de la *deuxième Méditation*.

Ce point fixe que nous atteignons, c'est celui de la certitude qui découle de la clarté et de la distinction des idées. Mais Ravaisson, suivant en cela Leibniz, cherche la liaison sous l'apparente séparation, la pensée sous la matière insensible: distinguer les substances, ce n'est qu'une première étape; encore faut-il saisir l'unité qu'elles recèlent. Sous prétexte de se comprendre soi-même, la conscience ne doit pas se couper du monde: ce danger récemment dénoncé par la phénoménologie, Ravaisson ne s'efforce pas moins de le conjurer, non en s'attachant au problème de la réalité formelle de l'idée et des corrélats objectifs de la visée cognitive, mais en incluant analogiquement le *cogito* dans la chaîne des êtres. Certes, par le *cogito* je comprends que «l'auteur, le drame, l'acteur, le spectateur, ne font qu'un»,[1] j'agis et je me vois agissant, mais je saisis du même coup, comme d'un poste privilégié, la lente progression de la spontanéité tout au long de la chaîne des êtres et son épanouissement absolu en Dieu. Chez Descartes le *cogito* est méthodologiquement nécessaire et ontologiquement fondateur; il l'est dans une certaine mesure aussi chez Ravaisson, mais tout se passe comme s'il ne faisait que s'encastrer dans une structure métaphysique déjà en place sans que son rôle révélant l'isole et en fasse le principe des principes. Au demeurant, le *cogito* de Ravaisson est moins la découverte de la certitude que la saisie de l'activité du moi et de son principe, la volonté libre; Leibniz, Maine de Biran complètent donc et corrigent Descartes sur ce point essentiel.

Une fois que je suis en possession de l'idée de moi-même comme être

[1] H., p. 16.

pensant, je découvre que ma pensée n'est que la puissance d'une pensée parfaite par son actualité, dont mon existence tire son origine. Ravaisson s'inspire donc de la seconde preuve de la *Méditation troisième* – par l'idée de perfection –; bâtissant sur un terrain déjà conquis par Descartes, il ne revient pas sur cet acquis, ne parle plus le langage de la certitude ni des preuves, ce qui a pour conséquence de rejeter dans une ombre relative le rôle fondateur du *cogito* dans son explication du monde. La théorie médiévale de l'*imago dei* qui conditionne, même chez Descartes, le rapport de Dieu à la conscience humaine se retrouve chez Ravaisson en termes d'*analogie*, concept non moins médiéval: «Cette constitution intime de notre être, qu'une conscience directe nous fait connaître, l'analogie nous la fait retrouver ailleurs puis partout».[1] Cet ailleurs est l'Ailleurs absolu, Dieu, centre perspectif du Tout: «L'absolu de la parfaite personnalité, qui est la sagesse et l'amour infinis, est le centre perspectif d'où se comprend le système que forme notre personnalité imparfaite, et, par suite, celui que forme toute autre existence. Dieu sert à entendre l'âme, et l'âme, la nature».[2] De même, dans *L'Habitude*, c'est dans le *cogito* seul «qu'on peut espérer de surprendre le principe de l'acte», trouver «le type de l'habitude» et en pénétrer l'origine, à savoir Dieu en nous.[3] Ainsi, le *cogito* est méthodologiquement le point de passage nécessaire et obligé pour découvrir son fondement ontologique; mais ce fondement est lui-même de nature cogitative et conçu uniquement à partir du *cogito*; ce dernier est, bien évidemment, plus qu'un point de passage: il est le centre perspectif du centre perspectif. De là à renverser les points de vue et à dire que le véritable centre perspectif est le *cogito* lui-même dont Dieu n'est qu'une projection, il y a un pas que Ravaisson ne franchit nullement dans les textes que nous pourrions appeler officiels, mais dont il n'est pas loin dans le fragment que nous avons cité plus haut: «Je puis tout embrasser parce que j'ai le retour, la réflexion pour former le cercle?...» Le cercle une fois formé par la réflexion sur soi permet de passer au centre (lui-même circulaire) de la νόησις νοήσεως divine, et de là aux projections et déformations excentriques. La métaphysique constituée est donc un ensemble de cercles, mais non clos absolument sur lui-même comme chez Hegel, donc ne formant pas vraiment un cercle de cercles, dans la mesure où la transcendance absolue de Dieu par rapport à la conscience humaine est maintenue par Ravaisson. Là est

---

[1] R., p. 246.
[2] *Ibid.*
[3] H., pp. 16, 48, 53.

l'ambiguïté et la faille de la métaphysique ravaissonienne: nous préciserons ce point dans le prochain chapitre.

Par conséquent, si le principe fondamental de la métaphysique
ravaissonienne est la rationalité du réel, c'est à partir de la réflexivité
qu'il est découvert et développé. Méthodologiquement nécessaire, le
cogito est-il ontologiquement fondateur? Ravaisson, selon nous, n'est
pas loin de le penser, quoiqu'il ne l'affirme pas formellement. Nous
nous trouvons donc en présence d'une philosophie postcartésienne qui
ne tire pas toutes les conséquences possibles de son cartésianisme, parce
que son refus de l'idéalisme et son attachement à l'aristotélisme blo-
quent les virtualités que nous avons indiquées. Ravaisson n'a pas éva-
lué la portée véritablement nouvelle du *cogito* cartésien: sa conception
continuiste d'une histoire de la pensée, où le progrès n'a qu'un rôle peu
défini et où s'affrontent des archétypes immuables, lui interdisait de
porter au jour lui-même les principes fondamentaux de sa philosophie.

* * *

En rester aux principes en grande partie présupposés par Ravaisson
lui-même, ce serait méconnaître ce qui est le plus spécifique à la pensée
de l'auteur que nous étudions, ce serait ne pas tenir compte de la manière originale dont sont mis en oeuvre les principes que Ravaisson
partage avec les autres métaphysiciens modernes. En effet, le véritable
principe, le point de départ réel, c'est le mouvement même, par lequel
les principes de la métaphysique sont posés, confirmés, justifiés. Voici
donc maintenant quelle est l'orientation la plus irréductible de la philosophie de Ravaisson.

Le caractère sans doute le plus propre de la méthode ravaissonienne,
c'est qu'elle est analogique: «L'analogie sert à dégager le Principe».[1]
Mais il ne faut pas que la totalité soit en quelque sorte écrasée par une
unité par trop simplificatrice: «il faut une unité non exclusive de toute
pluralité».[2] C'est pourquoi l'essentiel est de trouver l'harmonie la plus
réelle, celle qui rend le plus fidèlement compte de toutes choses, ou,
selon l'expression de Ravaisson, la «ligne métaphysique» serpentant
avec le plus de souplesse au gré des contrastes de l'univers. Bref, «la
méthode est donc l'induction par analogie, sous la direction de l'idée
que tout est harmonique, *consonum*».[3]

[1] D., p. 374.
[2] *Ibid.*, p. 387.
[3] *Ibid.*, p. 377.

Si Ravaisson cède au «démon de l'analogie», ce n'est point par fantaisie, c'est parce que l'analogie est la méthode, à la lettre, la plus synthéthique, celle qui permet le mieux de penser l'unité des différents ordres d'existences ou d'êtres. Or «penser est unir et diviser, surtout unir (πρὸς ἕν)».[1] Cette allusion à Aristote ne survient pas du fait du hasard; elle témoigne de la fidélité de Ravaisson au modèle qu'il a choisi dès sa jeunesse. Pour comprendre ce que représente l'analogie pour Ravaisson, il est nécessaire de connaître sa portée dans la philosophie péripatéticienne, ou plutôt *dans l'idée que se fait Ravaisson de cette philosophie.* Qu'il y ait en effet une interprétation ravaissonienne d'Aristote, cela ne fait aucun doute; nous avons vu dans le chapitre IV de la première partie que nous sommes d'accord avec Bergson sur ce point: la métaphysique que Ravaisson expose dans le premier volume de l'*Essai*, c'est «la doctrine d'Aristote unifiée et réorganisée».[2]

A notre avis, la clef de l'interprétation ravaissonienne d'Aristote est à chercher dans la notion d'analogie. Nous lisons en effet à la fin du premier volume de l'*Essai*: «L'objet de la philosophie n'est pas une idée, mais un double système d'analogies . . .»[3] Or, ce que Ravaisson nomme analogie, c'est une égalité de rapports, ou encore de proportion.[4] Il respecte en cela la définition aristotélicienne. L'analogie aristotélicienne est en effet une égalité de rapports; par exemple, ce que la vue est au corps, l'intellect l'est à l'âme.[5]

Mais si Ravaisson reprend fidèlement la définition aristotélicienne de l'analogie, l'utilisation qu'il fait de la notion elle-même est-elle légitime? Ravaisson présente l'objet de la philosophie comme un «double système d'analogies». Qu'est-ce à dire? Il y a tout d'abord, outre l'analogie des catégories entre elles grâce aux oppositions de l'être,[6] celle des différentes catégories vis-à-vis de la première, la catégorie de l'être. Cette «mesure commune», à laquelle elles se rapportent toutes, ne définit encore cependant qu'un système de coordination – où les parties sont indépendantes relativement au terme qui les unit – par rapport à ce que Ravaisson appelle le système de subordination des différents ordres de l'être à l'être lui-même, où les termes successifs sont liés dans

[1] Inédit B.N.
[2] P.M., p. 256.
[3] E, I, p. 536.
[4] *Ibid.*, p. 503: «la proportion ou analogie»; p. 363: «Les oppositions établissent donc entre les dix genres de l'être des égalités de rapport, des proportions, des analogies: trois termes synonymes».
[5] *Éthique à Nicomaque*, I, 4, 1096 b, 29.
[6] E, I, p. 360.

une «suite continue de causes finales».[1] Si à ces deux systèmes correspond une science unique, la philosophie, c'est que l'être fait l'unité
logique aussi bien que l'unité réelle: «L'unité logique est une unité relative, qui n'est qu'un résultat et un signe de l'unité absolue des substances».[2]

Confrontons maintenant cette interprétation de la fin du premier
volume de l'*Essai* avec les textes mêmes d'Aristote. Nous constatons
qu'Aristote n'emploie jamais le mot *analogie* pour caractériser la relation qu'entretiennent les catégories à la première d'entre elles. Dans les
textes cités par Ravaisson lui-même, nous trouvons le verbe ἀναφέρειν.[3]
Les catégories remontent, sont relatives à la première d'entre elles, mais
cette relation peut-elle être qualifiée d'analogie, en toute rigueur?
L'analogie devient alors analogie d'attribution au sens scolastique: ses
attributs ne qualifient Dieu ni univoquement ni équivoquement. La
bonté, la toute-puissance n'expriment pas, à elles seules, l'essence divine; d'autre part, elles ne sont pas de simples commodités verbales: il
n'y a ni synonymie ni homonymie entre les significations de l'être. Déjà
chez Aristote, comme Ravaisson lui-même le remarque, les πρὸς ἕν ne
sont ni absolument synonymes ni simplement homonymes, mais
πολλαχῶς λεγόμενα.[4] De là à qualifier cette relation d'analogique, sans
même préciser qu'on passe de la proportionnalité à l'attribution, il y a
un pas décisif que Ravaisson franchit. M. Aubenque remarque que «la
doctrine de l'analogie de l'être n'est pas seulement contraire à la lettre
de l'aristotélisme, mais aussi à son esprit».[5] En effet, Ravaisson substitue
à l'ambiguïté de l'être aristotélicien – à la fois κοινόν et θεῖον – la cohérence d'un système où tout est ordonné en fonction de Dieu. On le voit
encore mieux lorsqu'on passe des catégories à la hiérarchisation de
l'étant. Ravaisson feint de considérer qu'on se place dès lors à l'intérieur de la catégorie de l'être, comme s'il n'y avait pas de solution de
continuité entre l'être au sens catégorial et l'être structuré en fonction
de la finalité divine, et comme si le second était l'incontestable fondement du premier. Mais de quelle sorte d'analogie relève donc l'analogie
des «différents ordres de la catégorie de l'être»? Ravaisson la rapproche
au maximum de l'unité générique, en précisant qu'elle offre avec cette
dernière la «ressemblance la plus exacte», sans la définir vraiment en

---

[1] E, I, pp. 532 sqq.
[2] *Ibid.*, p. 378.
[3] Par exemple, p. 536; p. 364: «Ἐπεὶ δὲ πάντα πρὸς τὸ πρῶτον ἀναφέρεται ...»
(*Mét.*, Γ, 1004 a 25); cf. en outre *Mét.*, θ, 1045 b, 28.
[4] E, I, p. 535.
[5] *Le problème de l'être chez Aristote, op. cit.*, p. 199.

tant qu'analogie.[1] En subordonnant aussi étroitement et systématiquement l'ontologie à la théologie, Ravaisson nous semble aller plus loin
que les Scolastiques, du moins S. Thomas, s'il est vrai – comme l'écrit
M. Gilson – que l'analogie thomiste signifie simplement que les noms
que nous donnons à Dieu ne sont pas purement équivoques.[2]

Ainsi c'est grâce à la notion d'analogie que Ravaisson «unifie et réorganise» la métaphysique d'Aristote, ou, plus justement, la réorganise
pour l'unifier sous le joug théologique.[3]

Si nous avons insisté sur l'interprétation d'Aristote, c'est que Ravaisson y projette sa propre philosophie, ou plutôt la découvre au contact
de la première *métaphysique*: c'est en reconstruisant l'édifice péripatéti-
cien qu'il a pris conscience de son système. On voit que la notion
d'analogie permet à Ravaisson de rendre compte du Tout en respectant
les spécificités; mais il reste à justifier l'emploi qu'il en fait: pourquoi,
en effet, affirme-t-il que, du fait que le «κοινόν dépend du πρῶτον»,
l'induction doit «être dirigée par l'idée de la Beauté, qui est le πρῶτον»?[4]
Pourquoi pense-t-il qu'«ordonner», c'est «esthétiser»,[5] bref que l'art est
le meilleur guide de la méthode analogique? C'est à quoi nous allons
essayer maintenant de répondre.

Si le beau n'était que lui-même, ne renvoyait qu'à lui-même, il
n'aurait pas, aux yeux de Ravaisson, l'éminente valeur métaphysique
dont il témoigne; mais pour lui le beau est «figure de l'Amour», c'est sa
«seule définition»;[6] il révèle de manière sensible comment la matière
peut obéir docilement au charme, à la magie de l'esprit et former dans
l'oeuvre d'art un microcosme en consonance avec le macrocosme. Pour

---

[1] E, I, p. 535.
[2] *Le Thomisme*, Paris, Vrin, 1948, pp. 153 sq.
[3] Dans sa dissertation de 1862, Franz BRENTANO cite élogieusement Ravaisson (*Von der
mannigfachen Bedeutung des Seienden nach Aristoteles*, Freiburg, 1862, p. 98, n. 82): il lui sait gré
d'avoir discerné que l'analogie de proportionnalité n'est pas la plus profonde, mais que la
multiplicité des acceptions de l'être suppose une «relation commune avec un seul et même
terme» (E, I, pp. 359 sq.), autrement dit une analogie «nominale» (*Analogie zum gleichen
Terminus*), non pas cependant purement nominale, puisque les πρὸς ἕν ne sont pas plus
homonymes que synonymes. Cette relation ambiguë qui caractérise le πρὸς ἕν, Ravaisson
la qualifie de «synonymie médiate et imparfaite» concernant les «choses relatives» (E, I,
p. 534). Mais quelles sont ces relations médiatement synonymes? Pour Ravaisson, rejoint en
cela par l'immense majorité des commentateurs, il s'agit des catégories; pour Brentano, il
s'agit aussi et surtout des acceptions de l'être. M. AUBENQUE se prononce en faveur de la
première solution tout en n'excluant pas la possibilité de la seconde, mais en mettant en
garde par ailleurs contre l'emploi par Brentano, comme par Ravaisson, du mot *analogie* qui
présente l'inconvénient de se rattacher à la doctrine médiévale de l'analogie de l'être et par
conséquent de prêter à confusion (cf. *Bulletin de la Société française de philosophie*, janvier-mars
1964, p. 27; *Le problème de l'être chez Aristote*, pp. 199 sq.).
[4] D., p. 372.
[5] *Ibid.*, p. 378.
[6] *Ibid.*, p. 372.

que la beauté se révèle ainsi totalement «finalisée», il faut que le monde lui-même le soit. Or, selon Ravaisson, le monde est effectivement κόσμος, ou encore «Hymne».[1] La beauté du monde invite l'homme à la bonté; elle ne doit pas être complétée ou corrigée par la morale, elle est par elle-même morale: «L'esthétique n'est pas seulement une partie importante de la philosophie: considérée dans ses principes, où elle s'identifie à la morale, elle devient la philosophie elle-même».[2] En leurs fondements, la morale et l'esthétique ne font donc qu'un; la beauté est l'amour manifesté, la bonté est la beauté transfigurée.

L'identification de l'amour et de la beauté explique à la fois que l'intellect ne soit pas la seule clef de la méthode et que celle-ci soit trouvée moins dans la beauté régulière que dans la grâce. Il y a en effet une beauté d'origine essentiellement intellectuelle: Ravaisson la nomme symétrie; elle témoigne de l'ordre plus que de son principe; elle est donc, en général, compréhensible, analysable; elle en impose, elle ne touche pas. «Mais la symétrie ne suffit pas à la beauté, il y faut de plus, a dit Plotin, la vie de laquelle témoigne le mouvement. Le mouvement s'estime par le temps et le nombre. C'est ce que dit le mot eurythmie». Et Ravaisson ajoute que «c'est chose qui s'estime par sentiment plutôt que par jugement».[3] Donc loin d'être réductible à un esthétisme ou à un moralisme, la vision métaphysique du monde – qui est celle de Ravaisson – décide de la conception qu'il se fait de l'esthétique. De ce point de vue, son anti-kantisme se révèle tout à fait logique avec lui-même: le refus d'une morale purement formelle se double de l'acceptation d'une esthétique finaliste. Le dépassement de la beauté par elle-même, son effacement, sa transparence vis-à-vis de ce dont elle est porteuse, c'est le sublime, mais non le sublime kantien qui reste extérieur bien qu'il soit effroi ou arrêt devant la grandeur de l'idée et non seulement d'une masse physique. Le terrible n'engendre qu'un sentiment, une passion, un plaisir négatif, comme dit Kant. C'est pourquoi, pour Ravaisson, il faut chercher le sublime non dans un surcroît de majesté ou de moyens, mais dans l'éclosion de la beauté même en son coeur, c'est-à-dire de l'amour qui l'anime. Le vrai sublime, celui du Bouddhisme, de l'Évangile est celui de «la douceur et de la paix»: il ne s'impose pas tyranniquement à l'âme, il l'attire, la pénètre et l'enthousiasme en lui découvrant l'intimité du divin, le don absolu.[4] L'aspiration à l'anéantissement, qui meut l'amour, ne procède donc pas d'une

---

[1] D., p. 377.
[2] R., p. 232.
[3] T., p. 81.
[4] *Ibid.*, p. 142; R., p. 231.

fascination pour le rien, mais pour l'unité du Tout. Le sublime véritable trans-figure l'harmonie, fait transparaître à travers la forme ce qui dépasse toute forme et ainsi méta-morphose la nature: «Ne pourrait-on pas dire que le sublime du terrible répond à la puissance, cause de la grandeur; le beau proprement dit, à l'intelligence, cause de l'ordre; et qu'à l'amour répond le sublime supérieur et proprement surnaturel, qui forme la plus excellente et vraiment divine beauté, celle de la grâce et de la tendresse?» [1]

* * *

Ce rôle d'annonciateur et de messager de la vérité attribué à l'art n'est pas seulement le fait de Ravaisson, mais aussi, avant lui, de Schelling que cite et admire notre philosophe. Ainsi, à notre avis, Ravaisson a certainement été inspiré par le beau texte traduit par Bénard en 1847 dans les *Écrits philosophiques* de Schelling: *Discours sur les arts du dessin dans leur rapport avec la nature* (1807).[2] D'après ce texte, l'artiste s'éloigne de la nature pour mieux la retrouver, il rejette l'imitation servile des formes naturelles pour faire apparaître leur aspiration intime, leur esprit: «La forme est le corps, la grâce est l'âme».[3] C'est un thème constant de Ravaisson que l'art donne aux choses l'individualité, ensuite la grâce «qui rend les choses aimables en faisant qu'elles semblent aimer», enfin l'âme «par quoi elles ne semblent plus seulement aimer, mais elles aiment».[4]

Le rapprochement avec Schelling n'est pas seulement possible sur ce point, mais également sur d'autres qui sont au moins aussi fondamentaux. Ainsi, de même que la symétrie n'est que la condition de la véritable beauté, de même – pour Ravaisson comme pour Schelling – la raison ne donne que négativement la mesure de la philosophie. L'idéalisme comme le matérialisme restent prisonniers de l'abstraction, parce qu'ils se meuvent exclusivement dans la sphère du possible.[5] Tant qu'on cherche à déduire une vérité nécessaire, toute position de l'existence demeure position de l'être en puissance. D'où chez Schelling la nécessité supérieure, non apodictique, d'un retournement de la raison sur elle-même, d'une «ek-stase» par laquelle la pensée de l'être en acte est

---

[1] R., p. 232.
[2] *Écrits philosophiques*, Joubert et Ladrange, Paris, 1847, pp. 227 sqq.
[3] *Ibid.*, p. 259.
[4] Citation de Schelling, R., p. 231.
[5] Cette idée, que RAVAISSON découvre dès 1835 dans le *Jugement de Schelling sur la philosophie de M. Cousin* (*Revue Germanique*, 3ème série, octobre 1835, pp. 3–24), est une constante de sa réflexion sur l'histoire de la philosophie.

rejetée et niée devant l'acte effectif: «Je ne veux pas seulement connaître l'être pur, je veux connaître l'être réel, ce qui est, ce qui existe».[1] Et Ravaisson en écho: «Le coeur fort veut l'Être (Schelling), ne se contente pas d'ombres, idoles et fantômes».[2] On ne trouve pas chez Ravaisson la problématique *spéculative* de l'autodépassement de la raison, qui fait la profondeur et la difficulté du dernier Schelling; mais c'est, à notre avis, la même pensée fondamentale qu'expose Ravaisson, moins abstraitement, plus didactiquement, lorsque, dans *L'Habitude*, il oppose à l'abstraction intellectuelle qui ne dégage que le contour ou l'idéalité des choses la plénitude immédiate de la nature; et dans toute son oeuvre il insiste sur le caractère gratuit de l'amour divin.

Pour Ravaisson comme pour Schelling, la libre volonté de Dieu fonde la liberté humaine. Schelling écrit: «L'histoire est un poème épique, sorti de l'esprit de Dieu. Ses deux principales parties sont: celle qui représente le départ de l'humanité de son Centre et sa progression jusqu'au point de plus éloigné de celui-ci, et celle qui représente son retour au Centre à partir de ce point».[3] Ravaisson semble faire écho à cette pensée dans le *Testament philosophique*: «Détachement de Dieu, retour à Dieu, clôture du grand cercle cosmique, restitution de l'universel équilibre, telle est l'histoire du monde».[4] En définitive, pour l'un comme pour l'autre, la philosophie positive et le Christianisme ne font qu'un, à condition que celui-ci soit considéré dans toute sa pureté, c'est-à-dire comme avènement de l'Esprit. On sait que, d'après Schelling, Pierre symbolise l'autorité législatrice, Paul l'action médiatrice, Jean l'Esprit réconciliateur. Chez Ravaisson également, c'est le Christianisme johannique qui est le Christianisme accompli, le quatrième Évangile est «le plus philosophique des Évangiles».[5]

Si Schelling et Ravaisson s'accordent ou se retrouvent pour attribuer à l'art le rôle de messager du vrai, pour chercher la concrétion de l'être

---

[1] SCHELLING, *Jugement sur la Philosophie de M. Cousin, Werke*, X, pp. 201 sqq.; cf. trad. à la suite du *Système de l'idéalisme transcendantal*, de Ladrange, Paris, 1842, p. 393.

[2] T., p. 60.

[3] *Essais, Philosophie et Religion*, trad. JANKÉLÉVITCH, pp. 212-213.

[4] T. p. 110. Citons également cet inédit (*Fonds Coubertin*): «Toute cette doctrine des métamorphoses, appliquée à la totalité de la nature et à la cause première et universelle, un texte de Platon peut servir à la résumer; texte dont Schelling était souvent occupé pendant qu'il mettait la dernière main à sa philosophie qu'il recommandait alors à l'attention de l'auteur du présent travail et qui est ainsi conçu: «Dieu occupe le milieu aussi bien que le commencement et la fin; il procède en ligne droite, et sa nature est de se mouvoir en cercle». Ce qui veut dire sans doute: il est de la nature divine que son acte soit comme un cercle qui l'ait pour centre, mais par sa volonté elle sort de ce cercle et partie de soi descend dans la nature pour revenir à soi». A comparer avec *Philosophie der Mythologie, Werke*, XII, p. 83, note 1 sur une sentence du quatrième livre des *Lois*.

[5] T., pp. 64, 163.

dans un dépassement de la raison, pour trouver dans l'amour divin le mot de l'histoire universelle, pour n'adorer que l'Esprit, il ne faut pas oublier ce qui les sépare ou ce qui oblige, du moins, à circonscrire ce que l'on a appelé l'influence de Schelling sur Ravaisson. Lorsqu'il écrit l'*Essai sur la Métaphysique d'Aristote* et *L'Habitude*, Ravaisson ne connaît Schelling que de seconde main et n'a vraisemblablement pas lu les textes essentiels de la philosophie de l'identité et de la nature. Schelling n'est cité ni dans le premier ni dans le second ouvrage; surtout, ni l'inspiration originale de *L'Habitude* ni ses sources ne paraissent se rattacher primordialement à Schelling: c'est avant tout dans Aristote que Ravaisson puise l'idée de sa thèse; quant aux nombreuses autres références, elles sont citées par Ravaisson lui-même: il s'agit de Leibniz, Maine de Biran, des penseurs médicaux.

Cependant, le magisme de la nature dans *L'Habitude* n'est pas sans évoquer la *Naturphilosophie*; et dans l'*Essai* nous parvenons à la connaissance de l'être par une «intuition intellectuelle»,[1] tandis que nous lisons dans *L'Habitude* que «cette intelligence immédiate, c'est la pensée concrète ou l'idée est confondue dans l'être».[2] L'être et la pensée s'identifient au sein du Dieu de Ravaisson comme dans l'absolu schellingien, union originelle que l'expérience nous livre dissociée et que la philosophie a pour tâche de retrouver. Schelling, en 1838, m'admet plus un tel langage: «Je ne conçois pas tout à fait ce que vous dites sur la philosophie d'Aristote relativement à la philosophie positive ... Je fais le plus grand cas d'Aristote ... C'est cependant pour la philosophie *négative* que je lui reconnais le plus grand mérite».[3] Pour Ravaisson, resté au niveau de la philosophie de l'identité, l'intuition intellectuelle peut atteindre à ce «point de vue supérieur de la raison pure, où l'individuel et l'universel se confondent dans l'activité de la pensée»;[4] c'est à quoi parvient selon lui la philosophie d'Aristote. Mais elle ne fait par là, selon Schelling, que rendre le premier Principe possible; en le concevant elle ne le pose pas comme existant. Dieu comme νόησις νοήσεως, c'est Dieu «dans sa *propre* idée, mais toujours dans l'Idée, dans le Concept, sans avoir une existence actuelle».[5] Et Schelling ajoute: «Tout dans cette science se trouve en effet intégré dans la raison, même Dieu, bien qu'il soit conçu comme ce qui n'est pas inclus dans la raison,

---

[1] E, I, pp. 528, 580.
[2] H., p. 58.
[3] R.M.M., 1936, p. 504 (lettre du 15 janvier 1838).
[4] E, I, *Avant-Propos*, vj.
[5] *Introduction à la Philosophie de la Mythologie*, trad. S. JANKÉLÉVITCH, II, p. 347.

c'est-à-dire dans les Idées éternelles».[1] La réserve faite par Schelling en 1838 n'infirme donc pas l'hypothèse d'une influence de la philosophie de l'identité sur Ravaisson. En ce sens, M. Dopp n'a pas tort d'écrire: «C'est toujours la doctrine de l'Identité de Schelling qui constitue, pour l'*Essai*, la synthèse métaphysique définitive. C'est elle qui donne sa structure à l'ouvrage. L'absolu est cherché au point de coïncidence de la pensée et de l'être. En lui s'annulent toutes les oppositions. Rien ne se comprend de façon vraiment philosophique s'il n'est ramené à cette base absolue».[2] Peut-être serions-nous un peu moins catégorique: chercher l'absolu «au point de coïncidence de la pensée et de l'être», est-ce si spécifiquement schellingien? Le dieu d'Aristote, qui se pense perpétuellement lui-même, ne se situe-t-il pas, en tant que tel, au comble de l'être? Il y a certes une relative imprégnation de Ravaisson par Schelling, mais elle est loin d'être littérale; par exemple, la nature et l'esprit ne résultent pas d'une oscillation autour de l'identité absolue; Ravaisson reste étranger à la théorie des puissances; en outre, une complète différence de méthode sépare les deux philosophes: Ravaisson ne reconstruit pas le monde comme Schelling seulement à partir de la corrélation sujet-objet; la hiérarchisation des êtres, la place qu'il y accorde aux vivants ressortissent au legs aristotélicien. M. Dopp lui-même note l'originalité de l'idée de *nature* dans *L'Habitude*: unité de la pensée et de la volonté, la nature est l'idée «substantialisée dans le mouvement de l'amour»;[3] elle ne se réduit ni à l'objectivité, comme dans la philosophie de l'identité, ni à la reconstitution schématique de la nature décalquée sur le *moi* fichtéen, comme dans les textes qui relèvent de la philosophie de la nature. «Si nous pouvons trouver une doctrine analogue dans l'oeuvre de Schelling, il importe de remarquer qu'elle y a une tout autre couleur».[4] M. Dopp fait ici allusion à la théorie du *Grund*, postérieure à la philosophie de l'identité: la nature ravaissonienne est à la fois condition et matière de toute détermination, de toute distinction, sous-tendant toujours ce qu'elle fonde comme le *Grund* vis-à-vis de l'*Existenz*; mais si le rapprochement peut être fécond pour la pensée, ce ne peut être en termes d'influence. Comme l'a suggéré Bergson: «Peut-être y eut-il moins influence qu'affinité naturelle, communauté d'inspiration . . .»[5]

[1] *Introduction à la Philosophie de la Mythologie*, trad. S. JANKÉLÉVITCH, II, p. 347.
[2] D., p. 216.
[3] H., p. 58.
[4] D., p. 241.
[5] P.M., p. 262. Il ne semble pas que, lors de la rédaction de son *Mémoire sur la Métaphysique d'Aristote*, Ravaisson ait lu directement Schelling, par exemple le *System des transcendantalen Idealismus* qui ne sera traduit qu'en 1842. D'après M. DEVIVAISE (TH, III, note

Concluons sur ce point: si l'affinité entre les deux penseurs est constante, on ne peut parler d'influence de Schelling sur Ravaisson qu'en la limitant comme nous venons de le faire. Et encore, même lorsque les «preuves d'influence» sont incontestables, l'interprétation et la reconstitution ravaissoniennes sont si originales qu'en voulant rendre justice à Schelling on risque de le faire aux dépens de Ravaisson.

* * *

Nous avons insisté sur l'affinité qui lie Ravaisson à Schelling, comme nous l'avons fait précédemment relativement à Aristote: la philosophie de Ravaisson resterait incompréhensible sans ces références-clefs. Aristote et Schelling sont – avec Leibniz – les grands modèles de Ravaisson. Il n'y a rien d'étonnant, par conséquent, à ce que Ravaisson doive être considéré lui-même comme un pur métaphysicien. C'est pourquoi les critiques adressées par Émile Bréhier à Schelling pourraient s'appliquer au moins autant à Ravaisson, mais pas à meilleur droit. Bréhier reproche au «positivisme spiritualiste» de Schelling de demeurer incomplet «parce qu'il y manque une critique formelle et précise de la donnée immédiate»;[1] autrement dit, il blâme Schelling de ne pas être bergsonien, commettant une erreur de perspective que nous nous efforcerons, pour notre part, d'éviter dans notre dernière partie. Ravaisson est aussi peu psychologue et aussi peu positif que Schelling, si l'on entend ces termes au sens scientifique – ou «scientiste» – qui était justement exclu *a priori* de leur projet philosophique.

La méthode ravaissonienne est un «positivisme spiritualiste»;[2] nous reviendrons plus loin sur la signification et la portée de ce terme: remarquons pour l'instant que, s'il est vrai que Ravaisson ne justifie pas

sur les mss 17 bis), on trouve dans les papiers de Ravaisson, à la date de 1835, deux livres de Schelling indiqués avec le prix, donc sans doute en vue d'un achat: les *Vorlesungen über die Methode des akademischen Studien* et le *System des transcendantalen Idealismus*. Sur les ouvrages qu'il consulte pour se faire une idée de la philosophie de Schelling, cf. D., pp. 69 sqq. Dans la note précédant le *Jugement de Schelling sur la philosophie de M. Cousin*, il salue Schelling comme «le plus grand philosophe de notre siècle». Il a songé un moment traduire la *Philosophie der Mythologie*, mais sa connaissance de l'allemand était insuffisante et surtout Schelling n'a plus suivi son cours: cf. BARUZI, Introd. à *L'Habitude*, pp. 11 sqq.; D., pp. 131 sq.; R.M.M., 1936, pp. 487–506. En 1837, Ravaisson adresse à Schelling le premier volume de l'*Essai*: la réponse est chaleureuse (14 janvier 1838, R.M.M., 1936, pp. 503 sq.). Puis viennent en 1839 le voyage à Munich et la visite au maître; une lettre à QUINET l'évoque avec enthousiasme (lettre du 23.XI.39 publiée par Mme DAVID, *Revue Philosophique*, 1952, pp. 454–456). Durant le reste de sa vie Ravaisson a lu et médité Schelling, comme en témoignent parmi les textes publiés, H.J. (cf. introd. pp. 12 sq.), R., pp. 231, 264, T., pp. 115, 132, 163. On a retrouvé dans la bibliothèque de Ravaisson les volumes IV à VI, VIII à XIV de Schelling (cf. TH, III, *Bibliographie*).

[1] Emile BRÉHIER, *Schelling*, Alcan, Paris, 1912, p. 306.
[2] Cf. R., p. 258.

autant qu'il le faudrait l'emploi du mot «positivisme», tout indique qu'il l'utilise dans un esprit proche de Schelling. Or, comment celui-ci légitime-t-il la distinction entre philosophie négative et philosophie positive? Du fait que la première se contente de parvenir progressivement et par éliminations à concevoir la nature ou l'essence du Principe, alors que la seconde accomplit le saut décisif du Principe à l'Existant. La philosophie négative s'en tient au *quid*, ou *was*; la philosophie positive s'enquiert du *quod*, du *dass*, et permet «d'établir un système positif, c'est-à-dire explicatif de la réalité».[1] Ravaisson, sans remettre en question avec la vigueur spéculative de Schelling le recours à des notions traditionnelles comme la causalité ou l'analogie, prétend néanmoins par sa méthode synthétique partir du Principe d'existence pour expliquer le réel, s'opposant par là à l'idéalisme qu'il qualifie – comme Schelling – de généralisateur et de réducteur.[2] Ainsi, loin que l'emploi du mot «positivisme» signifie chez Ravaisson et Schelling une concession à l'empirisme et au scientisme, il marque au contraire un regain, un nouveau départ de l'esprit métaphysique tentant de justifier la *position* de l'existence.

Tout notre effort, au cours de ce chapitre, a tendu à montrer que la philosophie de Ravaisson ne se réduit ni à un esthétisme, ni à un moralisme, ni à un impressionnisme, mais qu'elle tente de résoudre à sa manière, tout en s'inspirant de grands exemples, l'aporie capitale de la métaphysique, l'unité du Tout. Résumant dans un texte inédit sa méthode, Ravaisson distingue trois phases: «1: Masser (*ponere totum*) pour trouver l'ensemble; 2: Diviser progressivement; 3: Réunir harmoniquement».[3] On remarquera que ces trois étapes ont une signification particulièrement irrécusable dans le travail d'un artiste, par exemple d'un peintre qui doit d'abord rassembler les couleurs, trouver le «motif», recueillir ce *je ne sais quoi* qui s'appelle l'inspiration, puis explorer le champ ainsi ouvert, critiquer les intuitions d'abord incontestables, décomposer le premier jet pour accomplir finalement l'oeuvre. Le troisième temps est évidemment à la fois le plus important et le plus insaisissable, celui à partir duquel pourtant tout le reste prend son sens. Si la méthode de Ravaisson se révèle si difficile à exposer didactiquement dans ce qu'elle a de plus spécifique, c'est justement du fait de la continuité, voulue par son auteur, entre l'art et la philosophie, poussant la «logique du coeur» dans un sens qui n'est plus strictement pasca-

---

[1] *Introduction à la Philosophie de la Mythologie*, trad. JANKÉLÉVITCH, II, p. 349.
[2] Cf. R., p. 243.
[3] Inédit B.N.

lien: «Il doit y avoir une *logique artistique* ... qui imite la scientifique».[1]

Pour «réunir harmoniquement», pour trouver la clef de l'analogie universelle, ou encore la «ligne métaphysique» qui «fascine et entraîne dans son tourbillon comme fascine et entraîne le serpent»,[2] il faut d'abord accepter le secours d'une inspiration encore confuse mais contenant la vérité en germe: «En Métaphysique seule, ou du moins en Métaphysique surtout, la Fin est Principe; on part, pour arriver à l'intuition claire, de l'intuition sublucide».[3] Ainsi la méthode est, à proprement parler, le mouvement d'exploration et d'explication du réel, qui met en jeu, avec la plus grande souplesse possible, à la fois l'intelligence et le sentiment, aussi bien l'enthousiasme et la prière[4] que l'argumentation et le raisonnement, pour rendre compte de la rationalité que recèle le jeu de l'amour divin avec lui-même. Quoi d'étonnant, par conséquent, à ce que le vrai philosophe scandalise les logiciens et qu'il se fasse poète au besoin pour dompter par le chant la magie parfois déconcertante de la nature? C'est qu'en définitive le concert profond de l'être réclame cette conversion de méthode: «Si les pierres de la fable obéissent à une mélodie qui les appelle, c'est qu'en ces pierres il y a quelque chose qui est mélodie aussi, quoique sourde et secrète ...»[5] Le philosophe peut donc se fixer le but suivant: «Comme les Athéniens, allumer le flambeau à l'autel de l'Amour, comme Amphion bâtir avec la lyre, de sorte que les pierres s'assemblent volontairement».[6]

L'orientation la plus caractéristique et sans doute la plus originale de la méthode ravaissonienne est cette recherche constante de l'harmonie universelle, de la présence secrète – saisie par une réflexion et une rationalité supérieures – de l'irréfléchi dans le réflexif, de l'irrationnel dans le rationnel. Les principes présupposés ne recèlent pas, *stricto sensu*, ce qui est le plus spécifique à la pensée de Ravaisson: c'est justement pourquoi nous avons voulu marquer combien ils restent fondamentaux dans une philosophie dont le style paraît prendre forme à leur encontre. De même, dans une symphonie, le critique peut se permettre de souligner les traits les plus personnels de l'auteur, en contraste – apparent ou réel – avec des développements traditionnels; cela ne constitue nullement une atteinte à l'unité de l'oeuvre.

«La Méthode – selon Ravaisson – est de se placer au Centre, au

[1] Inédit B. N.
[2] D. pp. 372–373.
[3] *Ibid.*, p. 373.
[4] *Ibid.* p. 374.
[5] R., p. 260.
[6] D., p. 372.

Foyer, qui est l'Ame».[1] Or «l'arrivée de l'âme – écrit Schelling dans une veine ravaissonienne – s'annonce comme une douce aurore qui se lève sur la forme tout entière».[2] Si l'âme se dégage de la forme, qu'est-elle sans la forme? L'interprète d'une philosophie, suivant une méthode inverse de celle de l'auteur, doit remonter de l'harmonie qui s'offre à lui dans l'oeuvre achevée à ses conditions de création: ainsi dans notre approche de la philosophie de Ravaisson avons-nous refusé de nous en tenir aux impressions premières, pour mieux saisir les principes de la méthode, et la méthode elle-même comme le principe essentiel. Il nous faut maintenant pousser plus loin notre compréhension de la métaphysique ravaissonienne en étudiant sa structure et en essayant de dégager sa portée.

---

[1] D., p. 373.
[2] *Écrits philosophiques,* trad. BÉNARD, Paris, Joubert et Ladrange, 1847, p. 259.

CHAPITRE II

STRUCTURE ET PORTÉE
DE LA MÉTAPHYSIQUE RAVAISSONIENNE

Ce que nous appelons structure métaphysique est la manière dont se déploie, se hiérarchise et s'organise l'être en fonction des principes métaphysiques qui le prédéterminent. La structure est donc le développement direct des présuppositions que nous venons de mettre en lumière, ce qui ne signifie pas que le lien entre celles-ci et celle-là soit nécessaire. La rationalité du réel implique par définition la référence à un fondement, mais celui-ci peut être ou non causal, peut être ou non Dieu. Or, chez Ravaisson, la rationalité du réel est fondée sur un Dieu, à la fois cause efficiente et finale du monde. Par voie de conséquence, n'y a-t-il pas contradiction entre les exigences d'une théodicée et celles de la conscience autonome? Si le *cogito* est fondateur, il l'est totalement: peut-il alors se subordonner à une transcendance extérieure? Nous allons voir comment Ravaisson résout l'aporie et s'il le fait toujours selon le même mode d'un bout à l'autre de son oeuvre.

Dans *L'Habitude* il est, au premier regard, difficile de discerner une structure autre que celle que suppose l'enveloppement même de la «seconde nature»: la hiérarchisation des êtres en fonction de leur couronnement surnaturel: «Le monde, la nature entière offre l'aspect d'une progression continue où chaque terme est la condition et la matière de tous les termes supérieurs, la forme de tous les inférieurs ...»[1] La structure la plus évidente et la plus nécessaire est donc celle qu'offre l'étagement de la nature depuis la Fatalité mécanique jusqu'au plus haut degré possible de la Liberté. Nous retrouvons ici les caractères que Bergson assigne à la métaphysique naturelle: une gradation du monde phénoménal à partir du fondement sur lequel il s'appuie; la «perpé-

[1] H., p. 46.

tuité de mobilité» est adossée à une «éternité d'immutabilité».[1] La métaphysique naturelle selon Bergson est essentiellement grecque; il est vrai
que le modèle de Ravaisson est grec, en l'occurrence aristotélicien;
cependant, de même que chez Aristote la théologie se double d'une
ontologie, de même pour Ravaisson la métaphysique ne se réduit pas à
la mise en place de la hiérarchie onto-théologique, mais se préoccupe
de l'apparition même de l'être dans notre monde et pour nous:
L'Habitude traite «des conditions sous lesquelles l'être nous apparaît sur
la scène du monde».[2] Or, il est impossible de comprendre comment
l'être se révèle à nous, si l'on s'en tient à la représentation d'un en soi
dont nous procédons. Pourtant le rapport selon lequel s'articule notre
«être-au-monde» est la différence entre nature naturante et nature naturée: en tant qu'êtres libres, nous posant comme tels dans la réflexion,
nous ne sommes pas la plénitude de la réalité, notre entendement et
notre volonté «ne déterminent rien que de discret et d'abstrait».[3] Seulement la nature naturante n'apparaît qu'à travers notre nature naturée.
Comme nous l'avons vu dans le chapitre I de notre première partie,
notre nature se pose elle-même dans le *cogito* comme moindre être par
rapport à la pleine nature qui se révèle ainsi absolue. Par conséquent,
les deux structures – la structure théologique, la structure ontologique –
se recoupent: au sein de la prise de conscience de notre nature, la véritable nature se révèle surnaturelle; nous découvrons alors l'intériorité
de notre intériorité,

Si l'être se découvre ainsi intimement scindé entre la nature et notre
nature de telle façon que celle-ci soit le lieu d'apparition obligé de celle-
là, on peut dire que l'en soi ne se sépare pas de sa manifestation et que
celle-ci ne saurait se réduire à une pure apparence puisqu'elle montre
la réalité. Les deux pôles de l'être sont donc inséparables et se prêtent
mutuel appui: ils ne sont en fait – comme en témoignait déjà plus explicitement et plus profondément la *Phénoménologie* hégélienne – que
deux objets uniformisés et interchangeables pour la conscience de soi;
mais une telle pénétration au coeur de la fluidité dialectique recélée par
la pensée réflexive est interdite à Ravaisson, du fait qu'il s'installe
d'emblée dans une vision substantialiste de la pensée. Il n'empêche que
la scission entre la nature et la liberté s'inscrit au coeur de la liberté
elle-même, notre intériorité se projetant et se prolongeant infiniment

---

[1] E.C., p. 326.
[2] H., p. 3.
[3] *Ibid.*, p. 58.

en son fondement divin: l'intériorité de notre intériorité, la nature naturante, est Dieu.

Notre propre rapport à Dieu est donc pensé en fonction de la relation
fondamentale par laquelle notre esprit croit épouser en lui-même la
réalité. La structure théologique se dessine en filigrane à travers l'ontologie qui, par son caractère d'emblée *méta*-physique, est édifiée en
fonction de ce qu'elle doit laisser transparaître.

Cette double structure, en place dès *L'Habitude,* n'est pas profondément modifiée dans les écrits postérieurs. Simplement, la finalité théologique devient plus explicitement le fondement de l'édifice ontologique. Que l'on songe à la péroraison du *Rapport* ou à l'article *Métaphysique et Morale*. Dans ces deux textes, le point de départ est subsi-
diairement l'être en présence – mais à distance – de lui-même dans la
réflexion, essentiellement l'être au contact de l'être, en Dieu. Nous
lisons dans le *Rapport*: «L'absolu de la parfaite personnalité, qui est la
sagesse et l'amour infinis, est le centre perspectif d'où se comprend le
système que forme notre personnalité imparfaite, et, par suite, celui
que forme toute autre existence: Dieu sert à entendre l'âme, et l'âme,
la nature».[1] Et plus clairement encore dans l'article *Métaphysique et
Morale*: «En tout d'abord le parfait, l'absolu, le Bon qui ne doit son
être qu'à lui-même; ensuite ce qui est résulté de sa généreuse condescendance, et qui, par la vertu qu'il y a déposée, remonte de degré en
degré jusqu'à lui».[2] Dans *L'Habitude* l'accent porte sur la manière dont
le mouvement de la Grâce se présente sur la scène du monde. Avec les
écrits ultérieurs, c'est le fond de décor, l'arrière-monde, qui devient
plus explicitement la perspective essentielle à partir de laquelle s'explique le système du monde. La théologie se déchiffre de plus en plus
clairement à travers ce qui n'était primitivement qu'une ontologie
phénoménologique à fondement théologique. *L'Habitude* est un livre
condensé, elliptique, quasi oraculaire: pour déceler à travers les considérations sur l'habitude elle-même leur cadre et leur aboutissement
métaphysiques, il faut faire un certain effort d'interprétation. Certes,
nous lisons que la nature «c'est Dieu en nous»[3] ou encore que l'habitude
«reste en-dessous de l'activité pure, de l'aperception simple, unité, identité divine de la pensée et de l'être».[4] Mais le couronnement théologique
n'apparaît pas, à première vue du moins, comme la perspective à partir
de laquelle tout prend son sens. Dans le *Rapport* au contraire, aucune

---

[1] R., p. 246.
[2] R.M.M., 1893, n° 1, p. 25.
[3] H., p. 53.
[4] *Ibid.,* p. 59.

ambiguïté n'est plus possible. Ravaisson y désigne explicitement l'absolu comme le «centre perspectif» de l'univers. En fait, en dépit de la modification du style, le fond demeure. On le sent particulièrement dans un paragraphe du *Rapport* où Ravaisson dégage la portée de l'habitude: «La continuité dans le progrès – écrit-il – enseigne l'unité».[1] Cette unité, nous savons que c'est celle de l'absolu comme centre perspectif. Mais que désigne Ravaisson sous l'expression «continuité dans le progrès»? Continuité de quoi? Progrès vers quoi? Ce n'est qu'en répondant à ces questions qu'on peut comprendre comment l'absolu constitue l'unité du Tout.

A travers l'immense diversité des ordres d'existence, des formes, des fonctions, nous constatons – dans *L'Habitude* – l'accroissement d'une «seule et même puissance», la spontanéité. Plus on monte dans la série des êtres, plus on constate un progrès dans l'organisation, une indépendance de plus en plus marquée de la réaction par rapport à l'action, jusqu'à ce qu'on atteigne la conscience où se retrouvent de nouvelles gradations qui culminent dans l'action pure, l'aperception simple réservée uniquement à Dieu.

Cette montée a pour corollaire une descente possible, justement celle que réalise l'habitude, du moins dans la sphère de la conscience.[2] Car l'habitude, unifiant ce qui est dispersé, introduisant dans la diversité psycho-physiologique l'unité primitivement volontaire, fait pénétrer l'esprit jusque dans les régions qui lui semblaient interdites. Si l'organisme peut s'habituer, c'est-à-dire s'ouvrir à une spontanéité d'essence spirituelle, c'est qu'il n'est pas lui-même d'une autre essence, au fond: «Si les pierres de la fable obéissent à une mélodie qui les appelle, c'est qu'en ces pierres il y a quelque chose qui est mélodie aussi, quoique sourde et secrète, et que, prononcée, exprimée, elle fait passer de la puissance à l'acte».[3] Si une spontanéité peut être éveillée dans la matière par une action spirituelle, c'est qu'au fond la nature est déjà spirituelle; l'éveil de la spontanéité n'est en fait qu'un réveil.

Nous voyons apparaître ici avec une particulière netteté une des principales présuppositions qui rendent possible l'habitude. La matière est la puissance dont l'esprit déploie l'acte. La «continuité» dont nous cherchions l'objet est la continuité de l'esprit; sa «progression» concerne la transformation de sa vitalité, c'est-à-dire sa réalisation, son actualisation. L'habitude donne un exemple remarquable de cette actualisa-

---

[1] R., pp. 181–182.

[2] «C'est cette spirale que l'habitude redescend, et dont elle nous enseigne la génération et l'origine». (H., p. 59).

[3] R., p. 244.

tion de la virtualité, de la spiritualisation de la matière. Comme chez
Aristote, la matière est puissance, la forme actualisation, mais Ravaisson applique ce schéma à l'univers entier et en fait la clef d'une théodicée.

Ce n'est pas par hasard si le mot *théodicée* est ici évoqué. A la suite de
Leibniz, Ravaisson adopte le principe de continuité. Si le monde est
univers, rapport à l'un, c'est qu'un seul rapport essentiel l'anime, autrement dit une seule et même analogie, une seule et même parenté au
λόγος. Cette parenté est harmonie par rapport à l'absolu qui est tel en
tant qu'il ne dépend que de lui-même: il est l'action pure ou, suivant
la définition de Ravaisson lui-même, la cause initiale de soi.[1] Tous les
êtres, à des degrés infiniment divers, ont en eux quelque chose de cette
autonomie. Certes, l'autonomie qui s'épanouit dans l'habitude n'est
qu'une ombre extrêmement affaiblie de celle de Dieu, et l'inertie de la
matière n'est que l'ombre de cette ombre; mais dans la plus extrême
dispersion subsiste malgré tout une possibilité de rassemblement. Ravaisson n'assigne pas d'autres limites à cette virtualité que celles du
monde. Tout être est tendance à persévérer dans son être. C'est dire
que tout être est puissance de lui-même. Mais, reprenant encore une
fois Leibniz, Ravaisson ajoute que la possibilité pure n'est qu'une abstraction de notre entendement. «Tendre à l'action est déjà agir; tendance, c'est action».[2] Donc tout être agit d'une certaine façon, recèle un
minimum de spontanéité. Comme l'instant leibnizien est gros d'éternité, ainsi la matière ravaissonienne par rapport à la forme divine. La
matière n'arrive à persévérer que dans l'inertie, l'esprit humain dans
l'habitude: l'un et l'autre sont puissances d'éternité.

*   *
    *

Nous nous sommes demandé d'abord comment Ravaisson parvient à
concilier la transcendance de Dieu avec celle de la conscience, autrement dit une hiérarchisation de l'être à partir de l'Être suprême et une
fondation de l'être à partir de la réflexivité de la conscience. Nous
constatons que Ravaisson concilie d'autant mieux les deux exigences
qu'il fonde sa théologie sur la réflexivité. Il serait insuffisant de dire que
la problématique réflexive s'insère dans la structure traditionnelle: elle
la pénètre en son fond. En effet, à partir du moment où Dieu lui-même
est déterminé comme le sujet-objet absolu, sa transcendance n'est que

[1] H., p. 21.
[2] R., p. 262.

l'autodépassement de la réflexivité. Le *cogito*, dans cette perspective, ne fonde pas autre chose que lui-même: le rapport du *cogito* à Dieu est celui d'une réflexivité relative à l'idéal d'une réflexivité totale. Ce qui rend un petit livre comme *L'Habitude* si mystérieux et si difficile d'accès, c'est que Ravaisson y opère, sans l'expliquer, la fusion entre la hiérarchisation de type aristotélicien et la réflexivité cartésienne, ou, plus exactement, fait de la seconde la clef de la première. Lorsque Ravaisson écrit: «Toute la suite des êtres n'est donc que la progression continue des puissances successives d'un seul et même principe ...»,[1] il unit l'une et l'autre structures. La suite des êtres désigne la hiérarchisation de type aristotélicien sauvegardée au profit d'un «seul et même principe». Lequel? Celui que laisse deviner la première nature, par exemple dans l'instinct, que recèle la seconde dans l'habitude, et qui se déploie absolument en Dieu: la spontanéité. Or, quelles que soient ses formes et dans toute l'étendue de la nature l'imperfection de ses ébauches, la spontanéité désigne le fond du réel: la réflexivité comme principe d'action et d'autonomie. Mais si la spontanéité se définit ainsi, comment expliquer qu'elle échappe à notre conscience et siège dans l'immédiat? Si Dieu, pensée de la pensée, est le mot de tout, comment expliquer qu'il faille chercher ce Dieu moins dans notre conscience que dans l'immédiateté quasi naturelle de l'habitude? Pourquoi l'en deçà est-il le messager nécessaire de l'au delà? On pourrait répondre qu'en vertu de la structure de hiérarchisation notre connaissance ne peut qu'être inadéquate à la nature divine et réclamer une médiation au sein même de la nature, par quoi Ravaisson se sépare radicalement de l'idéalisme. Mais pourquoi Ravaisson charpente-t-il sa pensée en fonction de la structure de hiérarchisation? Peut-on résoudre cette question en termes de structures? Ne sommes-nous pas renvoyé à l'énigme de l'orientation originelle de Ravaisson? Nous atteignons ici à une limite de notre enquête. Après avoir dégagé les principes essentiels de la philosophie de Ravaisson, nous avons recherché les conséquences qui en résultent dans l'organisation interne de sa problématique. La philosophie de Ravaisson nous apparaît ainsi identifiée en référence à la tradition dont tout en elle atteste l'héritage. Situer cette métaphysique dans la Métaphysique, ce n'est pas l'y dissoudre, c'est au contraire permettre la mise en relief de sa véritable portée.

* * *

La portée singulière de la pensée ravaissonienne s'éclaire si on l'en-

[1] H., p. 49.

visage à partir de la culmination de la métaphysique dans l'idéalisme absolu. «Le vrai est le Tout»[1]: la philosophie se muant en Système prétend rendre compte de la réalité dans son ensemble du point de vue de l'activité absolue de l'esprit. Ceci peut sembler pour le moins paradoxal si l'on se rappelle avec quelle énergie et avec quelle constance Ravaisson s'oppose à Hegel. Aussi bien ne voulons-nous nullement minimiser l'ampleur de l'opposition entre l'idéalisme hégélien et le spiritualisme ravaissonien; mais toute opposition suppose un fond commun sur lequel elle se détache et qui la rend possible: le retrait ravaissonien par rapport à la conceptualisation totale de Hegel n'exclut pas pour autant Ravaisson du paysage spirituel de son époque. Lui aussi veut «tout pénétrer et tout embrasser», lui aussi prétend trouver une clef universelle; il emploie même le mot *système*: «Le Système est l'Animisme ou Spiritualisme ...»[2] Lui aussi compose, comme nous l'avons vu, une théodicée à partir de l'activité absolue de la pensée: chez Hegel comme chez Ravaisson la vie de Dieu peut être appelée un jeu de l'amour avec soi-même. Les présuppositions que nous avons mises en lumière – rationalité du réel, réflexivité de la conscience –, Ravaisson les partage avec Hegel. Nous avons déjà noté que la thématique ravaissonienne de «l'amitié de l'ombre» se rattache à l'aporie centrale de la métaphysique et, plus directement, au débat qui fait le coeur de l'idéalisme spéculatif. C'est en ce coeur que prend sa portée le rejet ravaissonien de la totalisation du savoir, l'impossibilité d'une résolution par la réflexion de la dissociation entre le sujet et l'objet, la réintégration, au sein même de la réflexivité, du mystère de la transcendance divine. La vie «constitue ce qu'on peut appeler un mystère, mais un mystère auquel mènent comme par des lignes convergentes, tendant indéfiniment à se joindre, des idées».[3]

Tentons encore, et mieux, de saisir en son lieu premier, dans la proximité de ce dont elle se sépare, l'opposition ravaissonienne à la totalisation systématique du savoir. L'habitude est un «moyen terme» entre les contraires, ou encore «un centre», un «milieu».[4] Moyen terme évoque médiation. L'habitude «médiatise» la liberté de l'entendement et la nécessité de la nature: elle en promeut un commun dépassement. Chez Ravaisson comme chez Hegel, ce dépassement, dont l'entendement humain ne recompose la genèse qu'*a posteriori*, fonde en fait la

---

[1] HEGEL, *Phénoménologie de l'Esprit*, trad. J. HYPPOLITE, t. I, p. 18.
[2] D., p. 384.
[3] T., p. 71.
[4] H., pp. 15, 17.

possibilité d'une nature et constitue la «plénitude de la réalité», en termes hégéliens: la *Wirklichkeit*.

Marquons maintenant les distances, en isolant par exemple ce passage de *L'Habitude* où Ravaisson traite du «mystère de l'identification de l'idéal et du réel, de la chose et de la pensée, et de tous les contraires que sépare l'entendement, confondus dans un acte inexplicable d'intelligence et de désir».[1] Chez Hegel, l'identification n'est ni mystérieuse ni inexplicable: le *Begriff* en rend compte; les contraires ne sont pas séparés par l'entendement comme s'ils étaient d'emblée unis en soi: l'antagonisme, initial aussi bien dans l'ordre gnoséologique que dans l'ordre ontologique, ne se réduit d'ailleurs pas à une contrariété, mais se développe à la mesure d'une universelle et totale contradiction. Pour Ravaisson le rapport entre la nature et la volonté est «réel en soi, mais incommensurable dans l'entendement».[2] L'en soi se dérobant aux prises de la méthode philosophique considérée en elle-même comme un instrument, n'est-ce pas justement la cible de la critique de la *Préface* de la *Phénoménologie*? Les objections dirigées contre le Schelling de la philosophie de l'identité semblent donc pouvoir s'appliquer à Ravaisson. Dans les deux cas, ce qui est visé, c'est l'irrationalisme intuitioniste, c'est-à-dire cette pensée qui ne retient du kantisme que la détermination des limites de l'entendement, pour mieux lâcher la bride à l'intuition dans le domaine de l'inconnaissable. Alors que pour Hegel «tout ce qui est réel est rationnel», l'entendement ravaissonien ne dessine que «l'idéalité des choses» et l'union entre l'idée et l'être se fait par une opération dont le secret se dérobe à la raison.[3] Nous constatons ainsi qu'il est plus facile d'énoncer et de décrire l'opposition que de comprendre comment Ravaisson peut allier les contraires en faisant l'économie de la médiation.

A partir du moment où Ravaisson refuse de donner une signification pleinement ontologique au dépassement logique des contradictions, les catégories ne sauraient constituer l'*a priori* le plus originaire. Ravaisson n'est pas idéaliste: l'idée, pour lui, n'est pas révélatrice d'être; c'est elle, moindre être, qui renvoie à la prégnance de l'être primordial. Le dépassement des antagonismes ne peut s'effectuer par l'entremise de l'entendement qui en est la cause; du même coup, ces antagonismes n'ont de valeur qu'indicative, ce sont des limites.[4] Or, que circonscri-

---

[1] H., p. 44.
[2] *Ibid.*, p. 38.
[3] Les mots employés par Ravaisson sont *intelligence* ou *entendement*.
[4] La Logique, royaume des ombres pour Hegel, ne représente selon Ravaisson qu'un ensemble de *contours*.

vent donc ces limites, sinon des réalités non idéales, et avant tout le pôle supérieur, Dieu, identité parfaite de l'être et de la pensée?[1] Ce qui est premier chez Ravaisson, nous le constatons de nouveau, c'est l'ordre hiérarchisé de l'être, à l'intérieur duquel seulement s'organise l'économie de la connaissance. Il faut faire un véritable effort de dépaysement intellectuel pour comprendre une pensée aussi substantialiste. Car, de même que les pôles de l'existence sont substantiels, le moyen terme qui les mettra en rapport ne peut opérer cette oeuvre qu'en étant lui-même un être; autrement dit, l'idée, simple possibilité, doit se substantialiser pour faire se rencontrer l'être et le moindre être: c'est pourquoi l'habitude est une *idée substantielle*. Ou encore, elle est état individualisé, centre d'initiative autonome dans la temporalité. Le pôle inférieur de l'être pourrait être celui de la pure contrariété, mais dès qu'il y a de l'être il y a tendance à la persévérance: dès ce niveau inférieur, s'instaurent des constantes dont la première et la plus immédiate est l'inertie. Ensuite viennent des synthèses dans l'homogène, encore fort élémentaires. L'entendement est le plus à son aise dans la représentation de ce monde inorganique: ses schémas peuvent s'y appliquer d'autant plus directement que les éléments sont en plus petit nombre et plus homogènes. Ainsi la mécanique est par excellence science d'entendement, ce qui n'est plus le cas de la chimie où les éléments sont déjà moins facilement discernables à travers les corps. L'entendement, en analysant, obtient de l'homogène; à la limite, il rejoindrait l'identité avec lui-même, la pure tautologie. Ce moindre être aboutit à la mort, comme le dit Bergson, s'il n'est réalisé, concrétisé, substantialisé. Le sera-t-il en saisissant sa propre contradiction et en rassemblant les termes opposés dans l'unité, comme chez Hegel? Nullement. Ce serait de nouveau faire de l'entendement la source de l'être, ce qui est exclu *a priori*. L'entendement se fera donc raison observante pour se soumettre à la leçon que donne la nature dans le phénomène vital, synthèse hétérogène, organisation d'une individualité, c'est-à-dire d'une spontanéité dans le temps et dans l'espace. Au niveau supérieur, dans le monde moral, l'acte le meilleur – par exemple le dévouement – devenu habituel est un état sur lequel ni la volonté ni l'entendement n'ont plus d'influence, mais qui devient lui-même source d'altruisme: le désir du Bien est devenu penchant, Bien-se-faisant. Dans le désir du Bien, il y a encore projection d'un idéal, projection entre ce

---

[1] Ravaisson est plus qu'allusif en ce qui concerne le pôle opposé. Le néant n'est pas nommé: dès le début Ravaisson se place dans l'être en partant des «conditions sous lesquelles l'être nous apparaît sur la scène du monde», puis en décrivant l'étage inférieur de cette scène.

qui est et ce qui doit être. Ce qui doit être est l'être, mais, tant qu'il est voulu, la volonté nie son être vrai, puisqu'elle le pose comme absent en voulant s'en donner une représentation totale.[1] L'être s'actualise sans que cette réalisation soit explicitement visée, ou plutôt le projet explicite doit se nier lui-même, s'oublier à force de se répéter, de façon que se dégage une autonomie de décision et d'action. Ainsi l'âme dans la vie spirituelle doit accepter de se soumettre à des automatismes apparemment dégradants pour atteindre à cet état où le désir se mue en penchant et où la nature se fait «grâce prévenante».

Ne peut-on préciser encore les caractères de la synthèse ou rencontre des extrêmes? Si cet effort de précision n'est pas fait par Ravaisson lui-même, ce n'est pas par négligence, mais parce que l'habitude est posée par lui d'emblée comme inexplicable, mystérieuse. Pourquoi? Parce qu'elle échappe à l'entendement qui ne peut se fonder lui-même et qui, en se cherchant à l'infini, ne fait que mieux perdre l'être.[2] L'entendement, moindre être lui-même, n'a prise que sur du moindre être. La méthode et l'objet ne font qu'un ici. On le constate dans l'amour où le penchant – non le désir – ne fait qu'un avec le Bien qui l'attire. A la nécessité d'un immédiat premier est liée celle de l'immédiation s'opposant à la médiation. Les deux opérations sont gagnées par la substantialisation de leurs objets. Il en résulte qu'il y a bien chez Ravaisson, comme chez Hegel, une implication réciproque du médiat et de l'immédiat; mais, alors que la médiation hégélienne enrichit le concept, celle de Ravaisson reste purement statique. Et pourtant, le moyen terme ne peut demeurer abstrait ou univoque. Pour atteindre à la concrétion, il est donc mis en mouvement à l'intérieur du cadre préexistant que la nature elle-même fournit, ce qui exclut tout développement organique de la nature et de l'esprit à la manière hégélienne. Chez Ravaisson aucune genèse de l'être n'est concevable à partir de l'être même ou du non-être: lorsque la pensée s'enquiert de l'être, les tréteaux du théâtre du monde sont déjà en place. Ce qui s'impose primordialement à la pensée, c'est donc un ordre: la nature est «l'étendue du milieu», espace ouvert entre Dieu et le chaos, espace hiérarchisé dont le «progrès de l'habitude» mesure les gradations. En ce sens, comme nous l'avons déjà remarqué, Ravaisson ne fait que transposer dans un langage moderne la métaphysique aristotélicienne: le monde est l'aspiration de la matière à rejoindre son modèle, le Premier Moteur,

---

[1] H., pp. 53–56.
[2] «La réflexion se replierait vainement sur elle-même, se poursuivant et se suivant à l'infini». (H., p. 56).

identité de la pensée et de l'être. Mais la restauration ravaissonienne, de l'édifice aristotélicien est originale: l'avènement de la hiérarchie des êtres est conditionné par le rapport entre la réflexion et l'immédiat: «La pensée réfléchie implique ... l'immédiation antécédente de quelque intuition confuse où l'idée n'est pas distinguée du sujet qui la pense, non plus que de la pensée.[1]» L'admission par la pensée de cette condition *a priori* de son déploiement est elle-même l'*a priori* de l'apparition de la nature dans sa vérité, c'est-à-dire mue par la tendance à persévérer dans son être, à se hiérarchiser, etc. Le rapport entre l'immédiat et le médiat n'est pas médiatisé: il est lui-même immédiat. En tant que tel, il constitue le cercle qui définit la pensée ravaissonienne, dans *L'Habitude* comme par la suite. Mais Ravaisson ne montre pas comment la fin de son livre implique son début, comment la conscience de soi doit déposer ses prétentions devant le non-conscient pour que se produise l'épiphanie de l'être véritable: en cela il se révèle incomplet par rapport au dernier Schelling élaborant une méthodologie de l'auto-dépassement de la raison. Si les tréteaux du théâtre du monde sont déjà posés dès le début de *L'Habitude*, ils le sont par la conscience qui, de l'aveu même de Ravaisson, est à la fois «l'auteur, le drame, l'acteur, le spectateur».[2] D'un côté, la conscience de soi implique à la fois comme condition et comme matière l'intuition de l'immédiat; de l'autre, cet immédiat n'advient, même comme en soi inconcevable, que s'il est posé comme tel par la conscience. La pensée se prend ici à son propre jeu, ou plutôt découvre la profondeur de ses implications: elle se clôt dans le cercle, jusqu'ici inaperçu, à l'intérieur duquel elle se déploie. On pourrait nommer ce cercle onto-gnoséologique: l'être s'y trouve déterminé en même temps que les conditions de sa connaissance. De même que l'entendement doit faire sa place à l'intuition, la liberté ne doit pas faire écran devant la nature. Mais celle-ci n'est connue que par l'analogie de l'habitude: Ὥσπερ γὰρ φύσις ἤδη τὸ ἔθος. Le cercle onto-gnoséologique porte en lui la clef de la connaissance: cet ὥσπερ, cette similitude qui nous donne l'idée d'une nature première, comme nous avons celle de l'unité de cette nature et de son modèle. Mais cette nature ne se livre à nous qu'à travers son substitut, puisque notre sphère est celle du mouvement, délimitée par l'entendement. C'est la seconde nature qui seule «explique la première à l'entendement».[3] «C'est dans la

---

[1] H., p. 56. Ou encore: «Et dans toute perception distincte est enveloppée par cela même la conscience, plus ou moins obscure, de l'activité volontaire, et de la personnalité». (H., p. 20).
[2] *Ibid.*, p. 16.
[3] *Ibid.*, p. 38.

conscience seule que nous trouvons le type de l'Habitude».[1] L'entendement ne parvient à embrasser le mystère de l'habitude dans toute son
ampleur et sa profondeur que par analogie, ou encore par approxima-
tion, c'est-à-dire en appliquant à toute la nature un schéma dont il a
découvert lui-même la vérité. Mais ces approches se heurtent finalement à un noyau inexplicable: l'entendement peut concevoir ce
qu'opère l'habitude, sa finalité, le «principe de l'acte», mais il échoue
à préciser le *comment* de cette opération, sa modalité.[2] Il doit alors
reconnaître que l'essentiel reste mystérieux. L'essentiel, c'est-à-dire
justement ce rapprochement des antagonistes, que nous avons dû mettre en parallèle avec la médiation hégélienne. La «médiation» ravaissonienne est du ressort de l'entendement et de la volonté qui, comme nous
l'avons vu, ne se rapportent qu'à des limites et qui supposent en leurs
milieux l'immédiation de l'habitude, c'est-à-dire de la nature: «Le
dernier degré de l'habitude répond à la nature même. La nature n'est
donc, comme ce dernier degré, que l'immédiation de la fin et du principe, de la réalité et de l'idéalité du mouvement, ou du changement en
général, dans la spontanéité du désir».[3] Par l'immédiation de l'habitude, la fin n'est plus seulement visée; elle réalise son projet initial; elle
devient commencement; et du même coup, le mouvement n'est plus
idéal: il s'accomplit. Notons que si Ravaisson admet une volonté immédiate, revers et même condition de la volonté médiate, il préfère la
nommer désir, amour ou penchant. Quant à l'entendement, en s'im-
médiatisant, il se transforme en intelligence: «Cette intelligence immédiate, c'est la pensée concrète, où l'idée est confondue dans l'être. Cette
volonté immédiate, c'est le désir, ou plutôt l'amour, qui possède et qui
désire en même temps».[4] Il en résulte que l'art et la science, qui mettent
en oeuvre la volonté et l'entendement, doivent l'un et l'autre, afin de ne
pas rester formels, être immédiatisés par l'habitude: la beauté est le
visage de l'amour sous la forme de la grâce; et la science, pour atteindre
ses ultimes possibilités, laisse l'intelligence remplir et dilater ses cadres
abstraits. La philosophie, couronnement de l'art et de la science,
n'échappe pas à cette exigence. C'est pourquoi *L'Habitude* fait simultanément appel à l'intelligence et à la sympathie: elle fournit par là
même, comme le dit Ravaisson, le meilleur exemple de la méthode à

---

[1] H., p. 16.
[2] L'entendement médiatise, mais sa médiation ne s'applique pas au milieu. L'habitude
immédiatise le milieu.
[3] H., pp. 41–42.
[4] *Ibid.*, p. 58.

suivre. Jamais autant peut-être en philosophie la découverte de la méthode n'a fait qu'un avec la pratique même de la pensée.

* * *

La référence à l'horizon atteint par la métaphysique hégélienne ne fait donc que souligner l'originalité de la pensée ravaissonienne. Que celle-ci soit limitée, ce n'est pas niable; mais il serait erroné de reprocher à une pensée de ne pas outrepasser les principes mêmes qui la définissent: «La méthode est de saisir l'insaisissable».[1] Sans doute ce mot circonscrit-il le mieux l'originalité de la pensée de Ravaisson dans la métaphysique du XIXème siècle. La raison vise à saisir; mais l'essentiel pour Ravaisson ne se capte pas au moyen de la conceptualisation. Pour saisir l'insaisissable, la raison va prendre le détour de l'intuition. Les Parthes lançaient au cou de leurs ennemis, une σειρά, un lasso. De même notre philosophie tente de se concilier l'ombre étrangère par la souplesse de sa méthode dont l'habitude lui a révélé le modèle: c'est insensiblement, de degré en degré, qu'elle opère la diminution de la sensibilité, l'augmentation de la mobilité. Aussi est-ce par degrés, analogiquement, que Ravaisson prétend comprendre le Tout. La façade ne doit pas tromper: cet apparent abandon de la raison, n'est-ce pas sa dernière victoire?

---

[1] D., p. 376.

CONCLUSION

Ai-je blessé, heurté, *Charmé* peut-être, Le Corps secret du monde?

Paul VALÉRY (*Amphion*).[1]

Benedetto Croce a écrit un livre intitulé *Ce qui est vivant et ce qui est mort dans la philosophie de Hegel*.[2] Peut-on, de même, départager ce qui date et ce qui survit dans la philosophie de Ravaisson, sans – bien sûr – tracer une frontière indiscutable entre le lot de la mémoire et celui de l'oubli? Dès la première lecture, certains textes se détachent: *L'Habitude* est l'oeuvre qui mérite le plus d'être relue, un de ces ouvrages qu'il faut garder près de soi et, selon le mot de Nietzsche, «ruminer». Il y a d'autres passages ou fragments de cette veine chez Ravaisson; nous espérons que le lecteur a pu s'en rendre compte d'après nos citations. Et il y a la masse des inédits d'où nous avons extrait des pages dignes, selon nous, d'être lues.[3]

Quant à ce qui est mort dans la philosophie de Ravaisson, il n'y a pas de raison que l'oubli cesse de le recouvrir de son linceul. Il y a le côté conventionnel et rhétorique de certaines mises au point, de certaines prises de position; on le sent particulièrement dans le *Rapport*. Il y a la trop rapide résolution du problème du mal et, y correspondant, le côté limité et fade des goûts inspirés par une recherche trop systématique de l'harmonie et de la douceur. On trouve dans le *Journal* de Delacroix une page où il raconte son exaspération lors d'une conférence de Ravaisson au Louvre devant une «grande réunion d'artistes, de moitié d'artistes, de prêtres et de femmes»:[4] plaçant Giotto au pinacle, le conférencier porte une préférence systématique à l'édifiant: «Ce sont des idées néo-chrétiennes dans toute leur pureté» s'exclame Delacroix. On se doute que Nietzsche n'aurait pas contredit Delacroix sur ce point; sans doute aurait-il élu, en Ravaisson, s'il l'avait connu, un adversaire

---

[1] *Oeuvres*, éd. de la Pléiade, I, p. 176.
[2] *Cio che è vivo e cio che è morto della filosofia di Hegel*, Bari, 1907.
[3] Cf. appendice *in fine*.
[4] *Un discours sur l'Art et le Beau*, 4 mai 1858.

de choix, justement dans la mesure où le malentendu porte sur l'essentiel: les Grecs sont admirés chez l'un et chez l'autre comme modèles de toute morale aristocratique, mais Ravaisson en place le principe dans la pitié dont Nietzsche ne cesse de dénoncer les mensonges. Enfin, d'un point de vue tout différent, Ravaisson, comme captivé par les «valeurs supérieures», prête à peine attention au problème social et suggère une «solution» dont la pureté spiritualiste ne manque pas de piquant. Jugeons-en plutôt: «L'homme du peuple, sur lequel pèse d'un poids si lourd la fatalité matérielle, ne trouverait-il pas le meilleur allègement à sa dure condition, si ses yeux étaient ouverts à ce que Léonard de Vinci appelle la *belleza del mondo*, s'il était appelé ainsi à jouir, lui aussi, du spectacle de ces grâces que l'on voit répandues sur tout ce vaste monde et qui, devenues sensibles au coeur, comme s'exprime Pascal, adoucissent plus que tout autre chose ses tristesses et, plus que tout autre chose, lui donnent le pressentiment et l'avant-goût de meilleures destinées».[1]

Pour compenser ces aspects désuets, on trouverait facilement des textes où Ravaisson préfigure l'avenir. Bergson a raison de souligner le rôle novateur que joue Ravaisson par l'importance philosophique qu'il accorde aux enseignements de la biologie. M. Cazeneuve montre que Ravaisson est très proche de la conception que certains psychanalystes comme Charles Baudouin ou Jung se font de l'inconscient. On trouve chez Ravaisson la notion d'inconscient dynamique et, comme l'écrit M. Cazeneuve, il suffirait de donner à ce que Ravaisson appelle *force* «le nom de *libido* pour se rendre compte que la philosophie de Ravaisson amène la théorie animiste à un niveau tel que la psychanalyse la confirme souvent sans le savoir»,[2] par exemple lorsqu'elle cherche l'origine de la névrose dans un complexe d'idées, alors que déjà Ravaisson discerne dans la maladie la formation d'une «idée substantielle» qui joue un rôle séparateur par rapport à l'ensemble vivant: «Ne serait-ce pas ...une idée et un être à la fois, une idée concrète et substantielle hors de toute conscience, qui fait la maladie?»[3] Ravaisson nous est également «parlant» par sa volonté de chercher l'être hors de l'abstraction et, si l'on en croit *L'Habitude*, au sein de l'existence concrète et journalière. Et lorsqu'il extrait du Christianisme l'essentiel, en le rapprochant de ce qui fait le coeur d'autres religions, n'y a-t-il pas une tentative pour

---

[1] Article *Art* dans *Dict. de Péd. et d'Instr. primaire*, F. Buisson, Paris, 1882, première partie, tome I, p. 123.
[2] *La philosophie médicale de Ravaisson*, pp. 61 sq.; et pp. 78, 103.
[3] H., p. 45.

penser le divin au delà de nos catégories, pour plonger à l'origine du sacré? n'est-ce point là ce qui se cherche en notre temps? [1]

Cependant, vouloir compenser à toute force le côté désuet de Ravaisson par un versant «actuel» ne laisse pas d'être passablement artificiel. Ce partage reflète à coup sûr l'ambiguïté de la situation du penseur en son époque, mais disjoint superficiellement la correspondance unique qu'une pensée authentique entretient avec son temps. Cette correspondance n'est rien d'autre que ce que nous avons appelé au chapitre précédent la portée de la pensée; s'y référer évite d'émettre à son égard des exigences qui lui resteraient extrinsèques. Il ne faut pas demander à Ravaisson de prophétiques prémonitions. C'est pourquoi, en accentuant le côté «hardi», «nouveau» de Ravaisson, Bergson trompe, en grande partie, le lecteur. Ravaisson ne prétend que restaurer ce qu'il y a de meilleur dans la métaphysique éternelle. Mais la restitution de ce «meilleur» n'est pas si simple: ce que Ravaisson va rechercher au fond de la métaphysique, c'est un chant qui resurgit toujours en contre-chant du thème principal, le thème rationnel. Face à la prétention d'exploitation maximum de l'intelligibilité du monde et de nous-mêmes, les tenants du contre-chant – de S. Augustin à Schelling, en passant par Pascal et Fénelon – rappellent à la raison ses limites pour mieux lui confirmer ses prétentions, après un complet changement de méthode. Rappelons Pascal: «La dernière démarche de la raison est de reconnaître qu'il y a une infinité de choses qui la surpassent; elle n'est que faible, si elle ne va jusqu'à connaître cela. Que si les choses naturelles la surpassent, que dira-t-on des surnaturelles?» [2] De même que la raison doit comprendre la nécessité de son propre dépassement, de même dans la vie la volonté doit apprendre à se surpasser en ne voulant plus. «L'unique chose qui est véritablement à vous – écrit Fénelon –, c'est votre volonté. Aussi est-ce elle dont Dieu est jaloux ... Quiconque réserve le moindre désir ou la moindre répugnance en propriété fait un larcin à Dieu. Combien d'âmes propriétaires d'elles-mêmes?» [3] Cette propriété des désirs, nous avons vu que l'immédiation de l'habitude en dessaisit l'âme et la dote de la spontanéité de la nature qui est – selon le mot même de Fénelon – la «grâce prévenante». Ainsi le dépassement de la raison et de la volonté n'est pas moins rationnel ni volontaire que

---

[1] M. Jean GUITTON, rapportant que Ravaisson est un des penseurs français préférés de Heidegger, évoque ce dernier tenant avec respect «*L'Habitude* dans ses mains, comme une pierre composée de métaphysique et de poésie». (*Le Clair et l'Obscur*, Librairie Auguste Blaizot, Paris, 1962, p. 88).

[2] Éd. BRUNSCHVICG, n° 267.

[3] FÉNELON, *Démonstration de l'existence de Dieu*, cité par SCHELLING, *Introduction à la Philosophie de la Mythologie*, trad. S. JANKÉLÉVITCH, II, p. 341, n. 1.

leur exercice ordinaire. C'est pourquoi les métaphysiciens-poètes ou mystiques avec lesquels Ravaisson se sent en affinité ne sont pas moins métaphysiciens que les autres. D'un autre côté, Ravaisson n'est pas moins proche d'un poète-métaphysicien comme Schiller. Ravaisson, comme Schiller, essaie de trouver une voie moyenne, une médiation entre l'intellectuel et le sensible. Chez l'un comme chez l'autre, cette médiation est la beauté qui nous introduit et nous initie à la moralité. L'enthousiasme éveille notre générosité innée : la moralité schillérienne relève d'un troisième instinct ; chez Ravaisson la magnanimité est native. Le passage de l'esthétique à la métaphysique se fait chez Ravaisson grâce à la notion d'ordre : la beauté annonce dans le monde l'harmonie supérieure ; comme cette harmonie est celle de l'amour et de l'abandon, c'est avant tout dans la grâce et le sourire qu'elle se déchiffre. Mais Ravaisson n'accorde pas un rôle capital à la beauté «énergique» comme Schiller, ou plutôt, pour lui, le summum du sublime est atteint dans la beauté apaisante, messagère du divin.[1] L'âme schillérienne, elle, reste animée par l'idéal kantien dont les postulats se dressent comme des propylées sur le seuil de l'abandon poétique. Discordance négligeable en regard de la rencontre de pensées déchiffrant les messages de la beauté «dans le silence sacré des demeures du coeur».[2] Ravaisson évoque Schiller dans cette belle *improvisation,* cet inédit dont nous extrayons ces quelques passages : «L'art est jeu, car est semblant. Comme aussi le simulacre de combat et de victoire. De même le théâtre, ἀγών ... Les ris et les jeux, avec Vénus et l'Amour, et les Anges ... L'enfance est jeu ... Bacchus ; Ivresse. Les Grâces dansent, se jouent ...Platon est un jeu perpétuel ...»[3]

Si Ravaisson se fait ainsi poète, c'est qu'il est le premier à incarner son propre idéal philosophique dont le type mythique est Orphée. Prêtre-poète-penseur, il réussit le paradoxe de surprendre avec la tradition, d'innover sans rien inventer. Métaphysicien? poète? Métaphysicien en définitive, car le chant, même «contré», qui anime la symphonie est celui de la raison. Ainsi notre «ami de l'ombre» écrit : «Par le clair se connaît et le clair et l'obscur ...».[4] l'inférieur a sa raison dans le supérieur. Donc, sous l'apparence d'un dépassement de la métaphysique dans l'abandon poétique ou religieux, le dernier mot revient malgré tout à la «pensée de derrière la tête», c'est-à-dire toujours à la métaphysique.

---

[1] T., pp. 141–142.
[2] SCHILLER, *Der Antritt des neuen Jahrhunderts,* strophe IX.
[3] Inédit transcrit par M. DEVIVAISE, TH, II, pp. 159 sq.
[4] *Dict. de Pédag., op. cit.,* art. *Dessin,* p. 679.

Mais est-ce qu'en discernant chez Ravaisson une dernière tentative de la métaphysique pour survivre en se métamorphosant, on mesure vraiment toute la portée de l'oeuvre? Présenter Ravaisson, ce n'est pourtant pas simplement fixer le point où confluent, en France, au XIXème siècle, la métaphysique et la poésie, où la métaphysique capte la poésie: c'est évoquer la constante présence d'une unique pensée transparaissant dans la luminosité d'un style et d'un ton.

Si Ravaisson à la fin de sa vie s'applique à compléter la statue de la Vénus de Milo et à reconstituer le groupe dont elle devait faire partie d'après lui, ce n'est pas dû au hasard: il donne à la composition originale un sens symbolique en faisant renaître aux côtés de Vénus un personnage masculin qu'il identifie à la fois à Thésée et à Mars. Vénus apaisant Mars, l'amour domptant par son charme la violence, telle serait la signification oubliée de la statue mutilée. La valeur de cette hypothèse du point de vue archéologique n'est pas en cause ici; retenons uniquement sa portée philosophique; le groupe reconstitué témoigne de la pensée fondamentale de Ravaisson: l'unité harmonieuse du Tout assurée par la victoire conciliatrice de l'Amour.

Voici donc la philosophie de Ravaisson restituée dans ce que nous croyons son authenticité. Le dialogue avec le bergsonisme est-il, pour autant, rompu? En «bergsonifiant» Ravaisson, Bergson se «ravaissonisait» également, dans une certaine mesure: il augmentait l'ampleur de sa dette vis-à-vis de son maître. Notre propos n'est pas de nier cette dette, mais de l'établir en toute clarté. Dégagée de la généalogie en partie abusive qu'elle s'imposait à elle-même, l'originalité bergsonienne apparaîtra mieux. C'est pourquoi la remontée de Bergson à Ravaisson a été pour nous la démarche préalable à l'étude – qui va maintenant s'ouvrir – des limites et de l'ampleur effective de la filiation qui lie Bergson à Ravaisson.

TROISIÈME PARTIE

BERGSON ET RAVAISSON

AMPLEUR ET LIMITES DE LA FILIATION

INTRODUCTION

La confrontation des pensées de Ravaisson et de Bergson a jusqu'ici été partielle et a mis plus en relief les contrastes qu'elle n'a permis de saisir les affinités. En effet, le travail de déblaiement opéré dans la première partie a offert la possibilité de rétablir la différence réelle qui sépare les deux philosophies; mais comme cette enquête critique a été menée essentiellement à partir d'un texte, la *Notice* de Bergson, et sur des points précis, elle nous a fourni des jalons qu'il va maintenant falloir relier. La deuxième partie nous a permis de redessiner le «portrait philosophique» de Ravaisson dans une dimension strictement non bergsonienne. Ces deux premières parties – avons-nous signalé d'emblée – constituaient des démarches indispensables, mais préalables, à la véritable confrontation qui va maintenant s'ouvrir. Nous avons jusqu'ici remonté, si l'on peut dire, de Bergson à Ravaisson; nous n'avons pas contesté la dette du premier vis-à-vis du second dans son principe, mais, en quelque sorte, dans son montant. Envisageant désormais les choses à partir de Ravaisson lui-même, non de ce que Bergson lui a prêté, nous pouvons et nous devons établir en vérité la réalité et les limites de la filiation spirituelle qui unit nos deux philosophes. Cela implique que soit nettement dégagé tout ce qui paraît les rapprocher, que soit établie la vraisemblance philosophique d'une filiation historiquement incontestable. Avant d'aborder de nouveau le terrain proprement philosophique, faisons leur juste part aux quelques données «historiques» qui s'offrent à nous.

Le peu qu'on sait sur les relations personnelles entre Ravaisson et Bergson ne permet pas de tirer des conclusions philosophiques décisives. Ravaisson présidait encore le Jury lorsque Bergson passa l'Agrégation: ayant à traiter en leçon la question *Quelle est la valeur de la psychologie actuelle?*, Bergson fit – d'après ce qu'il a lui-même raconté à Charles du Bos – une «charge à fond de train non seulement contre la psychologie actuelle, mais contre la psychologie en général, au grand déplaisir d'un des membres du jury qui avait des prétentions psychologiques et avait même donné ce sujet ... Mais à la satisfaction de Ravaisson qui présidait le Jury».[1] Ravaisson a donc apprécié la leçon du jeune Bergson; il l'aurait même fait appeler pour le féliciter; ensuite il l'a reçu «bien souvent», d'après ce qu'a confié Bergson à Jacques Chevalier.[2] Nous ne savons rien du contenu de ces entretiens, sinon qu'ils inspiraient Bergson, tout en ayant le tort de «demeurer un peu dans le vague; à l'encontre de Lachelier dont la précision et la rigueur étaient admirables».[3] Ce dernier trait révèle, s'il en était besoin, que Ravaisson n'était pas le seul modèle de Bergson et semble indiquer que la fidélité de Bergson à Ravaisson n'avait rien de cette allégeance passionnée autant qu'exclusive qui unit parfois le disciple au maître. Bref, de la part de Bergson une admiration déférente pour un philosophe illustre,[4] chez Ravaisson de l'estime pour un jeune, brillant et sympathique professeur, c'est ainsi qu'on pourrait – semble-t-il – se représenter leurs relations, faute d'une plus ample documentation. On ne peut donc trouver là rien de plus que la confirmation de l'affinité suggérée ou précisée par les textes. Ceux-ci ne sont pas nombreux. Nous avons regroupé à la fin du présent ouvrage tous les inédits que nous avons pu trouver, où Ravaisson fait allusion à Bergson. Particulièrement révélateur est ce passage qui s'applique sûrement aux *Données immédiates*, peut-être aussi à *Matière et Mémoire*:[5] «... (Bergson seul): seul justifie la Métaphysique comme supérieure à toute *quantité* et matérialité».[6] La découverte de ce texte a été importante pour nous; elle nous a permis de ne pas nous borner à confirmer l'hypothèse formulée à partir des détails biographiques, mais de la pousser plus loin: Ravaisson n'a pas eu seulement de l'estime pour Bergson, il l'a considéré comme un héritier spirituel, en fait comme le seul. Quant aux textes de Bergson sur Ravaisson, il n'y a – outre bien entendu la *Notice* – que trois allusions dans toute l'oeuvre.[7] Trois allusions, dira-t-on, c'est bien peu. Effectivement,

---

[1] CHARLES DU BOS, *Journal*, 1921–1923, p. 66, cité par Mme R. M. MOSSÉ-BASTIDE, dans *Bergson éducateur, op. cit.*, pp. 24–25.

[2] *Entretiens avec Henri Bergson, op.cit.*, p. 239.

[3] *Ibid.*

[4] La lettre de Bergson à Ravaisson, datée du 2 novembre 1891 publiée dans R.M.M., 1938, pp. 195–196, est bien dans ce ton.

[5] Ravaisson n'a connu que trois oeuvres de Bergson. Rappelons que *Le Rire* a d'abord été publié dans la *Revue de Paris* des 1er février, 15 février, 1er mars 1900, et que Ravaisson est mort le 18 mai de la même année.

[6] Inédit du *Fonds Coubertin*.

[7] Dans sa thèse complémentaire *Quid Aristoteles de loco senserit* (p. 1), Bergson écrit qu'il a trouvé, dans l'*Essai sur la métaphysique d'Aristote, pauca sed pretiosa*. Dans *Matière et Mémoire* (p. 198), Bergson fait allusion en ces termes à la p. 166 du *Rapport*: «mais nous comprenons

il n'est pas possible de se faire une idée de la dette réelle de Bergson
vis-à-vis de Ravaisson uniquement à partir de ces trois points de re-
père. Bergson ne cite jamais abondamment ses prédécesseurs. La *Notice*
est d'autant plus précieuse. C'est ce qui explique que nous lui ayons
consacré tant d'attention. Nous avons cependant constaté qu'elle ne
pouvait toujours être prise à la lettre. Nous parvenons donc à la conclusion que les données biographiques et bibliographiques sont en elles-
mêmes ou trop peu nombreuses ou trop sujettes à caution pour nous
éclairer profondément sur le dialogue philosophique Bergson-Ravais-
son. A problème philosophique, méthode philosophique. Seule une
méditation de chaque oeuvre en totalité permet d'ouvrir le dialogue et
de poser les questions essentielles. C'est ainsi que nous concevons notre
présente tentative. Influence possible ne signifie pas influence réelle;
nous ne parviendrons pas à vérifier historiquement la réalité et surtout
l'étendue de la filiation spirituelle qui lie Bergson à Ravaisson, mais
nous saisirons intrinsèquement sa vraisemblance, ce qui est à notre avis
le plus important. Un dialogue philosophique, même s'il implique des
certitudes positives, ne s'y réduit pas. Ce qui compte, en définitive, c'est
que prenne vie et s'anime le débat essentiel.

bien – selon le mot profond d'un philosophe contemporain – que «la matérialité mette en
nous l'oubli».» Enfin, dans *L'Évolution créatrice* (p. 211, n. 1) on lit: «Plus généralement, la
relation que nous établissons, dans le présent chapitre, entre l'«extension» et la «distension»,
ressemble par certains côtés à celle que suppose Plotin (dans des développements dont devait
s'inspirer M. Ravaisson)...» Bien entendu, nous ne rangeons pas les *Écrits et Paroles* dans
l'oeuvre proprement dite. Nous signalons plus loin (chap. I, paragr. 1) un rapprochement
entre Ravaisson et Biran (A propos des *Principes de Métaphysique et de Psychologie* de P. Janet,
E.P., I, p. 112).

CHAPITRE I

LES PERSPECTIVES COMMUNES

Le sommeil est recréation, comme dans la chrysalide ...
L'évanouissement est promesse?
RAVAISSON (D., p. 388).

«... la conscience a dû s'assoupir, comme la chrysalide dans
l'enveloppe où elle se prépare des ailes ...»
BERGSON (E.C., p. 182).

La plus décisive des perspectives communes entre Ravaisson et Bergson semble indiquée par Bergson lui-même lorsqu'il confie à I. Benrubi «qu'il acceptait le terme de réalisme spiritualiste forgé par Ravaisson ...»[1] Nous tenons là à la fois le point de départ et le fil conducteur de la recherche que nous allons mener dans ce chapitre. La question essentielle pourrait être ainsi résumée: le réalisme spiritualiste n'est-il qu'une étiquette artificielle recouvrant des réalités différentes ou exprime-t-il une profonde unité? Dans le premier cas, nous serions conduit à reconnaître encore plus que nous ne l'avons fait jusqu'ici une complète divergence entre Bergson et Ravaisson, tout en discernant mieux les motifs de cette opposition; dans le second, il nous faudrait au contraire nuancer considérablement, ou même dépasser, ce que nous avons vu peu à peu se dessiner au cours des deux premières parties. Sans doute la réponse sera-t-elle moins tranchée. Ne la préjugeons pas dans ce chapitre. Examinons d'abord progressivement, prudemment, expérimentalement, sur quels points nos auteurs se rencontrent effectivement; vérifions, toutes les fois que cela est possible, l'unité du «positivisme spiritualiste».

Cette vérification exige plus qu'une explication littérale, ou même historique, de l'expression «positivisme spiritualiste»: elle implique que tous les recoupements constatés entre les deux auteurs soient mis à l'épreuve de notre examen critique, de façon que nous parvenions finalement, dans la mesure du possible, à isoler – comme au terme d'une analyse chimique – le contenu commun auquel se réduit vraiment le positivisme spiritualiste de Ravaisson et de Bergson. Nous prenons garde à l'avertissement de M. Henri Gouhier dans sa communication de 1959 à l'Académie des Sciences morales: «On se méfiera ... des

[1] BENRUBI, *Entretiens avec H. Bergson, op. cit.,* pp. 52–53.

rapprochements qui, vus de loin, sont permis mais qu'il ne faudrait pas regarder de trop près. En gros, il est vrai que le bergsonisme est un chapitre important dans l'histoire de la renaissance spiritualiste qui, à la fin du 19ème siècle, refuse le «scientisme» ... Toutefois le bergsonisme est un chapitre à part ...»[1] Serons-nous condamnés à en rester, dans ce chapitre, à la vision relativement lointaine dont parle M. Gouhier? Nous en acceptons le risque, pourvu que cette première vision facilite ensuite une approche réussie. Mais sans doute ne fait-elle pas que la faciliter: peut-être la conditionne-t-elle?

Nous avons vu précédemment tout ce que le «positivisme spiritualiste» doit à Schelling; mais cette référence essentielle ne suffit peut-être pas, malgré tout, à expliquer l'emploi de cette expression par Ravaisson et l'orientation que cela implique. Le positivisme au sens comtien est une philosophie qui renonce à tous les privilèges de la métaphysique classique, et surtout à son autonomie, pour se soumettre entièrement aux faits, c'est-à-dire aux données des sciences positives; la philosophie renonce à être «gardienne de ses propres lois», comme le voulait Kant, mais reçoit de cette autre elle-même en continuel progrès – la science – les certitudes qu'elle doit synthétiser et interpréter. Le positivisme ne sombre pas pour autant dans le matérialisme: Ravaisson reprend plusieurs fois dans son *Rapport* la définition comtienne du matérialisme comme explication du supérieur par l'inférieur; nous savons par ailleurs que Comte aboutit finalement à un mysticisme qui n'était certes pas exigé par sa première philosophie, mais que celle-ci n'excluait pas complètement. Ravaisson n'ajoute donc pas l'épithète «spiritualiste» à «positivisme» par anti-comtisme, mais beaucoup plus pour éviter les confusions avec ce qu'est devenu le positivisme à travers ses disciples qui, comme Littré, ont refusé de suivre le maître dans son évolution. Plus précisément, si Ravaisson s'oppose à quelque chose et à quelqu'un lorsqu'il forge, à la fin de son *Rapport*, l'expression «positivisme spiritualiste» c'est bien à tout ce que représente le Taine des *Philosophes français du XIXème siècle*, livre publié en 1857; avec son *Rapport*, Ravaisson veut, dix ans plus tard, réfuter l'ouvrage de Taine en le récrivant du tout au tout. Que représente l'enseignement de Taine? La fin de la métaphysique, de ses inductions, de ses espérances, le règne du déterminisme universel et de l'exactitude scientifique. La philosophie se voit interdire toute approche de l'absolu et même toute connaissance directe, et *a fortiori* immédiate, du moi à partir de lui-

---

[1] *Le bergsonisme dans l'histoire de la philosophie française*, dans *Revue des Travaux de l'Ac. des Sc. mor.*, 1959, pp. 186–187.

même: Taine ne veut plus qu'on écrive comme le Ravaisson de 1840:
«Le philosophe sent en soi, il voit d'une vue intérieure le principe de sa
science; lui-même il est ce principe, lui-même la loi et la cause de ce
qui se passe en lui».[1] Pour retrouver la position tainienne, il faudrait
nier cette phrase terme à terme. Or, on saisit là le fondement du
spiritualisme: que Ravaisson abandonne cette pierre d'angle et tout
l'édifice s'écroule.

Ce qui est vrai de Ravaisson, sur ce point capital, l'est aussi de Bergson: refuser à la philosophie toute autonomie de méthode, c'est rendre
impossible l'accès aux «données immédiates» de l'esprit humain et à
l'esprit lui-même. Dans les termes qui sont ceux du *Rapport* de 67 et qui
s'opposent au livre de Taine, le spiritualisme doit être conçu comme
synthétique, et non analytique; le moi ne se constate pas lui-même
seulement comme un fait: il n'a une véritable aperception de lui-même
que s'il se pose comme principe, prêt à rechercher le principe de ce
principe; or cet acte est «cette opération synthétique, qui est spécialement, par opposition à l'analyse, la méthode philosophique».[2]

Ce rappel de l'exigence première du spiritualisme montre que la
méthode philosophique de Ravaisson et de Bergson n'est pas moins
spiritualiste que positive. On pourrait l'appeler aussi bien un «spiritualisme positif»; on trouve sous la plume de Ravaisson l'expression
«spiritualisme supérieur»; au demeurant, le «positivisme» est considéré
comme synonyme de «réalisme». Ce flottement du vocabulaire est-il
sans importance? Nous ne le croyons pas; nous pensons qu'il a une
signification historique en même temps que métaphysique; il témoigne
d'une volonté d'atteindre à une position de juste milieu philosophique,
au delà du matérialisme et de l'idéalisme; c'est ce que nous verrons
plus loin lorsque nous étudierons sous cet angle la commune «généalogie
philosophique» de Bergson et de Ravaisson. Mais, pour nous en tenir à
l'explication de l'expression «spiritualisme positif», nous constatons que
nous découvrons beaucoup plus facilement ce qui dans la doctrine est
spiritualiste que ce qui est positif. Assurément, un positiviste strict ne
reconnaît pratiquement rien de positif dans le «positivisme spiritualiste»;
il y découvre plutôt le contraire. A partir du moment où l'on pose
l'Esprit comme réalité par excellence, le spiritualisme est réalisme ou
positivisme. Il faut avouer qu'on abuse alors du langage; nous ne
disculpons pas *a priori* Ravaisson de l'accusation que nous voyons se
formuler contre lui: pour mieux se défendre contre ses adversaires, il se

[1] *Revue des Deux Mondes*, novembre 1840, p. 419.
[2] R., p. 245.

saisit sans crier gare de leur arme principale; le procédé relève de la polémique, non de la «haute philosophie». Qualifier le spiritualisme de positif, c'est le protéger d'une armure solide, d'apparence scientifique, dans un siècle avide de certitudes et de démonstrations, c'est faire bonne figure face aux sarcasmes de Taine: «Le rêve et l'abstraction, telles furent les deux passions de notre renaissance: d'un côté, l'exaltation sentimentale, «les aspirations de l'âme», le désir vague de bonheur, de beauté, de sublimité, qui imposait aux théories l'obligation d'être consolantes et poétiques ...; de l'autre, l'amour des nuages philosophiques, ..., le goût des termes généraux, ... la haine pour l'exactitude ...»[1]

L'attaque tainienne dirigée principalement contre Cousin et les cousiniens éclabousse aussi, il faut l'avouer, Ravaisson tenté par l'abstraction sans doute, mais surtout par le rêve. La question à laquelle nous sommes conduit est la suivante: le côté «positif» de Ravaisson n'est-il que nominal? et, par conséquent, l'analogie avec Bergson ne doit-elle pas se révéler plus apparente que réelle? Si nous ne disposons pas encore de tous les éléments pour pouvoir répondre exhaustivement à cette question, il n'en reste pas moins qu'elle va être sans cesse présente à notre recherche. Nous nous trouvons devant une situation qu'on pourrait ainsi résumer: le «positivisme spiritualiste» semble commun à Ravaisson et à Bergson beaucoup plus du fait du spiritualisme que d'un esprit positif qu'on dénote certes chez le second, mais non chez le premier.

N'y a-t-il entre Bergson et Ravaisson qu'une unité de façade? Nous allons constater pourtant que non: nous verrons d'abord qu'une commune «généalogie philosophique» donne consistance à l'hypothèse d'une véritable filiation spirituelle. Ensuite, un rapprochement des méthodes nous montrera que le recours à l'intuition se double d'une quête de la vérité en dehors des disciplines où ne règne que la lumière de la raison: dans l'observation de la vie, dans l'art, dans l'illumination mystique. Enfin, nous découvrirons une convergence remarquable entre les deux morales, tant du point de vue de leur «ton» que de leur contenu.

§ 1. *Généalogie philosophique*

Chez Bergson comme chez Ravaisson, la recherche d'une méthode philosophique originale implique le rejet d'erreurs extrêmes devant faire place à un juste milieu philosophique. Pour l'un comme pour l'autre, ce sont toujours les mêmes déviations qui resurgissent à travers

[1] *Les philosophes français du XIXème siècle*, p. 291.

l'histoire sous des noms différents: d'un côté – de l'épicurisme antique au scientisme du XIXème siècle, en passant par le sensualisme du XVIIIème – le matérialisme qui ramène le vivant à l'inerte, l'organisme à ses éléments, c'est-à-dire, selon l'expression comtienne, le supérieur à l'inférieur; de l'autre, l'idéalisme qui tout en prétendant expliquer, à l'inverse, l'inférieur par le supérieur réduit schématiquement celui-ci à ses conditions abstraites.

Il est remarquable de constater généralement l'absence chez nos deux philosophes – mais surtout chez Ravaisson – de réfutations vraiment différentes du matérialisme et de l'idéalisme. Pour eux, ces erreurs extrêmes reviennent au même. Il suffit donc de les réfuter une fois pour toutes, après avoir montré qu'un extrême se réduit à l'autre. On procède ici, comme on le ferait en politique, à une sorte d'amalgame: on rapporte le compliqué au simple, le moins caricatural au plus caricatural, d'abord au sein des doctrines rattachées globalement au matérialisme, l'assimilation étant ensuite faite entre idéalisme et matérialisme. Cette dernière opération se révèle évidemment la plus délicate, mais aussi la plus décisive. On la retrouve constamment chez Ravaisson depuis l'*Essai sur la Métaphysique d'Aristote* jusqu'au *Rapport*. L'exposé qu'on trouve à la fin du *Rapport* est, à cet égard, le plus clair et le plus détaillé; c'est aussi celui que Bergson connaissait le mieux. Arrêtons-nous y quelques instants: Ravaisson distingue deux méthodes philosophiques, l'analyse et la synthèse. Le matérialisme se borne à la première, l'idéalisme suit la seconde.

«La synthèse, montant de composition en composition à des principes de composition de plus en plus hauts, de plus en plus affranchis des limitations matérielles, tend à tout expliquer par la perfection absolue que rien ne limite, elle tend donc de degré en degré à l'infini».[1] N'est-ce pas là justement la méthode préconisée par Ravaisson? Ne parvient-elle pas progressivement au centre perspectif par excellence: l'infinité divine? Ce n'est, pour Ravaisson, qu'une apparence. L'idéalisme, jouant vis-à-vis du spiritualisme le rôle d'un faux ami, donne pour principe de composition la «notion générale d'une unité» qui ne contient plus vraiment le divers, mais ne fait que le «coiffer», à titre de condition. «L'idéal ainsi conçu, ce n'est donc point par voie de synthèse, comme il semble d'abord, qu'on y arrive, mais par voie d'analyse».[2] L'infini auquel on parvient par cette voie est donc un infini vide et abstrait: il ne saurait être tenu pour un véritable principe d'existence. L'idéalisme tombe

---

[1] R., p. 241.
[2] *Ibid.*, p. 242.

ainsi dans le même excès d'abstraction et d'analyse que le matérialisme: «tous deux suivent par des chemins différents une direction semblable qui les éloigne également, quoique diversement, de la perfection et
de la plénitude de la réalité, tous deux tendent à un même abîme de
vide et de nullité».[1]

Bergson connaît bien cet exposé et l'on peut penser qu'il l'accepte
dans ses grandes lignes. Les deux réserves principales qui seraient à
faire de son point de vue seraient les suivantes: la critique du matérialisme par Ravaisson est trop lointaine; Bergson, qu'il s'attaque à Spencer ou aux physiologistes, s'attache à les vaincre d'abord sur leur propre terrain; ensuite et surtout, on ne peut se contenter d'opposer une
bonne synthèse à une mauvaise synthèse; la synthèse reste un procédé
logique relevant de l'intelligence; une conversion plus radicale de la
méthode est nécessaire: de la synthèse il faut passer à l'intuition. Néanmoins, même si les arguments ne sont pas toujours les mêmes ni présentés de la même façon, on retrouve chez Bergson la double critique du
matérialisme et de l'idéalisme rattachés tous deux à une illusion fondamentale. Ce qui chez Ravaisson est qualifié péjorativement d'«analytique» devient dans le langage bergsonien «intelligent». L'intelligence
reconstruit idéalement les choses, tout comme l'entendement ravaissonien qui, d'après *L'Habitude*, «trace et construit les contours généraux
de l'idéalité des choses».[2] Or, d'après Bergson, l'intelligence dupe au
même titre les empiristes et les rationalistes. Dans l'*Introduction à la
Métaphysique* Bergson critique la conception que les uns et les autres se
font de la personnalité: «Les uns et les autres prennent les *notations partielles* pour des *parties réelles*, confondant ainsi le point de vue de l'analyse et celui de l'intuition, la science et la métaphysique».[3] Les empiristes ne voient dans la personne que des états psychologiques; ils en
restent donc, comme les matérialistes selon Ravaisson, aux éléments
abstraits du Tout. Les rationalistes mettent uniquement l'accent sur
l'unité de la personne; ils ne saisissent qu'une unité vidée de tout contenu. Dans les deux cas, un élément dominant est privilégié aux dépens
de l'économie de l'ensemble. Comme l'écrit Bergson exposant les vues
de Ravaisson, la bonne méthode «ne tient pas seulement compte des
éléments, mais de leur ordre, de leur entente entre eux et de leur direction commune».[4]

[1] R., p. 243. Cf. dans la *Notice* de BERGSON (P.M., p. 273): «Peu importe d'ailleurs que ce
travail d'abstraction soit effectué par un physicien qu'on appellera mécaniste ou par un
logicien qui se dira idéaliste: dans les deux cas, c'est du matérialisme».
[2] H., p. 58.
[3] P.M., p. 193.
[4] *Ibid.*, p. 273.

Nous retrouvons donc chez Bergson, du moins en apparence, le schéma grâce auquel Ravaisson critique le matérialisme et l'idéalisme, mais adapté au sujet traité. Ainsi, dans *Matière et Mémoire*, comme Bergson le précise dans l'*Avant-Propos de la septième édition*, le but est d'abord de «montrer qu'idéalisme et réalisme sont deux thèses également excessives, qu'il est faux de réduire la matière à la représentation que nous en avons, faux aussi d'en faire une chose qui produirait en nous des représentations mais qui serait d'une autre nature qu'elles».[1] Réalisme est un autre nom pour matérialisme. Nous lisons, en effet, plus loin: «Nous soutenons contre le matérialisme que la perception dépasse infiniment l'état cérébral; mais nous avons essayé d'établir contre l'idéalisme que la matière déborde de tous côtés la représentation que nous avons d'elle ...»[2] Dans *L'Énergie spirituelle*, c'est de nouveau le réalisme qui est l'erreur opposée à l'idéalisme: «La vérité est qu'on passe inconsciemment du point de vue idéaliste à un point de vue pseudo-réaliste».[3]

Que Bergson s'inspire sur ce point consciemment ou inconsciemment de Ravaisson, ou qu'il retrouve de lui-même une problématique analogue – ce qui est plus probable –, on ne peut pas ne pas relever la commune opposition aux mêmes doctrines et le recours à des arguments voisins. Pour Ravaisson, la pensée analytique veut saisir la cause à raison de ce qu'elle isole dans l'effet, elle est incapable de remonter à une cause efficiente en même temps que finale «dont la perfection, au moins relative, est la raison d'être de tous ces éléments qui trouvent en elle leur achèvement».[4] Bergson reprend cette idée d'une limitation nécessaire de l'usage du principe de causalité, mais au profit de la nature et de la vie, non d'un Principe doté d'une surabondante libéralité. Comme Ravaisson, il explique les erreurs matérialistes et idéalistes par l'incapacité d'abandonner la méthode qui a réussi dans l'étude de la matière, quand on aborde la vie même ou l'esprit. Mais alors que Ravaisson ne va pas plus loin que cette constatation, Bergson s'efforce de reconstituer la genèse de la «déviation analytique» de l'esprit, bref de saisir le mal en sa racine. Bergson rattache donc, comme il se doit, sa critique des erreurs philosophiques à sa théorie d'ensemble sur l'évolution de l'esprit humain. Ce qu'il discerne au fond des «deux frénésies» de la philosophie, c'est la tendance naturelle de l'intelligence humaine, qui est

[1] M.M., p. 1.
[2] *Ibid.*, p. 201.
[3] E.S., p. 199.
[4] R., p. 240.

d'isoler, d'immobiliser, d'abstraire la «mouvante originalité des choses». «Tandis que notre intelligence, avec ses habitudes d'économie, se représente les effets comme strictement proportionnés à leurs causes, la nature, qui est prodigue, met dans la cause bien plus qu'il n'est requis pour produire l'effet».[1]

De cette explication génétique, projetée rétrospectivement par Bergson sur toute l'histoire de la philosophie, résulte, à notre avis, une interprétation de cette histoire plus systématiquement et plus globalement critique que chez Ravaisson. Cependant, de la fondamentale similitude que nous avons dégagée on peut déduire avec une quasi certitude un certain nombre de rejets communs: la critique des matérialistes et des sensualistes, mais surtout des Éléates, de Platon, des néoplatoniciens, et chez les Modernes, de Malebranche, de Kant, de Hegel, etc. Deux cas doivent être, à notre avis, distingués: chez les Anciens, celui de Platon, chez les Modernes, celui de Kant. L'un et l'autre représentent pour nos deux auteurs les maîtres de l'idéalisme; mieux: ils définissent, chacun pour son époque, le type même de l'idéalisme. C'est ce qui explique que le cas de Kant ne soit pas vraiment disjoint de celui de Platon et que, pour Bergson comme pour Ravaisson, Kant soit rattaché au platonisme.

Ravaisson reprend à son compte, rappelons-le, les critiques adressées à la théorie des idées par Aristote, et spécialement celle-ci: les idées, séparées et immobiles, ne peuvent passer pour les véritables causes du mouvement; or, comme le mouvement caractérise la nature, les idées n'expliquent pas la nature. Depuis le premier volume de l'*Essai* jusqu'à la fin de sa vie, Ravaisson ne cesse de revenir à ce thème. Cet inédit datant des dernières années résume bien sa position: «Platon a recours à des formes fixes que l'entendement abstrait des choses comme des cadres qui les renferment ou comme des types qu'elles imitent. Mais ce ne sont pas des causes qui puissent les expliquer. Les choses sont en mouvement; les formes inertes, sans force ne sauraient rien mouvoir: elles seraient plutôt des raisons d'immobilité».[2] On retrouve, de manière frappante, la même objection dans L'*Évolution créatrice*: qui dit séparation dit immobilité; disjoindre, c'est arrêter; nous reconnaissons là l'intelligence à l'oeuvre: «L'intelligence ne se représente clairement que le discontinu». «Notre intelligence ne se représente clairement que l'immobilité».[3] La métaphysique platonicienne est la métaphysique

---

[1] P.M., p. 240.
[2] Inédit B.N.; cf. E, I, pp. 308 sqq.; *Mét. et Mor.*, p. 11; T., p. 58.
[3] E.C., pp. 155–156.

que secrète naturellement l'intelligence humaine, «l'instinct cinématographique de notre pensée».[1] Oeuvre d'entendement pour Ravaisson, d'intelligence pour Bergson, la théorie des idées est, dans les deux cas, condamnée pour la même raison: elle ramène la mouvante réalité aux cadres qui en sont abstraits, elle prétend expliquer le mouvement par l'immobilité, la vie par la mort. Nous allons retrouver le même défaut fondamental chez Kant.

Pour Bergson, la mathématique universelle qu'est la science aux yeux de Kant fait revivre le monde des idées en remplaçant l'idée par la relation. La métaphysique kantienne est un «platonisme à peine remanié»: «Toute la critique de la Raison pure aboutit à établir que le Platonisme, illégitime si les Idées sont des choses, devient légitime si les Idées sont des rapports ...»[2] Il est remarquable de constater que Ravaisson place déjà Kant dans le prolongement direct de Platon.[3] Comme à celui-ci, il reproche d'abstraire, de schématiser le réel. Au lieu d'opérer cette fixation dans des types ou des modèles transcendants, Kant l'accomplit d'emblée dans un cadre préexistant: la différence s'avère négligeable. Ravaisson est peut-être plus sévère que ne le sera Bergson: «Comme Platon, Kant ne reconnaît rien que λογικόν-κενόν». Le texte que nous venons de citer est tiré d'un inédit très tardif, mais, déjà en 1840, dans l'article *Philosophie contemporaine*, Ravaisson écrit: «Dans le système de Kant, l'être est l'image décevante de la forme vide qu'on appelle le temps, et c'est le rêve de l'intelligence que de prendre ce néant pour une chose».[4]

Donc, pour Ravaisson comme pour Bergson, Kant, en donnant à l'entendement des droits abusifs sur le réel, se crispe sur des formes vides plaquées sur une diversité chaotique. L'esprit est paralysé et, comme le dit Bergson, «relégué dans un coin comme un écolier en pénitence: défense de retourner la tête pour voir la réalité telle qu'elle est».[5] D'où une morale abstraite, froide, inapplicable. La condamnation de la théorie kantienne de la connaissance s'accompagne chez nos deux auteurs d'un rejet catégorique de sa morale. C'est même sur ce dernier point que l'opposition est la plus tranchée. «Que peut bien être une loi pour qui ignore et ce qu'il est et même s'il est? Et qu'est-ce que

---

[1] E.C., p. 315.
[2] P.M., p. 223. Sur ce sujet, voir le livre de Mme BARTHÉLEMY-MADAULE, *Bergson adversaire de Kant*, Paris, P.U.F., 1966.
[3] Cf. R., p. 240: «Avec Platon, avec Kant, avec les auteurs de la plupart des théories idéalistes ...»
[4] *Revue des Deux Mondes*, 1840, p. 412.
[5] P.M., p. 69.

cette loi même qui se réduit à une stérile généralité?» [1] A ces questions de Ravaisson font écho les objections des *Deux Sources*, contre une morale qui prétend se fonder sur la seule raison, mais qui est incapable de faire taire la passion et l'intérêt. Certes – concession absente chez Ravaisson – le kantisme selon Bergson représente un effort pour dépasser la nature et, à ce titre, il a joué un rôle salutaire dans l'histoire de la démocratie,[2] mais il ne suffit pas de prétendre contraindre, il faut le pouvoir; il faut entraîner: or, «il ne peut être question de fonder la morale sur le culte de la raison».[3]

* * *

Le rejet du kantisme ne nous paraît pas d'une autre espèce que celui du platonisme: les deux philosophies sont pratiquement réduites l'une à l'autre, placées dans un strict alignement, et cela avec presque aussi peu de scrupules chez Bergson que chez Ravaisson. Ce rejet une fois constaté, il importe d'en dégager la portée générale. Ce que nos deux auteurs récusent dans l'idéalisme, c'est la dissociation entre la pensée et l'être, entre la pensée et l'absolu, c'est que l'horizon puisse se clore avec une dialectique, même supérieure comme celle du *Sophiste*, même méthodologique comme la *Dialectique transcendantale*. Pour eux, la pensée est directement au contact de l'être; dans l'absolu nous sommes et nous nous mouvons.[4] Si la pensée est à leurs yeux directement porteuse d'être, ne sont-ils pas à leur manière, eux aussi, idéalistes? Nullement: l'idée ne se substitue pas à l'être, elle lui est totalement diaphane, elle se contente de le révéler. La médiation révélante de la pensée ne constitue pas pour la pensée un arrêt, une interrogation décisives: cette médiation est directe, disons le mot, ne reculons pas devant le paradoxe: immédiate. Dès les *Données*, Bergson s'attaque à Kant, parce que – dès ce livre et comme l'indique son titre – Bergson refuse de se laisser enfermer dans le faux problème où s'emprisonne l'idéalisme: le problème de la connaissance, tel qu'il est posé par l'empirisme et le kantisme. Bergson évite de se laisser enclore dans ce purgatoire de la pensée que délimite le relativisme: à ce compte, il faudrait se condamner à demeurer éternellement dans le provisoire, au stade propédeutique. C'est bien ce à quoi déjà se contraignait le platonisme, première véritable «philo-sophie». Ravaisson avant Bergson, mais à sa manière, rejette

---

[1] *Métaphysique et Morale*, dans R.M.M., n°. 1, p. 7.
[2] Cf. D.S., p. 302.
[3] D.S., p. 91.
[4] Cf. E.C., p. 200.

l'apparente modestie critique: pourquoi nous couper d'emblée du terme ultime sans lequel nous ne parvenons pas à nous définir, pourquoi boucher notre suprême horizon? Dire que nous sommes *dans* l'absolu, ce n'est pas nous prendre *pour* l'absolu; prétendre avoir une connaissance de l'absolu, ce n'est pas se donner une connaissance absolue. Souvent revient sous la plume de Ravaisson l'affirmation de la relativité de notre connaissance par rapport à un absolu intérieur: l'absolu n'est pas extrinsèque à la pensée qui le pose comme absolu; la pensée qui se connaît n'ignore pas ses limites: doit-elle rester aveugle *à ce qui la limite?* Le limitant est-il séparable du limité? Pouvons-nous nous penser comme non divins, non infinis, si nous n'avons aucune idée du divin ni de l'infini? Ni Platon ni Kant ne vont si loin – ils seraient alors sceptiques – mais ils ne permettent à l'absolu de se déployer que selon le jeu contrasté d'une dialectique, selon la négation autant que selon la position. A l'opposé, le spiritualisme bergsonien ou ravaissonien est anti-dialectique, c'est-à-dire primaire aux yeux d'un dialecticien; il se cabre et en reste au tout ou rien: ou nous avons une aperception immédiate de l'absolu ou nous ratons l'absolu. De fait, pour Bergson comme pour Ravaisson, une fois acquise la vue directe de la pensée sur elle-même, une fois l'intuition obtenue, alors, d'une seule «oeillade» – selon l'expression du duc de Luynes, traducteur de Descartes – se découvre Dieu en lui-même, en sa densité, en son mystère. Il n'y a pas de solution de continuité en nous parce qu'il n'y en a pas hors de nous: la vue de notre intérieur nous livre l'extérieur; le monde peut ainsi se retourner d'un seul coup, d'un coup se livrer. La pensée n'a plus à faire de détour à travers le λόγος, une fois qu'elle s'est arrêtée à son point de coïncidence avec l'être: l'intuition. Plus cette coïncidence est parfaite, plus la pensée est près d'elle-même: elle ne se perd pas en chemin, elle ne s'oublie pas en Dieu; la plongée bergsonienne au fond de l'intériorité rend d'autant plus facile et prompt le retour à soi qu'elle a été plus profonde; et de même l'augustinisme de Ravaisson lui fait affirmer et répéter que, Dieu étant plus intérieur à nous-mêmes que nous-mêmes, la vue de Dieu nous rapproche de nous-mêmes. Le caractère immédiat de l'intuition ne grève donc pas sa portée: l'immédiation ne s'opère pas aux dépens de la totalisation; l'Un-Tout se donne d'emblée et d'une seule venue. Cependant, on ne peut s'empêcher de remarquer que continuité n'implique pas instantanéité: il y a dans l'acte intuitif une unité constitutive; comme la tunique du Christ, il ne se partage pas. Cela n'exclut pas qu'il se déroule selon son rythme propre. Autrement dit, le fait qu'il n'y ait pas à proprement parler – en droit – de médiation de l'absolu n'empêche pas – en fait – une révélation progressive de lui-même. La continuité entre l'absolu et nous n'exclut pas, mais implique, le déroulement plus ou moins réussi, plus ou moins continu, d'une découverte. La durée bergsonienne, tout en étant une, est révélation des différences spécifiques. Chez Ravaisson, de manière plus classique mais aussi plus paradoxale, ce n'est pas d'un coup, c'est – en fait – par un raisonnement que l'esprit prend peu à peu possession d'un domaine dont il découvre finalement l'unité et la légitimité.

Il n'y a donc, dans le spiritualisme de nos deux auteurs, qu'une seule venue de l'Esprit dans la vue que nous avons de lui en nous, mais cette venue est soumisse à sa loi propre qui n'exclut pas une révélation très progressive. Le monde intérieur a son rythme qui, sans ignorer les raisons, ne se confond pas avec leur nécessité; et, comme le monde intérieur révèle le monde tout court, la continuité mélodique qui marque l'intuition va scander également le déploiement de l'univers entier, que l'intuition permet. Dès *L'Habitude* l'unité et la continuité de l'être se révèlent à Ravaisson à travers la loi d'organisation, de résurrection à travers la mort, de progrès à travers la répétition que manifestent, chacun à leur manière, mais de plus en plus distinctement, la nature, la vie, l'esprit: la nature est l'esprit en sommeil. Dans *L'Évolution créatrice*, la nature est l'esprit retourné, distendu: l'intuition de la durée intérieure a mené jusqu'à l'intuition de la durée interne au monde, à la vie; elle a révélé leur possible unité, si l'on remonte au delà des divisions imposées à l'intelligence par la matière. L'intuition de l'unité du Tout a été la vue d'une seule et unique genèse, comme, déjà dans *L'Habitude*, la compréhension de la loi fondamentale de l'être n'allait pas sans son application analogique à la totalité du monde.

En définitive, si l'on voulait caractériser globalement le spiritualisme en face de l'idéalisme – du moins le spiritualisme de Bergson et de Ravaisson face à l'idéalisme tel qu'ils se le représentent –, il faudrait retenir, semble-t-il, les principaux points suivants: rejet d'une dialectique entre l'être et la pensée; affirmation de la révélation intérieure directe de l'absolu; fondation de l'intuition sur une continuité profonde de nature entre les êtres au delà des différences patentes. Ainsi, ni Bergson ni Ravaisson n'ont besoin de retrouver la συμπλοκή τῶν εἰδῶν, puisqu'ils n'en ont point accepté la dissociation, au principe. En rejetant le platonisme et le kantisme, ils définissent radicalement leur propre méthode philosophique, moins aporétique que progressive et moins raisonnante qu'intuitive. Il n'est pas interdit de retrouver chez nos auteurs un platonisme, un idéalisme larvés: il n'empêche que leurs philosophies se déploient dans un mouvement d'opposition à une certaine conception globale qu'ils se font de l'idéalisme.

* * *

Dans notre généalogie philosophique de Bergson et de Ravaisson, nous n'avons jusqu'ici retenu que les rejets communs aux deux philosophes: ce fut, pourrait-on dire, une généalogie négative. Ces rejets communs ne sont assurément pas moins profonds que les admirations; il faut cependant faire leur place à ces dernières. A notre avis, deux noms s'imposent: Plotin et Maine de Biran, souvent cités par Ravaisson, salués par Bergson comme ses seuls maîtres – Ravaisson lui-même mis à part [1] –, deux penseurs très différents, sinon opposés, moins du fait des siècles qui les séparent qu'en raison de la divergence de leurs philosophies: le premier reconstitue le monde et retrouve la matière en partant d'un sommet absolu, le Principe, le second au contraire part de l'expérience la plus courante, du heurt contre l'obstacle matériel, pour remonter très progressivement à la Cause spirituelle. Cette divergence correspond-elle à une contradiction au sein du «positivisme spiritualiste»? Comment Ravaisson et Bergson peuvent-ils nourrir leurs inspirations à la fois chez Plotin et chez Maine de Biran?

En fait, l'influence de Plotin sur nos philosophes nous paraît moindre, et surtout moins homogène, moins identifiable, que celle de Maine de Biran. Mme Mossé-Bastide a tiré parti de tous les rapprochements possibles entre Bergson et Plotin; elle a montré du même coup les limites de ces rapprochements; malheureusement un travail aussi sérieux et documenté n'existe pas pour Ravaisson: il montrerait qu'il y a plus de distance qu'on ne croit entre le plotinisme et Ravaisson. Si donc nos deux auteurs ne souscrivent pas sans réserves à tous les aspects de la pensée plotinienne, quel est pour eux le meilleur côté de cette pensée? C'est, nous dit Bergson dans la note déjà citée de L'*Évolution créatrice*,[2] la relation établie par Plotin entre le déploiement de l'étendue et l'affaiblissement de l'essence de l'Être originel: «... καὶ ἐξ ἑνὸς νοῦ καὶ τοῦ ἀπ' αὐτοῦ λόγου ἀνέστη τόδε τὸ πᾶν καὶ διέστη ...»: «... du νοῦς qui est un et du λόγος qui en procède surgit ce monde qui s'étend dans l'espace ...»[3] Si l'espace se caractérise par une extériorité de ses parties

---

[1] Cf. la confidence à G. MAIRE (*Bergson mon maître*, p. 222): «Je suis certain de ne rien devoir profondément qu'à deux ou trois philosophes, dont aucun n'est juif: Plotin, Maine de Biran, et quelque peu à Ravaisson».

[2] E.C., p. 211, n. 1.

[3] *Ennéades*, II, 2, § 2, éd. *Belles-Lettres*, p. 26.

les unes par rapport aux autres, cette séparation, cette διεσις, procède d'une ἄνεσις, d'une détente du Principe. Nous savons que ce mot – ἄνεσις – est essentiel dans la problématique ravaissonienne, puisqu'il désigne cette relâche par laquelle l'être supérieur met fin au retrait en soi, se donne, s'abandonne libéralement; c'est, voilée sous un langage encore trop physique, mais qui l'était encore plus chez les Stoïciens, la révélation du mystère de l'amour. Le monde matériel ainsi envisagé est – selon l'expression de Bergson résumant la fin du *Rapport* – «l'ombre d'une existence qui s'est atténuée et, pour ainsi dire vidée elle-même de son contenu».[1] Ce qui intéresse ici Bergson, ce qui l'inspire dans les «admirables pages» du *Rapport* elles-mêmes inspirées du néoplatonisme, c'est la continuité établie entre la matière et l'esprit, la genèse de celle-là à partir de celui-ci, la description du passage de l'intériorité inétendue et indivisée à l'extériorité étendue et divisée: ce qu'on retrouve dans les pages bien connues de *L'Évolution créatrice* où Bergson expose la genèse idéale de la matière et où l'extension apparaît comme une «tension qui s'interrompt».[2]

Nous constatons donc à propos de Plotin une certaine consonance entre nos deux auteurs, mais il faut avouer qu'il est difficile de pousser beaucoup plus loin le rapprochement. Tel n'est pas le cas pour Maine de Biran: la convergence est là bien plus nette. Si nous nous reportons aux entretiens avec I. Benrubi, nous constatons que Bergson associe au nom de Biran la méthode que Ravaisson a qualifiée de «réalisme ou positivisme spiritualiste». «J'ai de nouveau interrogé Bergson sur Maine de Biran. Il a répété qu'il devait beaucoup à ce penseur et qu'il acceptait le terme de «réalisme spiritualiste» forgé par Ravaisson et Lachelier».[3] Comme l'écrit M. Gouhier, «si positivisme spiritualiste est un nom de famille, le premier qui doit le porter est bien Maine de Biran».[4] Il n'y a pas filiation sans commune généalogie, mais, lorsqu'il s'agit d'une filiation spirituelle, il ne suffit pas de nommer et d'honorer le précurseur, il faut préciser ce qui lui assure ce privilège. Dans le cas de Biran, en quoi y a-t-il chez lui un «positivisme spiritualiste» et comment Ravaisson et Bergson ont-ils pu y puiser une commune inspiration?

Il y a positivisme ou réalisme du fait de la méthode qui, à partir d'un incontestable *fait primitif*, se veut expérimentale et progressive. Biran est baconien dans la mesure où il récuse toute cause occulte et où c'est uniquement par observation et comparaison qu'il va du connu à l'in-

---

[1] P.M., p. 275.
[2] E.C., p. 246.
[3] I. BENRUBI, *op. cit.*, p. 52; cf. aussi, p. 85.
[4] Introduction aux *Oeuvres choisies de Maine de Biran*, Paris, Aubier, 1942, p. 22.

connu; mais ce qu'il rejette par ailleurs, c'est l'application sans modification de la méthode baconienne au domaine intérieur, car «c'est dénaturer ou détruire toute la science de l'homme intérieur» que de considérer le moi comme une cause abstraite alors qu'il est cause efficiente au sens plein.[1] Le moi s'éprouvant et s'apercevant immédiatement dans l'effort n'est pas placé en face d'un simple effet: le phénomène se révèle autant cause qu'effet; le moi est une «cause qui s'aperçoit dans son effet».[2] Nous voyons donc que le point d'ancrage de la méthode expérimentale, telle que l'applique Biran, en fait d'emblée un spiritualisme: le véritable fait primitif est l'aperception immédiate interne. Biran, en appliquant la méthode expérimentale, ne trouve pas l'esprit en chemin; c'est la méthode, telle qu'il la conçoit, qui implique que l'esprit ne soit pas purement et simplement objectivé, mais reconnu dans sa réalité de sujet-objet. Le «réalisme ou positivisme spiritualiste» n'est pas d'abord un réalisme, ensuite un spiritualisme; il est un réalisme parce qu'il est spiritualiste: l'esprit s'éprouve en lui-même comme réalité, c'est la première donnée primitive ou immédiate, aux yeux de Biran comme de Ravaisson ou de Bergson.

Ravaisson, dans un article de 1840 sur la *Philosophie contemporaine*, salue en Maine de Biran le «réformateur de la philosophie en France»;[3] les citations qu'il en donne sont tirées de l'édition Cousin, publiée en 1834, des *Nouvelles considérations sur les rapports du physique et du moral de l'homme* et de quelques autres textes, volume que Ravaisson a lu de près et où il a trouvé une source essentielle d'inspiration. Ce qu'il relève, c'est en effet l'essentiel, à savoir que «l'effort voulu et immédiatement aperçu» est «un seul fait», un «seul rapport».[4] Ce qu'il commente ainsi – après avoir cité la phrase de Leibniz: *aperceptio est perceptio cum reflexione conjuncta* –: «Le philosophe sent en soi, il voit d'une vue intérieure le principe de sa science; lui-même il est ce principe, lui-même la loi et la cause immanente de ce qui se passe en lui».[5]

Bergson ne reconnaît pas une dette moins importante envers Biran, «le grand initiateur de la méthode d'introspection profonde».[6] Dans le *Rapport pour le prix Bordin*, il caractérise ainsi l'idée directrice de la mé-

---

[1] *Nouvelles Considérations sur les rapports du physique et du moral de l'homme*, éd. Ladrange, Paris, 1834, pp. 30 sq.

[2] *Ibid.*, p. 375.

[3] *Revue des Deux Mondes*, nov. 1840, p. 416.

[4] *Ibid.*, p. 417; et *Nouvelles Considérations, op. cit.*, p. 372.

[5] *Art. cit.*, p. 419; cf. R., pp. 14–15, 24–26.

[6] La *Philos.fr.*, art. de 1915, dans E.P., II, p. 433; cf. aussi *Revue philos.*, nov. 1897: «C'est la philosophie dont le spiritualisme français tout entier dérive, c'est la doctrine de Maine de Biran» (E.P., I, p. 127).

thode biranienne: «Concentrer l'attention de la philosophie sur la vie intérieure ..., pénétrer expérimentalement dans l'au delà, ou tout au moins ... jusqu'au seuil, en prenant pour guide l'observation intérieure».[1] Bergson trouve donc déjà chez Biran, et par ricochet chez Ravaisson, – à moins que ce ne soit à travers Ravaisson [2] – l'invitation qu'il formulera en ces termes dans *L'Évolution créatrice*: «Cherchons, au plus profond de nous-mêmes, le point où nous nous sentons le plus intérieurs à notre propre vie».[3] C'est en ce point que se cache Dieu; l'au delà est en deçà, au creux de notre intériorité. Sans doute, l'intuition bergsonienne ne se confond pas avec l'aperception immédiate interne de Biran, mais les deux méthodes ont au moins une direction commune: l'intériorité en son fond, Dieu. Biran écrit que «les deux pôles de la personne humaine» sont «la personne *moi*, d'où tout part, la personne *Dieu*, où tout aboutit».[4] Certes, Bergson est moins ambitieux, ou, si l'on préfère, plus prudent: l'observation intérieure – nous venons de le voir – ne mène que sur le seuil de l'au delà, et l'on ne peut être sûr que le Dieu auquel il aboutit soit une personne au sens où l'entend Biran. Il n'en reste pas moins que le mouvement de la méthode bergsonienne est fort voisin de celui qu'on observe chez Biran: c'est une vue intérieure, une intuition, qui révèle directement la réalité, c'est-à-dire finalement Dieu. Comme l'a indiqué M. Gouhier, la «troisième vie» de Biran n'est pas sans annoncer l'intuition bergsonienne de l'absolu.[5]

Bien entendu, sur ce point, Ravaisson n'est pas en retrait par rapport à Bergson. Dans *L'Habitude*, la méthode analogique permet de découvrir, au fond de nous, «la grâce prévenante». Et, encore plus clairement, dans le *Rapport*, notre moi ne se comprend pas sans son modèle absolu. La méthode métaphysique par excellence, affirme Ravaisson, «c'est la conscience immédiate, dans la réflexion sur nous-mêmes et par nous-mêmes sur l'absolu auquel nous participons, de la cause ou raison dernière».[6] Cet accord entre Ravaisson et Biran, non seulement Bergson le connaît, mais il y souscrit lui aussi, pour l'essentiel, comme en témoigne ce texte où Biran et Ravaisson sont nommés l'un près de l'autre: «Quant à la raison, elle est encore une expérience interne, mais une

---

[1] *Rapport pour le prix Bordin*, dans E.P., II, p. 245.
[2] Comme le suggère J. LAPORTE, «Biran n'a peut-être agi sur Bergson qu'indirectement et par l'intermédiaire de Ravaisson», dans *Maine de Biran et Bergson, Revue de France,* 1er août 1924, cité par H. Gouhier, *Maine de Biran et Bergson*, dans *Ét. berg.*, vol. I, p. 138.
[3] E.C., p. 201.
[4] *Nouvelles Considérations, op. cit.*, p. 312.
[5] Cf. sur ce point, comme sur l'ensemble de la question, l'article *Maine de Biran et Bergson, Ét. berg.*, I, pp. 129–173.
[6] R., pp. 245–246.

expérience plus approfondie. Elle est, comme le voulait Maine de Biran, une intuition du dedans qui nous fait atteindre les lois essentielles de l'être ... Déjà M. Ravaisson avait dit que *Dieu nous est plus intérieur que notre intérieur*».[1]

Ce qu'en définitive Ravaisson et Bergson veulent – après Biran – étayer et développer, c'est un empirisme nouveau, un «empirisme vrai» à la mesure d'une «expérience intégrale».[2] Cet empirisme vrai, nous dit Bergson, est «la vraie métaphysique».[3] C'est dire que l'empirisme vrai débouche sur un «méta-empirisme». Nous avons, de nos jours, quelque peine à admettre que ce dépassement de l'empirisme par lui-même ne change pas la nature de l'empirisme lui-même. La méthode bergsonienne, progressive et relativement prudente, est à cet égard plus à l'abri des critiques que ne le sont les «empirismes supérieurs» de Schelling et de Ravaisson. De toute façon, qu'il soit plus ou moins progressif, cet empirisme vrai est un spiritualisme: l'inférieur y est expliqué par le supérieur. Dans le *Rapport*, ne l'oublions pas, le matérialisme était au contraire défini comme «l'explication du supérieur par l'inférieur».[4] Mais, une fois admise la nécessité d'une explication de l'inférieur par le supérieur, encore ne faut-il pas se méprendre sur la nature de la supériorité du principe d'explication. Pour Bergson comme pour Ravaisson, le critérium de supériorité n'est pas l'abstraction ni la généralité, il est la capacité de synthèse réelle, de rattachement des phénomènes à leur cause effective, à leur ordre latent. Ainsi chez Ravaisson le point de vue central de la réflexion de l'esprit sur soi projette sa lumière sur tout ce qui n'est qu'attente ou ébauche de lui-même, chez Bergson la vie, surprise en sa source créatrice, révèle la plénitude d'une réalité dont nous ne saisissons d'ordinaire que l'enveloppe matérielle.

Ravaisson et Bergson, se réclamant tous deux de Biran, doivent donc être replacés dans la perspective commune du «réalisme ou positivisme spiritualiste». Ce n'est pas là les réduire à un commun dénominateur; ce n'est pas non plus accorder à Ravaisson le rôle de médiateur privilégié entre Biran et Bergson, car rien ne prouve que Bergson n'ait pas lu directement les textes biraniens; c'est reconnaître que les méthodes en cause, mises en présence, se répondent et s'éclairent mutuellement. Comme dans toute famille digne de ce nom, l'originalité de chacun n'est pas incompatible avec une fondamentale unité.

---

[1] A propos des *Principes de Métaphysique et de Psychologie* de P. JANET, dans E.P., I, p. 112.
[2] P.M., p. 227.
[3] *Ibid.*, p. 196.
[4] R., p. 78; et cf. P.M., p. 273.

§ 2. Le recours à l'intuition

Le recours à l'intuition devient nécessaire lorsqu'il s'avère que l'essentiel échappe aux raisonnements, qu'ils soient d'ordre mathématique ou purement discursif. Il importe par conséquent que soit dégagée la spécificité du domaine proprement philosophique où l'intuition sera mise en oeuvre. N'est-ce pas le travail préalable qu'accomplit Bergson dans les *Données immédiates*? Il semble aussi que ce soit ce que veut dire Ravaisson dans l'inédit que nous avons découvert: «Le Coeur: on ne peut comprendre cela qu'en dépassant le niveau des λογισμοί et du mécanisme (Bergson seul): seul justifie la Métaphysique comme supérieure à toute *quantité* et matérialité».[1] Bergson opère, en effet, dans les *Données immédiates* la distinction essentielle entre ce qui relève de la quantité et ce qui est pure qualité au sein de nos états de conscience. La notion d'intensité offre l'exemple le plus frappant de contamination du qualitatif par le quantitatif: en entreprenant de mesurer les variations sensitives ou émotives, la psycho-physiologie transpose brutalement au domaine psychologique des méthodes destinées, à l'origine, aux phénomènes physiques. Mais il s'agit de savoir si l'intensité des faits de conscience «qui se suffisent à eux-mêmes»[2] n'est pas rebelle à toute évaluation quantitative et si les mesures qu'on en donne ne reviennent pas à appliquer indûment à notre intériorité des cadres calqués sur l'espace. Dès le premier chapitre des *Données* est donc ouverte dans le déterminisme scientiste la brèche qui va permettre à Bergson de purifier la durée du temps, la liberté de l'automatisme et ainsi dépasser – comme l'écrit Ravaisson – «toute quantité et matérialité»; il n'est pas impossible qu'en employant le mot «matérialité» Ravaisson pense plus spécialement à *Matière et Mémoire* où il se trouve lui-même cité justement à propos de la matérialité:[3] il situerait, comme il se doit, la dématérialisation de la mémoire, opérée par Bergson à l'encontre du parallélisme psycho-physiologique, dans le prolongement direct de la restitution de l'immédiateté du moi.

Il n'est pas sans importance de constater que Ravaisson sait reconnaître en Bergson, dans la foule de ses contemporains, le *seul* qui sache restituer à la métaphysique son patrimoine, le seul par conséquent qui soit digne de son héritage. Mais il est non moins significatif de corroborer cette reconnaissance en identifiant précisément les quelques textes cruciaux de Ravaisson où le jeune Bergson a pu trouver des germes

---

[1] *Fonds Coubertin.*
[2] D.I., p. 54.
[3] «. . . mais nous comprenons bien, – selon le mot profond d'un philosophe contemporain, – que la «matérialité mette en nous l'oubli». (M.M., p. 198).

d'inspiration. Ravaisson reconnaît par exemple à Bergson le mérite de dépasser le mécanisme. Ne trouve-t-on pas justement déjà dans *L'Habitude* l'annonce d'un tel dépassement? Ravaisson, évoquant la progression de l'organisation lorsqu'on monte dans la hiérarchie vitale, écrit cette phrase, de résonance si bergsonienne: «La mécanique le cède de plus en plus au dynamisme irreprésentable et inexplicable de la vie».[1] Ce «dynamisme irreprésentable et inexplicable», n'est-ce pas le contenu fuyant que l'intuition seule réussit à embrasser? De l'autre côté, la mécanique suppose représentation, explication, et surtout calcul: «sous l'unité *extensive* de la forme logique ou mathématique».[2] Ravaisson fait donc déjà très nettement la distinction entre le pur intensif, dynamique, et l'extensif, mécanique. La liaison entre la qualité et l'intériorité d'une part, entre la quantité et la spatialité d'autre part, nous paraît aujourd' hui spécifiquement bergsonienne: elle est en fait déjà ravaissonienne. Ravaisson et Bergson sont ici les héritiers indirects de Descartes – car il ne faut pas oublier que la *res extensa* est essentiellement destinée à être la proie du calcul –, plus directs encore de Kant, auquel Ravaisson se réfère expressément pour justifier la distinction qu'il fait entre connaissance *circonscriptive* et connaissance *constitutive*. Il nous faut – pour éclairer ce point – citer intégralement le paragraphe de *L'Habitude* qui nous semble avoir pu inspirer Bergson: «La Science, oeuvre de l'entendement, trace et construit les contours généraux de l'idéalité des choses. La nature seule, dans l'expérience, en donne l'intégrité substantielle. La science circonscrit, sous l'unité extensive de la forme logique ou mathématique. La nature constitue, dans l'unité intensive, dynamique de la réalité».[3] S'il est incontestable que Ravaisson s'inspire ici de Kant, il nous paraît modifier la perspective à laquelle il se réfère. Pour Kant, ce n'est pas la science en général qui «construit», c'est essentiellement la géométrie; or celle-ci, lorsqu'elle «construit», n'a pas pour contenu des contours purement idéaux, puisqu'un concept constructible contient déjà *a priori* une intuition possible. Pour Ravaisson, il semble que construire et tracer soient synonymes de circonscrire et que l'amalgame soit fait – sous le terme général et quelque peu insolite de connaissance circonscriptive – entre les domaines logique et mathématique. Le raisonnement mathématique et le raisonnement discursif ou dialectique – distingués avec soin par Kant – sont logés à la même enseigne par Ravaisson, avant de l'être par Bergson, au profit de l'immédiat et du

---

[1] H., p. 43.
[2] *Ibid.*, p. 58. Nous soulignons.
[3] *Ibid.*, p. 58. Ravaisson signale simplement en note: «Sur l'opposition de la connaissance *circonscriptive* et de la connaissance *constitutive*, cf. Kant, *Crit. de la rais. pure*».

qualitatif, objets d'intuition. Ce que Ravaisson désigne en effet par λογισμός, en jouant sur l'ambiguïté du terme grec, c'est à la fois le raisonnement de type syllogistique et la démonstration mathématique, opposés – comme chez Stahl – au λόγος, «intuition rationnelle des choses simples qui à cause de leur simplicité même, échappent aux conditions spatiales et n'offrent pas de prise au raisonnement discursif».[1] Tout ce qui ne relève pas du λογισμός est donc abandonné à l'intuition qui correspond à ce que Kant appelle connaissance constitutive, avec cette réserve qu'il n'y a pas de connaissance constitutive apodictique: pour qu'il y ait usage légitime de la connaissance constitutive, il faut qu'elle reste hypothétique.[2] L'intuition à laquelle ont recours Bergson et Ravaisson n'est pas strictement hypothétique; elle est donc illégitime du point de vue kantien. Cela, nos deux philosophes le savent bien, comme ils acceptent sciemment d'utiliser des distinctions kantiennes en leur donnant une tout autre signification.[3]

C'est, à notre avis, dans cette optique qu'il faut comprendre l'entreprise menée par Bergson dans les *Données immédiates*. Bergson ne peut réfuter Kant qu'en employant son vocabulaire; et nous ne croyons pas que cette orientation soit absolument originale: le terrain a déjà été préparé par Ravaisson. S'il est vrai de dire que Bergson, avec les *Données immédiates*, veut récrire l'*Esthétique transcendantale*, il faut poser le problème dans toute son ampleur: c'est avec *ses* thèses que Bergson veut récrire la première partie de la célèbre *Critique*. On sait que la méditation sur le temps et la durée constitue le noyau de la thèse principale; mais ce qu'on sait moins, c'est que la thèse complémentaire porte sur l'idée de lieu chez Aristote et que là encore – mais cette fois de son propre aveu – Bergson a trouvé inspiration chez Ravaisson: «*Pauca, sed pretiosa, de eadem re scripsit F. Ravaisson*» écrit Bergson en renvoyant le lecteur à deux pages de l'*Essai sur la Métaphysique d'Aristote*.[4] A quoi correspond cette dette reconnue par Bergson? Elle ne correspond pas seulement aux clartés que Bergson a pu trouver dans les deux pages citées de l'*Essai*: l'ouvrage tout entier a inspiré Bergson; comme le dit Mme Mossé-Bastide, on voit, à la lecture de l'*Essai*,

---

[1] Jean CAZENEUVE, *La philosophie médicale de Ravaisson, op. cit.*, p. 20.

[2] Voir *Crit. Rais. pure*, trad. TREMESAYGUES, pp. 452 sqq. et 493 sqq.

[3] De même, la distinction entre le mathématique et le dynamique ne recouvre pas chez Kant, comme ce sera le cas chez Bergson et Ravaisson, celle de l'extensif et de l'intensif, puisqu'au contraire pour Kant la seconde se place à l'intérieur du premier terme de la première: la *compositio* ou synthèse mathématique du divers peut être d'agrégation ou de coalition selon qu'elle concerne des grandeurs extensives ou intensives (*Crit. Rais. pure*, p. 164, note 1).

[4] Aux pp. 565 et 566; cf. *Quid Aristoteles de loco senserit*, p. 1, n. 1.

«qu'entre les réalités concrètes qu'a étudiées Aristote le mouvement tient la première place, non pas un mouvement communiqué du dehors ou relatif au système de référence choisi, mais un mouvement produit par la tendance la plus profonde de l'être, et qui le manifeste en une vie intérieure».[1] Mais il est certain, plus précisément, que les deux pages citées par Bergson sont d'une remarquable densité et que leur contenu est particulièrement significatif: l'espace est présenté comme limite, abstraction, et cela – soulignons-le – en parallèle avec le temps: «Dans l'infini d'un espace vide comme dans l'infini d'un temps vide, il n'y a rien qu'une entière indétermination».[2] L'indéterminé doit être pensé à partir de l'être véritable, déterminé. Tout en reprochant à Aristote d'avoir «éludé plutôt qu'élucidé» le problème de l'espace en substituant le lieu à l'espace,[3] Bergson retrouve avec le lieu la pure qualité – qu'il restitue par ailleurs dans les *Données immédiates*: «à la place d'un espace vide et illimité, nous aurons maintenant des lieux non seulement limités par leur grandeur, mais encore définis par leur qualité»;[4] Aristote lui révèle sous le *partes extra partes* de la métaphysique classique l'enveloppement hiérarchisé des substances corporelles. De même que la conception de l'espace est seconde par rapport à la perception de l'étendue – ou du lieu –, la conscience du temps se révèle dérivée en référence à l'intuition de la durée.

Par conséquent, Bergson s'inspire ici en partie de Ravaisson qui a le premier entrepris l'édification d'une métaphysique spiritualiste en la justifiant vis-à-vis du kantisme. Nous ne prétendons certes pas que les choses aient été alors poussées au degré de précision souhaitable: la minutie des *Données immédiates* comble incontestablement une lacune, et la critique de la notion de temps est spécifiquement bergsonienne; mais c'est, malgré tout, sur la lancée ravaissonienne que Bergson vient fonder sur de nouveaux frais la métaphysique. C'est parce qu'il a su entendre le thème peut-être le plus significatif de la philosophie de Ravaisson qu'il a compris qu'il faut à un domaine autonome une méthode appropriée et que, pour sonder la vie spirituelle, il faut l'intuition.

*   *   *

---

[1] *Ét. berg.*, II, p. 12.

[2] E, I, p. 565.

[3] *L'idée de lieu chez Aristote*, dans *Ét. berg.*, II, p. 96. On peut mettre en doute la légitimité de ce reproche: l'espace vide et infini de Démocrite est-il directement assimilable à l'espace copernicien ou cartésien?

[4] *Ibid.*, p. 100. HEIDEGGER souligne ces liens entre Bergson et Aristote (*Sein und Zeit*, p. 433).

Bergson a lui-même signalé dans un entretien avec I. Benrubi combien il se sentait «par son intuitionisme tout près de Ravaisson».[1] Que signifie ici le terme «intuitionisme»? En quoi consiste «l'intuitionisme» de Ravaisson? Y a-t-il, comme l'indique Bergson, une proximité entre les deux méthodes? Et, dans l'affirmative, comment la caractériser? Telles sont les questions auxquelles il va nous falloir répondre.

La première question est la plus facile. Par «intuitionisme» Bergson désigne cette ouverture décisive, et si spécifique, de sa philosophie, l'ultime possibilité offerte à l'homme de saisir ce que l'intelligence lui refuse, de coïncider avec la vie dans ce qu'elle a «d'unique et par conséquent d'inexprimable».[2] Cet acte de coïncidence est simple par la forme qu'il revêt comme est simple l'objet qu'il vise.[3] Ce que vise l'intuition n'est pas simple à la manière d'une «nature simple»; il n'est pas nécessaire d'avoir recours à l'intuition pour prendre en vue la généralité du concept. C'est dire que l'intuition bergsonienne ne doit pas être confondue avec l'inspection de l'esprit telle qu'on la trouve chez Descartes ou l'intuition intellectuelle de Kant et des post-kantiens. Il ne suffit pas de définir l'intuition en l'opposant à la méthode discursive; l'intuition cartésienne était déjà non discursive. «Le sens bergsonien des termes est clair – écrit M. Gouhier – quand on veut bien oublier leur sens cartésien ou kantien».[4] Il est donc préférable de ne pas isoler l'intuition comme une opération de l'esprit ayant droit à un chapitre à part dans de nouvelles *Regulae*. Animant et couronnant à la fois les démarches de l'esprit, l'intuition est et n'est pas intellectuelle; elle est intellectuelle parce que «l'intuition ne se communique ... que par l'intelligence»,[5] parce que l'unité, la simplicité de la vie ne s'offrent jamais dans une pureté, une nudité absolues, mais à travers les dissociations et recompositions de l'intelligence; l'intuition n'est pas intellectuelle parce que, sans s'en tenir aux idées, fussent-elles liées dialectiquement, elle embrasse comme d'une seule coulée l'unité qu'elles supposent, unité en elle-même irréductible à la généralité, en elle-même incommunicable et pourtant forcément traduite. L'intuition dépasse l'intelligence, mais elle ne saurait s'en passer: «Car on n'obtient pas de la réalité une intuition, c'est-à-dire une sympathie spirituelle avec ce qu'elle a de plus intérieur, si l'on n'a pas gagné sa confiance par une longue camaraderie avec ses manifestations superficielles».[6]

1 BENRUBI, *op. cit.*, p. 35.
2 P.M., p. 181.
3 «Mais l'intuition, si elle est possible, est un acte simple». (P.M., p. 181).
4 *Revue des Trav. de l'Ac. Sc. mor.*, 1959, p. 193.
5 P.M., p. 43.
6 *Ibid.*, p. 226.

Ce rappel de l'implication sans doute la plus cruciale de l'intuition bergsonienne ne prétend ni être complet ni apporter une lumière sans ombres sur cette difficile question: nous avons essentiellement voulu aborder l'intuition bergsonienne en nous gardant des interprétations trop faciles qui la rattachent au sentiment: «Notre intuition est réflexion» a précisé Bergson.[1] L'intuition est à la fois réflexive et immédiate, intellectuelle et spontanée: il faut nous pénétrer de cette double exigence – même si elle est difficile à admettre ou à comprendre – avant d'entreprendre le rapprochement avec Ravaisson. Il serait évidemment vain de rechercher dans l'oeuvre de ce dernier des analogies ou des similitudes avec la conception bergsonienne, si celle-ci était caricaturée.

Comment se présente l'intuition chez Ravaisson? Comme un acte simple, immédiat, ou plutôt comme la simplicité, l'immédiateté faites actes. Si «l'entendement, distingué de l'intuition simple, n'est pas l'activité toute pure»,[2] c'est que l'intuition simple est pure activité. Ne se place-t-on pas alors à un niveau super-humain, en Dieu? En effet, la véritable οὐσία, nous dit Aristote, réside ἐν τῷ καθ' ἕκαστον; Ravaisson traduit: «l'essence réelle n'est autre chose que l'individualité».[3] Dieu, en tant que νόησις νοήσεως, est intuition d'intuition. Est-ce assez dire, ou n'est-ce pas trop dire, tant que nous n'avons pas suffisamment précisé la nature de l'intuition? L'intuition simple est pure activité; en cela, il est bien vrai qu'elle est divine, mais il faut ajouter que, l'acte suprême étant la forme et celle-ci ne se déployant complètement que dans sa totale détermination, l'acte manifeste une irréductible singularité: «c'est la forme dans la détermination parfaite, c'est-à-dire dans l'unité de l'action individuelle».[4] L'intuition d'intuition qui caractérise Dieu, cette vue immédiate qu'il a sur son être simple, c'est sa manière à lui, singulière et suprême, d'être.

On pourrait faire plus d'une objection à cette présentation ravaissonienne du Dieu d'Aristote, mais notre but ici n'est pas de jauger la valeur de l'interprétation proposée en référence au texte grec, il est d'éclairer la signification donnée par Ravaisson à l'intuition. Nous nous trouvons maintenant confronté avec la difficulté suivante: si l'intuition caractérise Dieu, en quoi concerne-t-elle encore l'homme? Aristote permet de répondre: l'intuition concerne l'homme en tant qu'il est lui-même divin. Le νοῦς, suprême faculté, puissance divine, nous égale

[1] P.M., p. 95.
[2] H., p. 54.
[3] E, I, p. 527.
[4] Ibid.

aux dieux: c'est justement νοῦς que Ravaisson traduit par intuition, en se justifiant ainsi: «Le rapprochement qu'Aristote établit entre l'acte de l'aperception simple de la pensée et celui de la vue autorise l'emploi du mot *intuition* dont je me suis souvent servi».[1] L'intuition est donc Dieu en nous. Si nous nous reportons à la fin de *L'Habitude*, nous y lisons que l'état de nature auquel nous conduit insensiblement et paradoxalement la «seconde nature», c'est «Dieu en nous, Dieu caché par cela seul qu'il est trop au dedans, et dans ce fonds intime de nous-mêmes où nous ne descendons pas».[2] Sommes-nous conduit à faire se corrrespondre l'habitude et l'intuition? A coup sûr, si nous prêtons attention également à cet autre texte tiré de *L'Habitude*: «L'intelligence obscure qui succède par l'habitude à la réflexion, cette intelligence immédiate où l'objet et le sujet sont confondus, c'est une intuition *réelle*, où se confondent le réel et l'idéal, l'être et la pensée».[3]

Dans l'univers souple et contrasté tel qu'il s'offre à travers la restauration ravaissonienne de la métaphysique d'Aristote, la hiérarchie ne va pas sans enveloppement, il n'y a confusion ni des genres ni des substances, mais on ne relève pourtant point de rupture: tout se répond; Dieu nous est proche, comme la nature, puisqu'en définitive la nature est sa messagère. C'est pourquoi, s'il n'y a d'intuition *réelle* qu'en Dieu, il y a intuition en nous autant que le permet notre degré d'être, autant que s'épanouissent en nous «l'indivisibilité et la singularité de l'Être».[4] L'intuition absolue est un pôle à partir duquel s'étagent comme en dégradé nos vues de plus en plus relatives et auquel répond, réplique dérisoire, le pôle du vide et de la confusion matérielle. «Au pôle supérieur de l'absolue activité comme au pôle inférieur de la passivité absolue, la conscience, ou du moins la conscience distincte, n'est plus possible». Mais dans toute l'étendue du milieu qui est le nôtre, «la conscience est la première, l'immédiate, l'unique mesure de la continuité», et nous nous mouvons entre l'illumination et l'aveuglement, le plus souvent dans la continuité imperceptible et le demi-jour morne des habitudes moyennes, mais guettés par la grâce secrète de l'Habitude où un apparent obscurcissement recèle un progressif éclairement. L'intelligence des limites qui est la pensée réfléchie, ne chôme en nous, ne tend à disparaître qu'à l'approche des deux pôles: «Aux deux bouts de la science, au commencement et à la fin l'intuition; à une extrémité,

[1] E, I, p. 530, n. 4.
[2] H., p. 53.
[3] *Ibid.*, p. 35.
[4] E, I, p. 527.

l'intuition sensible, à une autre extrémité l'intuition intellectuelle».[1]
Et nous lisons, plus clairement encore dans *L'Habitude*: «Au pôle supérieur de l'absolue activité, comme au pôle inférieur de la passivité absolue, la conscience, ou du moins la conscience distincte, n'est plus
possible».[2]

L'intuition ravaissonienne se présente donc comme une, quant à la
définition qu'on peut en donner, double quant au contenu que recouvre cette définition. La définition est la même – connaissance simple,
intelligence immédiate – qu'il s'agisse de l'intuition sensible ou de l'intuition intellectuelle. Telle se révèle du moins l'intuition dans *L'Habitude* et dans l'*Essai sur la Métaphysique d'Aristote*. A ce niveau, il est certes
possible de trouver un point de contact avec la pensée bergsonienne.
Chez Bergson aussi, l'intuition est vue immédiate, mais surtout, *vue
immédiate de l'unique,* saisie sans médiation de ce qui est spécifique dans
la chose. D'ailleurs, dans son exposé de la philosophie de Ravaisson,
Bergson cherche à montrer la continuité entre les deux intuitions: «Il y
aurait un tout autre parti à prendre. Ce serait sans quitter le domaine
de l'intuition, c'est-à-dire des *choses réelles, individuelles, concrètes*, de chercher sous l'intuition sensible une intuition intellectuelle».[3] Il est certain
que Bergson ne pouvait lire en restant insensible une phrase comme
celle-ci: «A l'intuition seule appartient l'individualité de l'existence
réelle».[4] Seulement, Ravaisson entend ici par intuition l'intuition sensible, l'αἴσθησις, qui pour Bergson reste à distance de l'intuition véritable: la perception est essentiellement lestée d'ustensilité, elle est asservie
à l'action; «l'existence réelle» dont parle Ravaisson se révèle donc relative à une réalité plus profonde qu'elle masque. Bergson a du mal, par
conséquent, à faire sa place, dans la *Notice*, à cette intuition sensible;
c'est pourquoi il préfère braquer presque aussitôt ses feux sur l'intuition
intellectuelle. Le nouveau parti à prendre, «ce serait, par un puissant
effort de vision mentale, de percer l'enveloppe matérielle des choses et
d'aller lire la formule, invisible à l'oeil, que déroule et manifeste leur
matérialité».[5] Bergson fait ici apparemment tous ses efforts pour «bergsonifier» l'intuition intellectuelle de l'*Essai sur la Métaphysique d'Aristote*.
Mais y réussit-il? L'intuition intellectuelle prêtée par Ravaisson à
Aristote implique-t-elle un «puissant effort de vision mentale»? Surtout,
doit-elle traverser la matérialité pour trouver une «formule»? Nulle-

---

[1] E, I., p. 530.
[2] H., p. 26.
[3] P.M., p. 258. Nous soulignons.
[4] E, I, p. 531.
[5] P.M., p. 258.

ment. L'intuition intellectuelle est non moins immédiate que l'intuition sensible et ce qu'elle révèle à l'esprit, ce n'est pas une formule déroulée par la matérialité, c'est «l'individualité absolue de l'Être en soi».[1] Lorsque cette intuition supérieure nous habite, nous ne déchiffrons pas une formule, nous éprouvons en nous le divin, *sentimus experimurque nos aeternos esse*. Bergson dissocie un acte pur en connaissance d'une formule, il intellectualise encore plus qu'elle ne peut l'être l'intuition intellectuelle, «bergsonification» paradoxale quand on sait avec quelle vigueur il proteste par ailleurs contre une interprétation qui confondrait l'intuition bergsonienne avec l'intuition intellectuelle de la métaphysique classique et *a fortiori* de l'idéalisme allemand – qui, on le sait, a influencé Ravaisson –: «Une intuition qui prétend se transporter d'un bond dans l'éternel s'en tient à l'intellectuel».[2]

Devons-nous, au terme de cette première étape de notre recherche, dresser un constat d'échec? En partie, oui, car l'intuition bergsonienne n'est pas dissociée, elle n'est ni purement sensible ni purement intellectuelle, elle est élan créateur comme la vie elle-même, trait fondamental qui est absent chez Ravaisson. Le rapprochement cependant reste possible, non seulement -comme nous l'avons signalé – sur la définition même de l'intuition, mais sur son rôle: chez Bergson comme chez Ravaisson, l'intuition répond à une carence foncière de l'intelligence ou de l'entendement. Réduite à elle-même, la réflexion ne saisit, d'après *L'Habitude*, que des contours, des contrastes généraux, et nous savons qu'il en est de même chez Bergson: la discontinuité figée par l'intelligence ne nous livre le réel, pour ainsi dire, qu'en pointillé. C'est pourquoi Ravaisson aurait pu écrire ce mot de Bergson: «Si la métaphysique est possible, c'est par une vision, et non par une dialectique».[3] Pour l'un comme pour l'autre, le point de départ de la philosophie – et nous pouvons ajouter: le point d'arrivée – sont directs, immédiats. Certes, il y a des degrés de profondeur de l'immédiation; cependant, ce n'est pas dialectiquement que s'opère la progression. Mais, en définitive, tout ceci suffit-il pour expliquer que Bergson se sente «par son intuitionisme tout près de Ravaisson»? Comment comprendre que, dans son entretien avec I. Benrubi, Bergson ajoute que ladite proximité «n'impliquait pas du tout un antirationalisme»?[4] Nous n'avons pas constaté jusqu'ici dans les textes de Ravaisson sur l'intuition une attitude qui pût être qualifiée *stricto sensu* d'antirationalisme. Faut-il admettre que

---

[1] E, I, p. 531.
[2] P.M., p. 26.
[3] *Ibid.*, p. 154.
[4] BENRUBI, *op. cit.*, p. 35.

Bergson s'est trompé, ou plutôt qu'il pensait à une partie de l'oeuvre de
Ravaisson où l'intuition prend une signification quelque peu différente
de celle que nous avons jusqu'ici présentée? Cette dernière hypothèse
paraît la plus vraisemblable; précisons-la encore avant de faire l'épreuve de sa vérité: l'intuitionisme évoqué par Bergson doit être beaucoup
moins celui de *L'Habitude* que celui des écrits postérieurs ou des fragments inédits qui reflètent ce que le vieux Ravaisson pouvait suggérer
à Bergson lors des entretiens du quai Voltaire.

Dans les textes auxquels nous nous référons – et même déjà dans
l'article de 1840 –, la distinction entre les deux intuitions disparaît,
l'αἴσθησις ne semble pas digne du titre d'intuition, et de l'autre côté on
ne trouve plus guère l'expression «intuition intellectuelle». Ce dernier
trait indique-t-il un changement dans la conception ravaissonienne de
l'intuition? Bref, que devient l'intuition dans les écrits de Ravaisson
postérieurs à *L'Habitude*? Il ne faut pas croire qu'on va parvenir à une
théorie absolument arrêtée; il y a dans la dernière pensée de Ravaisson
des flottements qui rendent difficile une telle classification; nous allons
donc nous contenter de montrer comment s'orientent, d'une manière
générale, les méditations ravaissoniennes sur la question et dans quelle
mesure elles ont pu inspirer Bergson. L'intuition reste simple et immédiate dans son processus, unique et singulière par l'objet qu'elle prend
en vue, mais alors qu'elle se dédoublait jusqu'ici en deux pôles où la
conscience était exclue, ou du moins atténuée à l'extrême, désormais
c'est d'elle que vient la clarté de la conscience, c'est elle qui devient le
foyer d'où se découvre la perspective universelle. L'intuition est la
«conscience directe» qui nous fait connaître la «constitution intime de
notre être».[1] Simple et immédiate, on pourrait la croire irréfléchie. Il
n'en est rien: elle implique la réflexion: «c'est la conscience immédiate,
dans la réflexion sur nous-mêmes et par nous-mêmes sur l'absolu auquel nous participons, de la cause ou raison dernière».[2] Telle est donc
l'ambiguïté de l'intuition: elle ne s'obtient qu'à travers la médiation,
mais elle est elle-même immédiate. Elle a donc toujours les mêmes
caractères que l'intuition intellectuelle présentée dans l'*Essai* et dans
L'Habitude. Simplement, Ravaisson s'efforce de l'enraciner dans l'expérience psychologique. Témoin ce passage de l'article de 1840: «Le
philosophe sent en soi, il voit d'une vue intérieure le principe de sa
science . . .»[3] S'il s'agit ici d'une introspection, c'est d'une introspection

---

[1] R., p. 246; cf. aussi T., p. 67.
[2] *Ibid.*, p. 246.
[3] *Revue des Deux Mondes*, nov. 1840, p. 419.

à dimension métaphysique comme sera celle de Bergson lorsqu'il écrira: «Descendons alors à l'intérieur de nous-mêmes: plus profond sera le point que nous aurons touché, plus forte sera la poussée qui nous renverra à la surface. L'intuition philosophique est ce contact, la Philosophie est cet élan».[1] Ce passage de la fameuse *Conférence de Bologne* semble nous porter aux antipodes de toute conception réflexive de l'intuition; et pourtant, onze ans plus tard, Bergson affirme – comme nous l'avons déjà vu – «notre intuition est réflexion».[2] Ne retrouvons-nous pas, amplifiée dans l'intuition bergsonienne, l'ambiguïté relevée chez Ravaisson? L'exemple ravaissonien ne permet-il pas de mieux comprendre comment Bergson entend lier sans les confondre immédiateté et réflexion? Nous ne prétendons pas que Bergson se soit directement inspiré ici de son maître; l'analogie est indiscutable, mais la question reste ouverte. Dans les deux cas, l'immédiateté de l'intuition, tout en étant spécifique et même irréductible, a une frontière commune avec ce qui la traduit ou ce qui, apparemment, la suscite. Pour comprendre une fonction biologique complexe, jusqu'ici ignorée, que de connaissances diverses sont nécessaires sans se révéler suffisantes tant que la vue qui embrasse d'un coup tous les détails et les place sous une même lumière n'a pas traversé et transfiguré l'amas des connaissances! Comme le remarque Bergson dans son discours sur *La Philosophie de Claude Bernard*: «N'est pas physiologiste celui qui n'a pas le sens de l'organisation, c'est-à-dire de cette coordination spéciale des parties au tout qui est caractéristique du phénomène vital».[3] Et pourtant le biologiste doit être aussi constamment déterministe et considérer l'animal comme une machine où s'opèrent des réactions physico-chimiques. Pour Bergson, cette double nécessité n'est pas contradictoire: l'étude de la vie force le savant à ne pas faire jouer l'intelligence et l'intuition l'une contre l'autre, mais l'une en faveur de l'autre; elle témoigne de l'indispensable solidarité des deux facultés. Il en est de même chez Ravaisson: dans *L'Habitude*, c'est au contact de la vie que l'esprit voit poindre l'autonomie au sein du mécanisme; c'est d'abord la vie qui exige le recours à l'intuition. Avant Bergson, Ravaisson donne une importance philosophique à l'oeuvre de Claude Bernard: son «idée directrice» n'est-elle pas l'intuition de l'organisation vitale? Dans le *Rapport* éclate une idée qu'on voyait déjà naître dans l'article de 1840: la philosophie du

---

[1] P.M., p. 137.
[2] *Ibid.*, p. 95. Bergson écrivait encore plus explicitement dans *L'Évolution créatrice* (p. 179) que si l'intuition dépasse l'intelligence, «c'est de l'intelligence que sera venue la secousse qui l'aura fait monter au point où elle est».
[3] P.M., p. 233.

XVIIème siècle s'est inspirée des mathématiques, celle du XVIIIème siècle a pris modèle sur les méthodes de la Physique; il est temps que la philosophie du XIXème siècle tienne compte des enseignements des sciences de la vie.[1] Bergson souligne dans sa *Notice* l'importance de cette idée de Ravaisson.[2]

Mais ce qui se révèle vrai pour la vie ne saurait l'être moins pour ce qui l'imite, la transfigure ou même la surpasse: l'art. Bergson dit dans la *Notice* que Ravaisson, devenu par nécessité professionnelle archéologue, ou du moins spécialiste de l'art antique, «restait fidèle à sa méthode en cherchant les plus hautes vérités métaphysiques dans une vision concrète des choses, en passant, par transitions insensibles, de l'esthétique à la métaphysique et même à la théologie».[3] Tout ce que nous savons de Ravaisson confirme que l'art est pour lui le domaine par excellence de l'intuition, aussi bien dans la création des oeuvres que dans la découverte admirative par laquelle, d'une certaine façon, nous les recréons pour nous, et que, si l'intuition simple et unique ne peut se réduire aux phénomènes complexes et divers qui l'accompagnent, elle ne peut non plus être séparée d'eux. L'art exige effort et réflexion, mais «rien ne porte le caractère de l'art de ce qui sent la réflexion et l'effort».[4] Bergson illustre ainsi cette nécessaire connexion entre l'intelligence et l'intuition: «Quoi de plus construit, quoi de plus savant qu'une symphonie de Beethoven? Mais tout le long de son travail . . . , qui se poursuivait sur le plan intellectuel, le musicien remontait vers un point situé hors du plan pour y chercher l'acceptation ou le refus, la direction, l'inspiration . . .»[5] Entre la musique et l'émotion, comme plus généralement entre l'intelligence et l'intuition, il y a contiguïté de parcours, mais différence d'origine, de nature, de densité ontologique.

En définitive, si l'intuition est vision de l'unité concrète, l'intuition des intuitions est la vision de l'unité de tout ce qui fait le réel, et il est inévitable pour des philosophes non idéalistes que cette vision ne se réduise pas à une inspection eidétique. L'intuition, pour Bergson comme pour Ravaisson, est saisie de l'Un-Tout: «L'analogie – écrit Ravaisson – embrasse le monde d'une *vue*, comme la poésie qui est tout analogie, transposition, *translatio* ou μεταφορά».[6] «L'esthétique, la morale vont droit à cette unité pour la voir et en jouir, la percevoir d'une

[1] Cf. *Philosophie contemporaine, art. cit.*, p. 420; R., pp. 74 sq.; cf. aussi T., pp. 71, 74 sq.
[2] P.M., pp. 273–274.
[3] *Ibid.*, p. 280.
[4] T., p. 72.
[5] D.S., p. 268.
[6] Inédit du *Fonds Coubertin*.

vue dans son rayonnement».[1] Pour Bergson, ne l'oublions pas, «la Philosophie ne peut être qu'un effort pour se fondre à nouveau dans le tout»,[2] de sorte que même s'il essaie de rétablir après coup le contact entre l'inexprimable et la réflexion, entre l'immédiat et le médiat, il n'empêche que son intuition est d'abord éprouvée comme rupture, arrachement, par rapport aux distinctions et aux synthèses de l'intelligence. Elle encourt, non moins que l'intuition ravaissonienne, le risque d'être taxée d'irrationalisme; et il faut avouer que les accusateurs sont quelque peu excusables: l'intuition est souvent d'abord présentée en opposition au rationnel. Ainsi chez Ravaisson: «les idées, dans leur état d'abstraction, laissent l'âme froide»;[3] pour sentir «l'amour réciproque du tout et des parties»,[4] il faut soi-même aimer. Le sentiment peut donc prendre la relève de la conception, et où celle-ci isole et dissocie faire découvrir l'unité du tout. Finalement, le comble de l'intuition sous forme non intellectuelle est l'enthousiasme: «Pourquoi l'enthousiasme? C'est qu'il s'agit pour l'art d'accomplir dans son oeuvre, si elle doit être oeuvre de beauté, l'union des contraires, incompréhensible ou mystérieuse, que peut seule effectuer une puissance divine».[5] Dans ces conditions, Ravaisson sombre-t-il dans l'irrationalisme? Nous ne le croyons pas. Comme nous l'avons vu dans l'exposé des principes de la méthode: il faut d'abord poser le tout; mais la fin, précise Ravaisson, ne nous y apparaît alors qu'obscurément. La première position du tout mérite déjà le nom d'intuition, mais d'intuition «sublucide»: «On part, pour arriver à l'intuition claire, de l'intuition sublucide».[6] L'intuition claire est le but visé, qui retrouvera le Principe, et les idées obscures sont autant de chemins sinueux, de subterfuges nécessaires pour retrouver la voie droite. On ne peut donc pas soutenir qu'il y ait *stricto sensu* un irrationalisme de l'intuition ravaissonienne. En fait, il y a chez Ravaisson comme chez Bergson, des *degrés dans l'intuition*; rappelons l'exposé bergsonien dans la conférence *De la position des problèmes*: d'abord vision qui se distingue à peine de l'objet vu, l'intuition s'élargit, touche notre inconscient, mais, plus largement encore, la conscience en général;[7] c'est dire qu'au fur et à mesure qu'elle se

---

[1] Inédit du *Fonds Coubertin*.
[2] E.C., p. 193.
[3] T., p. 89.
[4] *Ibid.*, p. 87.
[5] *Ibid.*, p. 135.
[6] D., p. 373.
[7] P.M. pp. 27–28. Cf. dans *Les Deux Sources* (p. 272): «Nous ne saurions trop répéter que la certitude philosophique comporte des degrés ...»

détend et se déploie apparaît mieux l'étendue de son domaine et, par conséquent, la «frontière commune» avec l'intelligence.

Au terme de cette enquête, nous devons constater que se sont dégagés les points de contact qui définissent «l'intuitionisme» commun à Ravaisson et à Bergson: l'intuition est le point de départ et d'aboutissement de la philosophie. Vue simple sur la singularité de l'être, elle n'est pas elle-même un acte d'intelligence médiate, elle fait appel au sentiment, à l'émotion autant qu'aux idées claires, et cependant elle met en jeu constamment la réflexion. Son point d'ancrage est le retour sur nous-mêmes: c'est à partir de la vision de ce que nous sommes que nous réussissons à envisager le Tout. Elle paraît facile à atteindre, mais son immédiateté se dérobe aux prises partielles: cette suprême «donnée immédiate» s'acquiert et se mérite. Méthodologiquement l'intuition a donc le même rôle chez Ravaisson et chez Bergson, mais nous verrons que, dans chaque cas, sa «coloration», son rythme de déroulement, bref sa signification sont, en grande partie, différents. Nous avons circonscrit, en tout cas, plus que des rencontres partielles: ce qui s'est offert à nous, c'est un recoupement suivi qui a présenté toutes les apparences d'une véritable perspective commune. Au demeurant, il n'est pas étonnant que Bergson soit près de Ravaisson par son intuition – à la fois du point de vue de la méthode et du point de vue de contenu –: pour lui, Ravaisson est un de ceux qui *ont vu* l'essentiel; nous avons déjà rapporté la confidence à Jacques Chevalier, mais le mot que nous soulignons ici n'avait pas encore toute sa résonance: «Ravaisson, un maître dont j'estime grandement l'*intuition* artistique et philosophique ...»[1] Bergson à la fin de sa *Notice* n'évoquait-il pas son maître en philosophie comme une «âme d'artiste ou de poète restée près de son origine»?[2] Qui dit immédiateté de l'intuition dit simplicité de l'action: voyons maintenant comment s'enchaîne cette conséquence et dans quelle mesure, Bergson, une fois de plus, suit ou retrouve Ravaisson.

* * *

§ 3. *De la morale à la religion*

Des convergences notables ont été relevées jusqu'ici chez Bergson et Ravaisson quant à la méthode et au contenu de leurs philosophies. Or nos deux auteurs ne séparent pas la philosophie théorique de son appli-

---

[1] *Entretiens* ..., *op. cit.*, p. 142.
[2] P.M., p. 290.

cation; au contraire, se voulant «positifs» et à la mesure de l'expérience intégrale, ils se défendent de déduire leur morale de leur métaphysique: les exigences «pratiques» les inspirent plus que les pures idées. S'il en est ainsi, on doit retrouver dans le domaine moral les similitudes relevées en métaphysique. Mieux: les perspectives communes sont-elles simplement prolongées en morale, ou ne se révèlent-elles pas amplifiées? Si la philosophie pratique ne doit pas être considérée comme une annexe de la philosophie théorique, mais comme le couronnement et la finalité de toute philosophie, on peut s'attendre à découvrir moins un nouvel horizon que le point de vue supérieur à partir duquel les autres perspectives s'appellent et se répondent. Selon cette hypothèse, la proximité entre les deux morales serait fondamentale et elle permettrait de vérifier, mieux que jamais, la vraisemblance de la filiation spirituelle que nous envisageons.

Avant même que soit entreprise cette vérification, le bien-fondé de notre hypothèse est confirmé par un passage – déjà en partie cité – des entretiens de I. Benrubi avec Bergson. C'est en effet pour répondre à une question sur le problème moral que Bergson précise qu'il se sent «par son intuitionisme très près de Ravaisson». Jugeons-en plutôt d'après le texte même de I. Benrubi: «Comme Bergson m'avait dit que dans son prochain ouvrage, il comptait traiter le problème moral, je lui ai demandé s'il avait l'intention de suivre Ravaisson. Il répondit qu'il ne ferait cela que dans certaines limites; bien qu'il se sentît par son intuitionisme très près de Ravaisson, cet intuitionisme n'impliquait pas du tout un antirationalisme».[1] En même temps qu'il soutient notre hypothèse de départ, ce texte précise les limites de notre recherche; bien entendu, il n'est pas question de reprendre ce qui a été dit plus haut de l'intuition, mais de le compléter et d'en indiquer l'aboutissement. Il nous faudra donc montrer d'abord en quoi les morales de Bergson et de Ravaisson peuvent être qualifiées d'intuitionismes – ce sera le plus facile –, ensuite et surtout en quoi consiste leur intuition morale fondamentale, en quoi elle est même, ou du moins très proche, dans les deux cas. Une fois que nous aurons répondu positivement à ces deux questions, il nous sera possible de voir si le rapprochement doit être poursuivi.

En morale comme en métaphysique le recours à l'intuition implique un double refus de l'empirisme et de l'idéalisme sous leurs différentes formes. Mais il n'est peut-être pas apparu suffisamment jusqu'ici que ce double rejet s'appuie sur une base «pratique». Nous voyons, en effet, au

[1] *Op. cit.*, p. 35.

début de son article *Métaphysique et Morale,* Ravaisson confronter le positivisme et le criticisme – versions modernes de l'empirisme et de l'idéalisme – aux exigences de l'action. Il ressort de cette confrontation que l'action humaine ne saurait être véritablement animée, authentiquement éclairée, ni dans un cas, ni dans l'autre. La loi morale de Kant ne peut ni contraindre, ni surtout attirer : «Que peut bien être une loi pour qui ignore et ce qu'il est et même s'il est? Et qu'est-ce que cette loi même qui se réduit à une stérile généralité?» [1] Quant à ce que Ravaisson appelle le positivisme, il ne retient que les règles qui reflètent les contraintes ou les intérêts sensibles : «Et alors – demande Ravaisson – où est l'emploi de ce qu'il y a pourtant dans nos penchants de désintéressé? Le système ne rend pas compte de ce qu'il y a en nous de meilleur».[2] Donc d'un côté se trouve dégagée une loi désintéressée, mais abstraite et par conséquent sans effets, de l'autre des règles qui procèdent des mobiles les plus bas et qui se sont pas à la mesure des véritables possibilités de l'homme. Bergson ne pouvait pas ignorer l'article *Métaphysique et Morale* publié en 1893 en tête du premier numéro de la *Revue de Métaphysique et de Morale.* Nous retrouvons dans *Les Deux Sources* une idée chère à Ravaisson : «Métaphysique et Morale expriment la même chose, l'une en termes d'intelligence, l'autre en termes de volonté; et les deux expressions sont acceptées ensemble dès qu'on s'est donné la chose à exprimer».[3] Plus précisément, Bergson s'oppose comme Ravaisson à une morale qui se réduit à la soumission aux faits et pour laquelle il n'y a plus de devoir autre que l'obligation sociale elle-même : exprimant les règles qui résultent de la clôture d'une société sur elle-même, elle rend impossible l'accueil des plus hautes aspirations. D'accord ici avec Ravaisson pour dénoncer l'insuffisance d'une morale «positiviste», Bergson donne au problème de l'obligation une dimension historique et sociologique absente chez son prédécesseur. C'est donc beaucoup plus dans la critique de Kant qu'on pourrait déceler une influence de Ravaisson; la similitude est même frappante, comme nous l'avons signalé; Bergson reprend les arguments de son maître : la loi morale de Kant est abstraite et vide; elle prétend s'établir au-dessus de la passion et de l'intérêt, mais elle ne peut cependant les commander en les ignorant superbement : en fait, elle est incapable de «faire taire l'égoïsme et la passion».[4] Mais Bergson prolonge encore la pensée ravaissonienne : il dénonce la loi kantienne comme complice des pen-

---

[1] *Métaphysique et Morale, art. cit.,* p. 7.
[2] *Ibid.*
[3] D.S., p. 46.
[4] *Ibid.,* p. 88.

chants les plus bas. Ces forces, Kant les réintroduit sans le dire; au point que la loi morale ne fait autre chose que de «formuler rationnellement l'action de certaines forces qui se tiennent derrière elle».[1] En somme, une fois de plus, les extrêmes se révèlent plus proches qu'on ne croyait: le kantisme couvre de son pavillon la morale close et les doctrines dites positivistes s'efforcent de donner à cette dernière un statut rationnel.

Ne trouvant la véritable moralité ni dans les contraintes de la société ni dans les clartés de la raison, Bergson et Ravaisson vont en demander les secrets à l'intuition. Nous avons précédemment défini l'intuition lorsque nous avons étudié l'«intuitionisme» commun à nos deux philosophes: elle ne se découvre pas en morale foncièrement autre que ce qu'elle est ailleurs. Mais la morale étant «l'art même de la vie, celui qui façonne l'âme»,[2] elle est le domaine d'application par excellence de l'intuition. Nous savons que pour Ravaisson «les idées, dans leur état d'abstraction, laissent l'âme froide et n'y suscitent pas les facultés d'action».[3] Bergson, y faisant écho dans *Les Deux Sources*, écrit dans un langage plus abstrait que le «pur dynamique» est du «supra-intellectuel» c'est-à-dire «aspiration, intuition et émotion».[4] Ce que Bergson appelle «émotion», Ravaisson le nommait plutôt «enthousiasme», la possession par un principe divin nécessaire pour exprimer ce «meilleur» qui «est ce que les dieux seuls communiquent à l'âme».[5] Or nous voyons Bergson préciser dans *Les Deux Sources*: «L'émotion dont nous parlions est l'enthousiasme d'une marche en avant – enthousiasme par lequel cette morale s'est fait accepter de quelques-uns et s'est ensuite, à travers eux, propagée dans le monde».[6] Pour Ravaisson comme pour Bergson, le choc inspirateur s'avère donc supérieur aux capacités de l'intelligence; c'est – semble-t-il – en morale que l'intelligence joue le rôle le moins important et que l'intuition se présente sous l'aspect le plus «irrationnel»: dans le domaine pratique, en effet, il ne s'agit plus de convaincre, mais de persuader; il ne suffit plus de *se* convaincre, mais de *se* persuader; nous n'avons plus devant nous un système d'idées, un ensemble organique, une oeuvre d'art à comprendre: c'est le mouvement même de notre vie qui devient l'objet de nos soins; c'est pourquoi il faut que nous soyons touchés, émus, c'est-à-dire mis en mouvement, et comment

[1] D.S., p. 86.
[2] P.M., p. 287; cf. T., pp. 96, 102.
[3] T., p. 89.
[4] D.S., p. 63.
[5] T., p. 90.
[6] D.S., p. 49.

le serions-nous mieux que par ce qui est soi-même vie et mouvement? Mais chez Ravaisson comme chez Bergson, si les idées ne sont pas nos premières inspiratrices morales, elles ne peuvent pourtant rester étrangères à nos vies. Comme l'écrit Bergson, le «pur dynamique» contient «comme une unité qui envelopperait et dépasserait une multiplicité incapable de lui équivaloir, toute l'intellectualité qu'on voudra».[1] L'analyse est donc toujours possible, mais l'important est que, dans l'art suprême comme dans les autres, la vie même se révèle, non ses fantômes. Ce que Ravaisson suggère en ces termes dans un inédit: «Art: la chose agit, non la notion incomplète que l'abstraction en détache».[2] L'intuition comme source d'action, nous la retrouvons éminemment chez Bergson qui écrit des grands hommes de bien: «Considérons-les attentivement, tâchons d'éprouver sympathiquement ce qu'ils éprouvent, si nous voulons pénétrer par un acte d'intuition jusqu'au principe même de la vie».[3]

* * *

Il ne nous a donc pas été difficile de montrer en quoi les morales de Bergson et de Ravaisson peuvent être qualifiées d'«intuitionismes». Il nous faut découvrir maintenant de plus près en quoi consiste leur commune intuition fondamentale, le centre secret où s'anime dans les deux cas la conduite de la vie.

«La morale – écrit Ravaisson dans le *Testament philosophique* – doit être la règle de la conduite et, en conséquence, de la volonté». Cela conduit-il Ravaisson à une conception légaliste de la morale? Non, car il ajoute aussitôt: «Cette règle, plus encore que dans la plastique ou la rhétorique, est l'unité».[4] Cette unité ne doit pas être conçue selon un modèle abstrait, c'est l'unité effective des différences: entre les hommes la communion, la sympathie, l'amour. L'intuition de cette humanité possible, rêve qui fut peut-être autrefois l'humanité divine, ouvre l'âme, la touche, l'incite à se donner comme elle voit que les meilleurs le font. Cette morale de l'amour a donc une règle unique, mais point de règles: «Aime et fais ce que voudras». Ravaisson cite cette parole dans le *Testament*; c'est elle qui résume le mieux la loi d'amour, «l'universelle loi par l'expansion et le retour, par les grâces accordées et les grâces rendues, l'union dans l'amour».[5]

[1] D.S., p. 63.
[2] Inédit B.N.
[3] E.S., p. 25.
[4] T., p. 97.
[5] Inédit *Fonds Coubertin.*

«Entre l'âme close et l'âme ouverte, il y a – nous dit Bergson – l'âme qui s'ouvre».[1] Cette parole, qui pourrait être de Ravaisson, ne doit être commentée et illustrée que d'une manière qui révèle une étonnante communauté d'inspiration entre Bergson et son maître. Nous savons que la vraie morale pour Bergson est la «morale ouverte»: il faut voir ce que ce terme recouvre. L'ouverture d'une âme signifie non seulement que cette âme ne se considère plus elle-même comme fin dernière et suprême perfection, mais qu'elle est prête à se donner, à se sacrifier pour autrui. Comme chez Ravaisson, le modèle qui ouvre et touche l'âme n'est pas fixe et intangible, c'est un don qui ne se satisfait jamais de lui-même, c'est un mouvement, un appel, une aspiration. La morale ouverte est donc la morale de l'amour. A ce premier trait commun avec Ravaisson s'en ajoute un autre, qui en est la conséquence: la morale de l'amour est progrès perpétuel, élan, mais élan original: l'humanité par vocation est divine, c'est «jusqu'aux racines de notre être» que nous porte «l'intensification supérieure» de notre vie intérieure.[2] Les grands hommes de bien «ont beau être au point culminant de l'évolution, ils sont le plus près des origines».[3]

De tout ceci on peut inférer sans peine que la morale ouverte de Bergson, la morale ravaissonienne de l'amour s'inspirent essentiellement de l'exemple chrétien, du modèle évangélique. «La morale de l'Évangile est essentiellement celle de l'âme ouverte»[4] écrit Bergson faisant écho aux enseignements du *Testament philosophique* et à cette phrase du *Rapport*: «La libéralité, source de la justice même, est la vertu caractéristique des grandes âmes: le nom suprême du Dieu chrétien est grâce, don, libéralité ...»[5] Mais cette morale dont Bergson reconnaît après Ravaisson le caractère non rationnel et même paradoxal,[6] il n'en fait pas le privilège exclusif du Christianisme: il situe dans la même lignée «les sages de la Grèce, les prophètes d'Israël, les Arahants du bouddhisme et d'autres encore».[7] On sait que Ravaisson, de son côté, n'avait cessé de chercher dans les religions orientales, dans les mythes grecs des annonces de l'amour chrétien: «Le dieu indien Pourousha partage ses membres entre ses adorateurs. Cérès, Bacchus dans les mystères d'Éleusis servent d'aliment aux initiés ... Partout donc, dans

[1] D.S., p. 62.
[2] *Ibid.*, p. 265.
[3] E.S., p. 25.
[4] D.S., p. 57.
[5] R., p. 264.
[6] Cf. D.S., p. 57.
[7] *Ibid.*, p. 29.

l'ancienne mythologie, la croyance à la bienfaisance divine».[1] Par conséquent, si le Christianisme représente l'apparition privilégiée de la morale de pur amour, il n'en est pas le seul dépositaire, il poursuit et couronne une tradition déjà longue et riche; il ne la clôt pas non plus: Ravaisson remarque que Descartes «a paru dépasser le Christianisme même», lorsqu'il a assigné aux grandes âmes un héroïsme allant au delà du précepte qui nous commande d'aimer les autres autant que nous;[2] une telle notation est absente chez Bergson, elle s'accorde cependant avec l'esprit des remarques finales des *Deux Sources* où Bergson croit pouvoir espérer que le progrès spirituel ne s'arrêtera pas et que l'«intuition mystique diffusée» transformera l'humanité encore imparfaite d'aujourd'hui en un peuple de dieux.[3]

Une fois dégagés ces traits fondamentaux, communs aux morales de Ravaisson et de Bergson, on peut se demander s'il s'agit là d'un cadre général ou si l'on peut relever des similitudes plus précises, par exemple quant à la manière dont s'incarne dans l'histoire l'idéal évangélique ou quant à l'aboutissement théologique. Or, on constate de nouveau, dans ces deux cas de l'expérience éthique, de saisissantes rencontres.

Pour Ravaisson, l'idéal évangélique s'est incarné maintes fois avant l'Incarnation: sa morale, «c'est la morale des héros sauveurs, avant le Sauveur»;[4] elle a été vécue depuis par les grands saints, les grands penseurs, les grands hommes de bien. Dès les temps les plus reculés de l'histoire, «des mortels d'élite restèrent fidèles à l'impulsion originaire»;[5] Ravaisson illustre son propos en se référant à des héros mythiques, Hercule, Thésée, Achille, mais ne juge pas des philosophes indignes du titre de héros: Socrate est qualifié d'«homme à l'esprit héroïque»,[6] Descartes aussi. Parmi les mystiques, le préféré de Ravaisson est S. François d'Assise; mais Schelling lui-même n'est-il pas glissé dans son sillage comme le moderne annonciateur du «Christianisme de S. Jean»?[7] Ainsi, peu importe la forme sous laquelle se trouve annoncé le message d'amour, pourvu qu'il le soit d'une manière qui touche les hommes, pourvu en somme que se fasse entendre ce que Bergson nommera «l'appel du héros». On ne peut s'empêcher, en effet, d'être frappé en

---

[1] T., p. 54.

[2] *Ibid.*, p. 103.

[3] Chez nos deux auteurs, l'éventuel dépassement du Christianisme concernerait les règles, les dogmes, les structures, non l'inspiration fondamentale et originaire: le Christ lui-même qui a atteint l'absolu dans l'ordre mystique.

[4] T., p. 103.

[5] *Ibid.*, p. 51.

[6] *Ibid.*, p. 57.

[7] *Ibid.*, p. 163.

lisant le *Testament philosophique*, par la concordance des thèmes évoqués, et même du style, avec la dernière oeuvre de Bergson. Comme le remarque M. Raymond Polin, «on trouverait dans le *Testament philosophique* de Ravaisson, des textes qui même par le ton, évoquent Bergson et n'ont pu manquer de faire grande impression sur lui».[1] Déjà dans la conférence *La conscience et la vie*, bien avant *Les Deux Sources*, Bergson écrit: «Les grands hommes de bien, et plus particulièrement ceux dont l'héroïsme inventif et simple a frayé à la vertu des voies nouvelles, sont révélateurs de vérité métaphysique».[2] L'incarnation de l'idéal moral par un homme d'exception n'est pas un caractère accessoire de cette morale: la morale ouverte est annoncée par le témoignage; paradoxalement, elle appelle à l'universalité à travers un style particulier de vie ou de pensée. Cette ambiguïté de l'appel du héros n'est pas absente dans la morale héroïque de Ravaisson: d'un côté on invite au dépassement de l'individualité, de l'autre on propose en exemple une personnalité; n'y a-t-il pas danger d'idolâtrie de la foule à l'égard du héros et de celui-ci vis-à-vis de lui-même? On peut facilement reconstituer quelle serait la défense de nos philosophes: tout dépend de ce qu'on entend par héros. Le héros véritablement moral ne retient rien pour lui, ne s'admire pas; il parvient à un abandon de soi inconcevable pour la plupart, il dépose tout intérêt, se fait le pur messager de l'amour fraternel. Aussi faut-il l'envisager dans l'élan qui le sépare des autres et le sacre, à leurs yeux, comme modèle, guide, prophète. Bergson écrit des grands hommes de bien que «leur existence est un appel».[3] Il n'en va pas autrement chez Ravaisson où le héros n'éveille l'enthousiasme que s'il en est lui-même le foyer: «L'amour s'augmente par les témoignages mêmes qu'il donne de soi»[4] lit-on dans *L'Habitude*. Or l'amour est ici comme le mouvement: il entraîne d'autant mieux qu'il est plus rapide. Et on lit dans le *Testament*: «Des mortels d'élite restèrent fidèles à l'impulsion originaire, sympathiques à tout ce qui les entourait, se croyant nés ... non pour eux, mais pour le monde entier».[5]

Il n'y a donc aucun doute: le rôle moral de l'homme d'exception, le contenu même de son message sont envisagés par Bergson et Ravaisson de manière étonnamment similaire. Mais le rapprochement ne peut s'arrêter là: le rôle accordé aux «entraîneurs» moraux va de pair chez

[1] *Y a-t-il chez Bergson une philosophie de l'Histoire?* dans *Ét. berg.*, IV, p. 28, n. 3.
[2] E.S., p. 25.
[3] D.S., p. 30.
[4] H., p. 51.
[5] T., p. 51.

Bergson avec une vision de l'histoire dont on a pu penser qu'elle constituait une véritable philosophie de l'histoire. M. Raymond Aron note qu'à l'opposé des philosophies classiques de l'histoire – de type hégélien – qui pensent l'histoire à partir de l'historicité de l'homme et celle-ci comme le développement organique d'une totalité spirituelle, chez Bergson «la conscience de l'individu est la véritable histoire: durée contre espace, amour contre servitudes sociales»;[1] et M. Polin remarque que chez Bergson «la création historique est une création morale».[2] Sur ce point, une fois de plus, Bergson est à l'unisson de Ravaisson. Il est certain qu'il n'y a pas de philosophie ravaissonienne de l'histoire au sens hégélien ou marxiste: les succès politiques, les rapports de force, l'apogée, la chute des empires ne découpent pas l'histoire en époques autonomes; les véritables grands hommes ne sont généralement pas les généraux vainqueurs ou les tribuns efficaces: plus effacés, plus inapparents, les pionniers spirituels ont une action plus profonde et moins éphémère. Chez Bergson comme chez Ravaisson, l'histoire est jugée par la philosophie qui lui est essentiellement supérieure: le jugement de la philosophie ne se confond pas avec le jugement de l'histoire. C'est dire que la philosophie ne se plie pas à suivre l'histoire en ses sinuosités; elle la comprend à partir d'un schéma se répétant uniformément d'époque en époque. Bergson se sert d'un schéma dualiste; les lois de dichotomie et de double frénésie recouvrent le conflit plus secret entre le clos et l'ouvert. A première vue, il ne semble pas qu'un tel cadre préexiste chez Ravaisson. Pourtant la vision ravaissonienne de l'histoire de la philosophie ne fournit-elle pas à Bergson le modèle qu'il étend à toute l'histoire? Dans les deux volumes de l'*Essai sur la Métaphysique d'Aristote*, comme dans le *Rapport*, la philosophie telle qu'elle nous est présentée ne cesse de passer d'un extrême à l'autre, du pôle idéaliste au pôle matérialiste, et vice versa; rares sont les Aristote, les Leibniz, qui trouvent la perspective centrale et s'y tiennent. Ce rythme binaire n'est point une fluctuation superficielle; il reflète la pulsation même de la nature: «La force créatrice se concentre et s'épand alternativement. Tout se fait par battement, concentration et expansion alternatives ...»[3] Il en résulte dans l'histoire que se succèdent la force et la douceur, le τόνος et l'ἄνεσις: le but est «marqué d'abord à l'excès»;[4] puis, au fur et à mesure qu'il s'inscrit dans la réalité, la tension primitive s'atténue: une cité affirme d'abord son existence par les armes, puis elle s'ouvre aux autres,

---

[1] *Bergson et l'Histoire*, dans *Ét. berg.*, IV, p. 50.
[2] *Art. cit., ibid.*, p. 30.
[3] Inédit B.N.
[4] *Fonds Coubertin.*

elle devient accueillante et c'est alors qu'elle atteint la vraie grandeur. Il est certain que ces vues ravaissoniennes sur l'histoire restent flottantes et qu'elles constituent plus des suggestions que des explications; par ailleurs, on ne peut faire se recouvrir exactement les termes en présence: pour Ravaisson la détente succède directement à la tension; pour Bergson une cité n'abdique pas ses principes: «De la société close à la société ouverte, de la cité à l'humanité, on ne passera, jamais par voie d'élargissement».[1] On ne peut donc prétendre que Bergson ait trouvé au sens strict un modèle chez Ravaisson pour sa distinction entre le clos et l'ouvert; disons plus vraisemblablement: une source d'inspiration, une intuition à méditer. Plus probable, mais aussi de moindre portée, nous apparaît la dette de Bergson en ce qui concerne sa théorie de la «double frénésie»:[2] plus probable parce qu'il suffit d'une transposition de l'histoire de la philosophie à l'Histoire pour que le schéma ravaissonien devienne la loi bergsonienne; de moindre portée, parce que la loi de «double frénésie» est beaucoup moins essentielle au bergsonisme que la distinction entre le clos et l'ouvert.

S'il y a chez nos deux auteurs une vision morale de l'histoire, elle ne se limite pas au passé. Il faut en tirer les conséquences pour le présent et l'avenir immédiat. C'est ce que Bergson lui-même entreprend dans le dernier chapitre des *Deux Sources*. On sait qu'aux redoutables problèmes du monde contemporain Bergson propose une solution purement morale: rien dans son texte qui autorise des espoirs ou des convictions révolutionnaires; à aucun moment n'est acceptée l'idée que l'amélioration du niveau de vie, la transformation des rapports sociaux pourraient suffire à libérer l'homme et à instaurer «l'humanité divine». Considérant le progrès technique dans son dynamisme, il se place à son aboutissement supposé pour mieux en faire ressortir les limites: «L'obstacle matériel est presque tombé».[3] Il ne faut donc pas se crisper sur lui, mais ouvrir les yeux sur la perspective qu'il laisse transparaître: l'appel du héros: «Qu'un génie mystique surgisse; il entraînera derrière lui une humanité au corps déjà immensément accru, à l'âme par lui transfigurée».[4] Réformiste en politique, Bergson semble plus radical quant au fond: il prône une révolution morale; cependant, une telle mutation ne peut être, surtout au début, que le fait de quelques-uns: c'est pourquoi ses espoirs conservent un caractère individualiste, insolite dans notre

---

[1] D.S., p. 284.
[2] «Théorie apparemment assez aventurée, sinon arbitraire», comme le dit M. POLIN (*Ét. berg.*, IV, p. 37).
[3] D.S., p. 333.
[4] *Ibid.*, p. 332.

«civilisation de masse», mais correspondant mieux à l'état d'esprit encore courant un demi-siècle plus tôt lorsque Ravaisson abordait la *Question du luxe* ou traitait dans la *Revue Bleue* de l'éducation ouvrière.[1] Les opinions émises en 1887 par Ravaisson nous paraissent aujourd'hui exprimer de manière naïvement «réactionnaire» la sublimation qui permet aux possédants de garder bonne conscience. Reportons-nous, pour mieux en juger, aux textes cités par Bergson dans sa *Notice*: «Le mal dont nous souffrons ne réside pas tant dans l'inégalité des conditions, quelquefois pourtant excessive, que dans les sentiments fâcheux qui s'y joignent . . .», et encore: «Le remède à ce mal doit être cherché principalement dans une réforme morale, qui établisse entre les classes l'harmonie et la sympathie réciproques, réforme qui est surtout une affaire d'éducation . . .»[2] Or – soulignons-le – Bergson n'émet pas la moindre critique contre ces propos; s'il les cite, c'est qu'il les approuve et que sans doute il les admire. Il confirme par là notre hypothèse: Bergson, bien que politiquement moins conservateur, mieux informé et apparemment plus lucide que Ravaisson, reste sous cet angle dans le sillage de son maître. En réclamant pour notre «monde démesurément agrandi» un «supplément d'âme», Bergson essaie d'adapter la morale spiritualiste aux exigences de la civilisation industrielle ou, si l'on préfère, rappelle en son langage à notre monde oublieux la valeur de la tradition morale et religieuse en ce qu'elle a de meilleur. Jamais peut-être autant il ne nous est apparu plus proche de Ravaisson.

Si l'on en vient enfin à l'aboutissement théologique et religieux que reçoit cette morale, on relève de nouveau une analogie non négligeable entre nos deux auteurs. Certes, c'est après un long itinéraire et d'une manière originale que Bergson parvient au Dieu chrétien, créateur par amour, mais on ne peut nier qu'il y parvienne: «Rien n'empêche le philosophe de pousser jusqu'au bout l'idée, que le mysticisme lui suggère, d'un univers qui ne serait que l'aspect visible et tangible de l'amour et du besoin d'aimer . . .»[3] M. Gabriel Marcel écrit de ce texte qu'il «rejoint en les renouvelant les plus hautes conclusions auxquelles s'était élevé un Félix Ravaisson».[4] Le renouvellement est dans la méthode: Bergson ne déduit plus la morale de la métaphysique; disons qu'il donne à la morale la portée métaphysique la plus grande possible.

---

[1] *La question du luxe*, dans *Séances et Travaux de l'Ac. Sc. mor.*, t. 128, 1887, pp. 727-728, 734; *Éducation*, dans *Revue Politique et Littéraire, Revue Bleue*, 23 avril 1887, t. XIII, pp. 513-519.

[2] P.M., p. 287; cf. *Revue Bleue, art. cit.* C'est à propos de la question sociale que les critiques de G. Politzer contre le bergsonisme nous semblent le mieux porter *(La fin d'une parade philosophique: le bergsonisme,* nouv. éd., Paris, Pauvert, 1968).

[3] D.S., p. 27.

[4] Dans *Henri Bergson, Essais et témoignages*, recueillis par A. Béguin et P. Thévenaz, p. 36.

Quant au fond, l'évidence est telle que toute nouvelle démonstration serait superflue : de même que la métaphysique de Ravaisson est en son fond théologie, sa morale a un achèvement religieux. Mais ce qui est surtout ravaissonien dans la citation des *Deux Sources*, ce n'est pas seulement l'idée que l'univers a été créé par Dieu par amour, c'est que le philosophe veuille déchiffrer l'amour dans le «visible et le tangible». Pour Ravaisson, Dieu n'est pas sensible qu'au coeur, il l'est aussi, masqué quoique reconnaissable, aux yeux, aux autres sens : le divin s'annonce par excellence dans la beauté. Ce que Bergson retrouve donc ici, c'est plus que le contenu littéral de l'enseignement de Ravaisson, c'est l'esprit du maître, sa constante recherche de l'alliance entre le visible et le supravisible, entre le sensible et le suprasensible, sa conviction de l'immanence du surnaturel au naturel, l'écho constant en son oeuvre du mot de Tertullien : *Anima naturaliter christiana*.[1]

Ainsi la morale en son couronnement théologique nous situe au point où se noue l'unité d'une intuition : tous les aspects s'harmonisent et s'ordonnent. Si l'esthétique est à la fois le «flambeau de la science»[2] et «l'application de la morale»,[3] celle-ci à son tour est la science métaphysique appliquée et l'esthétique transfigurée. Dans aucune oeuvre plus que dans celle de Bergson on ne retrouve cette unité d'une expérience intégrale débouchant sur le supra-empirique. Si nous jetons un regard rétrospectif sur le chemin qui vient d'être parcouru, nous constatons que les «points de contact» n'ont pas manqué : chez nos deux penseurs, la morale a l'intuition pour méthode privilégiée ; le fond de cette intuition est la morale de l'amour dont l'Évangile constitue le meilleur modèle ; l'idéal s'incarne dans des personnalités exceptionnelles qui se révèlent comme les guides de l'humanité, et donc les véritables héros de l'histoire ; il n'y a que le progrès moral qui soit le progrès réel de l'humanité ; enfin la morale est couronnée et éclairée par la révélation du Dieu chrétien. Au terme de cette progression, nous pouvons répondre affirmativement à la question que nous avons posée au début : les perspectives communes ne sont pas simplement prolongées en morale, elles sont amplifiées, et tout paraît indiquer qu'on atteint le meilleur point de convergence entre les deux oeuvres. Bergson n'est pas seulement, comme il l'a dit, très près de l'intuitionisme de Ravaisson en morale, il est près de son intuition : c'est essentiellement dans les *Deux Sources* qu'il retrouve le mieux son maître, c'est là que, sans doute sans le vouloir, il le rejoint au même centre secret.

[1] Cf. T., p. 101.
[2] *Ibid.*, p. 85.
[3] Inédit cité par M. Devivaise dans sa thèse, II, p. 114.

Ravaisson a donc été pour Bergson le dernier, mais non le moindre, des héros de la spiritualité: l'appel du héros s'est d'abord présenté comme l'attirance et l'admiration ressenties pour un maître énigmatique. Mais – détour étrange – ce n'est qu'à la fin de sa vie que Bergson a laissé vraiment transparaître cette essentielle proximité, de sorte que *Les Deux Sources* constituent au fond un hommage à Ravaisson plus sincère et plus révélateur que la *Notice*: est-ce là un fait contingent? Cela témoigne-t-il au contraire d'une évolution, sinon d'un tournant, de la pensée bergsonienne? Cette question posée aux interprètes de Bergson, nous n'avons pas ici à la résoudre: heureux si nous parvenons en fin de compte à compléter les données du problème!

En nous en tenant aux limites de la présente recherche, nous pouvons noter qu'il n'est pas étonnant, d'un simple point de vue d'interprétation historique, que Bergson ait particulièrement retenu dans l'oeuvre de Ravaisson le côté moral: il le connaissait particulièrement bien par les articles publiés entre 1880 et 1900, par la transcription de fragments du *Testament philosophique*, – due à Xavier Léon –, enfin et surtout par les conversations qu'il avait eues avec Ravaisson, dont il est vraisemblable de penser qu'elles relevaient pour la plupart de l'inspiration morale comme beaucoup des inédits de l'époque; il est d'ailleurs remarquable que nous n'ayons rien trouvé de critiquable dans la *Notice* à ce sujet. Il pourrait y avoir à cela une explication vraisemblable, mais non démontrable: Bergson n'aurait jamais perdu de vue les enseignements venus de Ravaisson, jamais il ne les aurait exclus ni à plus forte raison reniés, mais il les aurait d'abord éloignés de son champ d'étude parce qu'il les trouvait trop problématiques, trop incertains; il lui aurait d'abord fallu donner à sa philosophie de solides assises et assurer ses premières conclusions; ce n'est qu'à partir de *L'Évolution créatrice* qu'il aurait pu commencer à se rapprocher insensiblement des plus hautes intuitions de son ancien maître. Mais cela implique, en contre-partie, qu'il ait dû d'abord se séparer de lui en mettant au point une méthode originale. La question qui se pose maintenant est donc la suivante: est-ce que la coupure initiale qui assure apparemment d'emblée à l'oeuvre bergsonienne une irrécusable spécificité est absolument essentielle? Ou n'est-elle qu'un détour méthodologique ne devant pas faire illusion sur l'essentielle proximité qui ne cesse de lier fondamentalement Bergson à Ravaisson? En passant à l'étude de ce qui sépare les deux oeuvres, nous allons pouvoir mettre à l'épreuve l'originalité de chaque pensée, mais voir surtout dans quelles limites l'oeuvre de Bergson résiste aux rapprochements avec Ravaisson et récuse cette filiation, c'est-à-dire au fond sans doute l'héritage de la tradition métaphysique.

CHAPITRE II

LES LIMITES DE LA FILIATION:
LA NOUVEAUTÉ DU BERGSONISME

§ *1. Science et philosophie*

«En quoi la philosophie bergsonienne est-elle un scientisme», tel est le titre de la première partie de la communication faite en 1959 à l'Académie des Sciences morales par M. Henri Gouhier,[1] titre tout à fait paradoxal, puisque le bergsonisme a toujours été présenté jusqu'ici comme une réaction contre le scientisme, comme une restauration du spiritualisme, mais qui nous amène à poser les questions suivantes: à quoi correspond le «scientisme» supposé de Bergson? Constitue-t-il un trait spécifique et fondamental de sa philosophie? Dans cette mesure, ne la distingue-t-il pas radicalement de la métaphysique ravaissonienne?

Le scientisme du XIXème siècle considérait que, l'ère de la métaphysique étant terminée, la philosophie ne faisait plus qu'un avec la science: la véritable philosophie était la science. Si Bergson est «scientiste», il doit souscrire à cette dernière proposition, mais il n'en résulte pas que son scientisme soit équivalent à celui du XIXème siècle. M. Gouhier écrit en effet: «La Philosophie est science. La formule doit être prise à la lettre et même aux yeux de Bergson, elle ne peut l'être qu'avec le bergsonisme. En un sens, la Philosophie accordée aux exigences de l'histoire est, elle aussi, un «scientisme», mais en réaction contre le «scientisme» du XIXème siècle considéré comme en retard dans l'état actuel des sciences».[2] Voilà les choses clairement précisées: le scientisme de Bergson ne résulte pas d'une contradiction cachée jusqu'ici au coeur de sa philosophie, il en est au contraire la conséquence directe et logique. Au cours de la séance du 2 mai 1901 à la *Société française de Philosophie*, Bergson a répondu aux objections d'un scientiste traditionnel: «Je crains bien ... que vous ne vous représentiez (malgré

---

[1] *Le bergsonisme dans l'histoire de la Philosophie française*, dans *Revue des Travaux de l'Ac. des Sc. mor. et pol.*, 1959, pp. 183–200.
[2] *Ibid., art. cit.*, p. 186.

vous) la métaphysique, comme une science analogue aux mathématiques, astreinte à la simplicité claire et au dogmatisme tranchant des
mathématiques».[1] Par conséquent, la source de toutes les confusions
réside dans le retard pris par les savants eux-mêmes – et dans leur
sillage les philosophes – sur la science : alors que la biologie s'est développée au XIXème siècle de manière prodigieuse, avec ses méthodes
propres, savants et philosophes continuent de considérer les mathématiques comme le seul modèle d'intelligibilité. Au temps de Descartes,
l'hésitation n'était pas possible : il n'y avait qu'une science qui fût digne
de servir de modèle ; par routine on affecte de croire qu'à la fin du
XIXème siècle rien n'est changé : c'est contre cet aveuglement que
Bergson s'insurge : «Le bergsonisme – dit M. Gouhier – se présente
comme la prise de conscience d'une situation nouvelle dans l'histoire
des sciences».[2] Cette situation nouvelle, M. Gouhier la formule en ces
termes : «Avec la biologie, c'est un nouveau modèle d'intelligibilité qui
sollicite l'intelligence».[3] Mais Bergson ne se contente pas de cette prise
de conscience de la situation ; il en tire la conséquence : si la science a
changé, la philosophie peut-elle rester la même? La science, comme
chez Descartes, est le modèle ; en cela, Bergson est «scientiste»; mais ce
n'est plus le même modèle : c'est pourquoi M. Gouhier intitule la première partie de son introduction à l'Édition du Centenaire : «La fin de
l'ère cartésienne».

Une fois quelque peu éclairci le «scientisme» de Bergson, essayons
d'en préciser le contenu en examinant l'idée que se fait Bergson de la
vérité scientifique et des rapports entre la science et la philosophie. Le
critérium de la science est l'objectivité ; Bergson revendique ce privilège
pour la philosophie : grâce à sa nouvelle méthode, elle peut «prétendre
à une objectivité aussi grande que celle des sciences positives, quoique
d'une autre nature».[4] L'objectivité de la philosophie nouvelle n'est pas
celle de la philosophie cartésienne, elle ne se confond pas avec la «certitude et l'évidence» des raisons. La nouvelle méthode, nous dit Bergson,
est «rigoureusement calquée sur l'expérience (intérieure et extérieure) ...»[5] Pourtant, le mot «expérience» est vague : un romancier peut
prétendre que sa méthode est calquée sur l'expérience ; ira-t-il jusqu'à
soutenir, sous ce prétexte, que ses romans sont «objectifs»? S'il le fait, ne
devrons-nous pas le critiquer, sans quoi nul ne saurait plus ce que par-

[1] E.P., I, p. 146.
[2] Introduction aux *Oeuvres* de Bergson, éd. du Centenaire, p. XII.
[3] *Le bergsonisme* ..., *art. cit.*, p. 186.
[4] *Lettre au P. Joseph de Tonquédec*, 2 février 1912, E.P., II, p. 366.
[5] *Ibid.*, p. 365.

ler veut dire? Bergson, quant à lui, se défend de faire la place à de simples opinions personnelles ou même à une «conviction capable de s'*objectiver*»[1] par sa méthode. Comment justifie-t-il l'objectivité de celle-ci? et quel degré de certitude croit-il pouvoir atteindre? Il l'expose en 1901, devant la Société française de Philosophie,[2] en prenant un exemple célèbre tiré intentionnellement de l'histoire de la biologie au XIXème siècle: celui de la preuve par Pasteur de l'impossibilité de la génération spontanée. Nous venons d'employer le mot *preuve*, mais il n'y a de la part de Pasteur que des preuves et des démonstrations expérimentales: «Tout ce que Pasteur a pu faire a été de montrer à ses contradicteurs que, dans toutes les expériences où ils croyaient avoir affaire à une génération spontanée, des germes vivants préexistaient».[3] Pasteur ne parvient pas à une certitude absolue, apodictique. Pourtant, ajoute Bergson, «on s'accorde à reconnaître que Pasteur a porté sa thèse à un degré de probabilité qui équivaut pratiquement et scientifiquement, à la certitude».[4] C'est un tel degré de probabilité, ou même un degré comparable, dont Bergson prétend se contenter et qu'il affirme avoir atteint dans *Matière et Mémoire* après avoir dépouillé et analysé, pendant cinq ans, la littérature scientifique consacrée à l'aphasie. La vérité philosophique est donc comparable à celle des sciences nouvelles: l'objectivité qu'elle vise est de type expérimental; sa vérité est vérification. Si nous cherchions une profession de foi témoignant du «scientisme» de Bergson, en même temps qu'un programme pour la nouvelle philosophie, nous les trouverions dans la conclusion de son exposé, qui vaut la peine d'être citée intégralement: «Travaillons donc à serrer l'expérience d'aussi près que nous pourrons. Acceptons la science avec sa complexité actuelle, et recommençons, avec cette nouvelle science pour matière, un effort analogue à celui que tentèrent les anciens métaphysiciens sur une science plus simple. Il faut rompre les cadres mathématiques, tenir compte des sciences biologiques, psychologiques, sociologiques, et sur cette plus large base édifier une métaphysique capable de monter de plus en plus haut par l'effort continu, progressif, organisé, de tous les philosophes associés dans le même respect de l'expérience».[5]

De tout ceci se dégage une nouvelle topographie des rapports entre la science et la philosophie. Bergson n'admet pas de cloison étanche entre

---

[1] *Ibid.*
[2] *Le parallélisme psycho-physique et la métaphysique positive*, dans *Bulletin de la Soc. franç. de Philosophie*, Séance du 2 mai 1901, pp. 33–34, 43–57; E.P., I, pp. 139–167.
[3] *Ibid.*, p. 146.
[4] *Ibid.*
[5] *Ibid.*, p. 153.

les deux disciplines; il accepte une différence de méthode, non de valeur entre elles. En gros, la première étudie la matière, la seconde l'esprit, mais nous savons que pour Bergson l'une et l'autre sont en continuité: «Comme l'esprit et la matière se touchent, métaphysique et science vont pouvoir, tout au long de leur surface commune s'éprouver l'une l'autre, en attendant que le contact devienne fécondation».[1] Le scientisme du XIXème siècle ne brimait pas seulement la philosophie; il avait d'abord et avant tout une conception étroite de la science. Le «scientisme» de Bergson accorde beaucoup plus à la science; en ce sens, il est beaucoup plus «scientiste»: pour lui, la science est déjà métaphysique; en tant que science, elle constitue une ouverture irremplaçable sur l'expérience. Elle fait faire à l'esprit une première moitié du chemin qui s'offre ensuite, dégagé, à la philosophie. Métaphysique et science sont donc, aux yeux de Bergson, des termes complémentaires et presque interchangeables, à condition qu'on les entende dans leur richesse et leur rigueur, comme témoignant d'un même effort de compréhension progressive et expérimentale de la totalité du réel.

Si tel est le «scientisme» de Bergson, on peut en conclure qu'il constitue un trait fondamental et, à coup sûr, spécifique de sa philosophie. Qu'on le supprime, on obtiendra un spiritualisme de type traditionnel ressemblant comme un frère – il faut l'avouer – au spiritualisme ravaissonien. C'est dire que, privé de sa méthode empirique, le bergsonisme ne serait plus reconnaissable et que, par suite, c'est par sa méthode qu'il se sépare et se singularise absolument de la métaphysique ravaissonienne. Nous n'avons pu en effet relever dans la méthode ravaissonienne des caractères véritablement expérimentaux: Ravaisson cherche dans le développement de la biologie des arguments en faveur d'une nouvelle instauration philosophique, mais, en fait, cette instauration est une restauration; on ne trouve pas chez Ravaisson un travail comparable à *Matière et Mémoire* ou à *L'Évolution créatrice*, mettant en oeuvre des matériaux fournis par la science du temps; à aucun moment, enfin, Ravaisson n'établit entre la science et la philosophie la communication de «plain pied» que ménage Bergson: pour Ravaisson, la philosophie reste absolument autonome et son caractère progressif n'en fait pas pour autant une science livrée aux conjectures. Prenons l'exemple sans doute le plus patent, parce qu'il concerne le couronnement même de l'édifice métaphysique: Dieu. Chez Ravaisson, reprenant à sa façon l'argument ontologique, la nécessité de l'existence de Dieu – et sa nature – nous apparaissent en même temps que s'opère la prise de conscience de notre

[1] P.M., p. 44.

existence et de notre nature; le Dieu ravaissonien est le Dieu chrétien: personnel, créateur, rédempteur. Écoutons en revanche Bergson confier à Jacques Chevalier: «Pour moi, je ne me suis jamais risqué à dire ce qui est en Dieu, ce que fait Dieu. Ce sont donc là des inférences tirées de la doctrine . . .»[1] Ce que Bergson a pu dire de Dieu représentait, par conséquent, à ses yeux, autant d'approches aussi probables que possible d'une réalité insondable en son fond; les quelques phrases sur Dieu, que nous avons tendance à considérer comme des suggestions, des invitations trop timides, sont pour Bergson autant de *résultats-limites* auxquels il est philosophiquement forcé de se tenir, même s'il croit, dans le secret de sa vie intérieure, pouvoir faire quelques pas de plus. Au P. Sertillanges qui l'interroge sur l'Incarnation, il rétorque: «Je n'ai pas de méthode pour m'élever jusque là»;[2] et nous connaissons déjà la lettre du 20 février 1912 où Bergson précise au P. de Tonquédec qu'il n'a «rien à ajouter» relativement à la nature de Dieu.[3] Nous constatons donc que Ravaisson et Bergson comprennent de manières opposées l'empirisme ou le positivisme qu'ils prétendent lier au spiritualisme: Ravaisson, spiritualiste *a priori*, ménage à l'esprit philosophique une progression plus didactique que réellement méthodologique; Bergson ne se veut spiritualiste qu'*a posteriori*, et non sans précautions.

Mais nous venons de prendre ici le plus métaphysique des exemples, donc le plus défavorable à notre présente hypothèse. Si nous envisageons des problèmes qui sont le long de la «surface commune» entre science et philosophie, nous allons constater de nouveau, mais encore plus nettement, l'opposition entre Bergson et Ravaisson. Nous allons donc examiner les positions respectives de nos philosophes vis-à-vis de deux problèmes-clefs: la méthode expérimentale de Claude Bernard et la question de l'évolution des espèces.

Quant au premier point, nous avons la chance de connaître par Isaac Benrubi l'opinion de Bergson sur l'interprétation ravaissonienne de Claude Bernard: «Il me donna raison – écrit I. Benrubi – lorsque je dis que sa conception de C. Bernard différait de celle de Ravaisson qui caractérise le célèbre biologiste comme un finaliste . . .»[4] Voilà donc clairement indiquée la difficulté sur laquelle Bergson n'est pas le seul à achopper. Nous voyons en effet un interprète non bergsonien de C. Bernard, M. Raymond Lenoir, critiquer lui aussi l'interprétation de

---

[1] *Entretiens avec Bergson, op. cit.*, p. 69.
[2] A. D. SERTILLANGES, *Avec H. Bergson*, Paris, Gallimard, 1941, pp. 22 et 54, cité par M. H. GOUHIER dans *Le bergsonisme, art. cit.*, p. 188.
[3] E.P., II, p. 365.
[4] *Op. cit.*, p. 95.

Ravaisson, qu'il rapproche de celle de Caro: «... à la faveur d'une
terminologie ambiguë et d'une interprétation dont la légèreté surprend
quelque peu, Caro et Ravaisson ... découvrent en C. Bernard un spiritualiste sans le savoir».[1] C'est par le biais du finalisme, c'est en assimi-
lant l'«idée directrice» à la cause finale, que Ravaisson agrège Claude
Bernard au camp spiritualiste. L'objection de M. Lenoir est la même
que celle de Bergson: Ravaisson a tort de faire de Claude Bernard un
finaliste. L'interprétation de Ravaisson est formulée principalement
dans le *Rapport*:[2] après avoir exposé le principe du déterminisme universel, Ravaisson remarque que Claude Bernard «comprend mieux que
personne que, outre les différents phénomènes qu'il explique par des
faits physico-chimiques, il y a dans l'organisme l'ordre et le concert que
forment «ces phénomènes»; cet ordre inséparable de la vie fait que «la
considération de l'idée directrice et créatrice est indispensable»; mais
cette idée est-elle concevable sans une activité – «comparable à l'activité
tonique de Stahl» – qu'elle détermine? La réponse est négative: l'idée
directrice ne se comprend pas sans «une intelligence qui la conçoive,
une volonté qui la poursuive».[3] Dans le *Testament*, Ravaisson est encore
plus explicite: l'idée directrice ramène «sous un autre nom soit le principe vital de l'école de Montpellier, soit et bien plutôt l'âme ...»[4] Il est
donc vrai que Ravaisson donne de l'idée directrice, d'abord assez prudemment, puis à visage découvert, une interprétation finaliste, c'est-à-
dire métaphysique: il transforme, d'une manière qui aurait répugné à
l'auteur de la *Critique du Jugement*, un principe méthodologique en principe cosmo-théologique; d'un critérium d'intelligibilité ou, comme le dit
Bergson, d'une «conception du travail de recherche scientifique»,[5] il
fait un principe métaphysique d'explication du monde. Sans doute
Bergson pense-t-il à Ravaisson lorsqu'il écrit: «Quand je parle de la
philosophie de Claude Bernard, je ne fais pas allusion à cette métaphysique de la vie, qu'on a cru trouver dans ses écrits et qui était peut-
être assez loin de sa pensée».[6] Nous saisissons ici, pour ainsi dire, sur le
vif la distance qui sépare nos philosophes dans le dialogue avec la science de leur temps: alors que Ravaisson cherche à exploiter les progrès et
les assouplissements de la méthode expérimentale au profit d'une métaphysique déjà constituée, Bergson entend faire bénéficier la métaphysi-

---

[1] *Claude Bernard et l'esprit expérimental*, dans *Revue Philosophique de la France et de l'Étranger*
janvier–février 1919, p. 94.
[2] R., XV, pp. 120–128.
[3] *Ibid.*, pp. 125, 127, 128.
[4] T., p. 126.
[5] *La Philosophie de Claude Bernard*, P.M., p. 232.
[6] *Ibid.*

que elle-même des enseignements fournis par l'évolution de la science. Le contraste va être encore plus frappant sur la question de l'évolution des espèces.

Ce serait trop peu dire que de parler de réserve pour qualifier l'attitude de Ravaisson face aux théories de l'Évolution. On pourrait, à la rigueur, soutenir que sa doctrine à ce sujet n'est pas tout à fait arrêtée dans le *Rapport*: on n'y trouve en effet aucune critique systématique de l'évolutionnisme; en revanche un hommage discret est rendu au «vaste savoir» de Darwin, alors que Lamarck est présenté comme ayant manqué de «preuves empruntées à l'expérience».[1] Spencer est plusieurs fois cité, mais pour son génétisme logique seulement. La raison la plus probable de cette discrétion est la suivante: Ravaisson manque de recul, il ne semble pas encore discerner l'importance historique que vont prendre ces oeuvres dont les deux plus récentes sont encore inachevées. Assurément, s'il avait été attiré par ces théories, comme Renan par exemple, il aurait pu en avoir une bien meilleure connaissance;[2] mais ce n'est évidemment pas le cas. Les écrits postérieurs au *Rapport* révèlent, pour la plupart, une hostilité déterminée à l'Évolution: ainsi lit-on dans un inédit tardif intitulé *Transformisme*: «On ne saurait comprendre comment – si de rien il ne peut rien sortir – d'éléments uniquement corporels consistant uniquement en étendue, absolument inertes, il pourrait jamais résulter ces choses vivantes qui seules sont des êtres».[3] Lorsqu'une seule fois, dans le *Testament*, Ravaisson semble accepter le progrès des espèces, c'est pour le rapporter aussitôt à une «cause invisible».[4] En fait, loin de voir ce que les nouvelles théories contiennent de fécond et de suggestif pour la science comme pour la réflexion philosophique, il prétend les comprendre en les rattachant au passé; envisagées dans cette perspective, elles constituent de nouvelles incarnations de ce Protée qui renaît de siècle en siècle: le matérialisme. Ravaisson va même jusqu'à réduire l'évolutionnisme à la doctrine de Speusippe: «L'évolutionnisme, c'était déjà la doctrine de Speusippe ... Selon lui la science consisterait à réduire ainsi le plus compliqué au plus simple. Mais cette réduction ne vise qu'à découvrir la matière des choses et non leur cause».[5] Ravaisson tombe là dans le défaut si souvent flétri par Bergson, qui consiste à ne comprendre le nouveau que par rapport à l'ancien, l'inconnu en référence au connu; comme motif de son rejet,

---

[1] R., p. 192.
[2] Les *Principes de Biologie* de SPENCER datent de 1864.
[3] Inédit B.N.
[4] T., pp. 74–75.
[5] Inédit B.N.

on trouve de nouveau l'idée de la causalité supérieure, c'est-à-dire finale, sans laquelle rien n'est expliqué: «L'idée de la cause invisible,
c'est celle qui seule explique, quelque incompréhensible qu'en soit le
contenu, la formation organique et dont tout en prétendant expliquer
cette formation, le transformisme au moyen d'*une idée vague d'évolution,*
prétend vainement se passer».[1] Par conséquent, s'il y a évolution pour
Ravaisson, elle correspond au développement d'une puissance préalable ou, si l'on préfère, à l'involution d'un «état confus d'enveloppement»,[2] non à une création progressive libre de tout modèle *a priori*: il y
a, écrit Ravaisson, «ascension créatrice»;[3] l'expression ne doit pas tromper: l'ascension n'est créatrice à nos yeux que du fait du Créateur qui
la meut et l'attire; c'est pourquoi Ravaisson dit par ailleurs des modifications résultant apparemment de l'évolution: «Ces perfectionne-
ments sont comme des échappées de l'âme organisatrice . . .»[4] Peut-on
mieux caractériser le finalisme de Ravaisson qu'il ne l'a fait en ces
termes lui-même? Les «échappées» que sont les progrès des espèces
développent cette immense échappée qu'est la Création elle-même. On
mesure quel chemin Bergson aurait dû parcourir pour parvenir à
L'Évolution créatrice s'il était parti des idées de Ravaisson sur la question;
nous savons bien que ce ne fut pas le cas: Bergson fut d'abord spencé-
rien; de toute évidence, même s'il avait connu dès ses débuts toute la
pensée de Ravaisson sur l'Évolution, il est fort peu probable qu'elle
l'aurait touché: la théorie des causes finales représente pour Bergson le
côté le plus négatif de la métaphysique classique; Bergson ne cherche
pas à la retrouver chez Ravaisson: il préfère entourer de silence ce qui
pour lui est la face d'ombre de l'oeuvre. Cependant, on ne peut s'empêcher de deviner la présence de Ravaisson dans la critique du finalisme radical, entreprise par Bergson dans le premier chapitre de *L'Évolution créatrice.* Le philosophe cité par Bergson, celui qui représente pour
lui la doctrine de la finalité «sous sa forme extrême»,[5] est Leibniz. Or
n'est-ce pas Leibniz qui est cité presque à chaque page de la fin du
Rapport, que Bergson affirme avoir sue par coeur? Et nous lisons dans
l'article *Métaphysique et Morale*: «Les merveilles du monde, dit Leibniz,
ont fait penser à un principe supérieur».[6] Le finalisme ravaissonien n'a
donc rien de partiel, il est aussi «externe» qu'«interne»; en ce sens, il a

[1] T., p. 69. Nous soulignons.
[2] *Ibid.*, p. 78.
[3] *Ibid.*, p. 80.
[4] *Ibid.*, p. 128.
[5] E.C., p. 39.
[6] *Art. cit.*, p. 8.

l'avantage selon Bergson d'embrasser «la vie entière dans une seule indivisible étreinte»,[1] mais l'immense défaut de considérer que la vie s'est développée suivant un plan d'ensemble fixé d'avance, que tout était donné dès le départ et que le temps n'a été qu'un révélateur, non un agent essentiel de l'organisation vitale; bref ce finalisme radical est pour Bergson l'équivalent du mécanisme: dans les deux cas les phénomènes se déroulent suivant une règle inflexible, on ne peut comprendre la vie «comme un jaillissement ininterrompu de nouveautés».[2]

La vie saisie dans son évolution, le monde matériel résolu en un «simple flux», la vie et la conscience envisagées dans la continuité de leurs durées, tel est l'approfondissement que se propose, au terme de *L'Évolution créatrice*, l'«évolutionnisme vrai», cette nouvelle méthode scientifique prolongeant la science, dont Bergson affirme qu'elle doit aboutir comme celle-ci à «un ensemble de vérités constatées ou démontrées».[3]

Sur cette orientation capitale qui décide de tout le bergsonisme, nous ne pouvons donc qu'enregistrer un complet retournement par rapport à Ravaisson. La méthode même est en jeu: si Bergson avait admis que tout était d'une certaine façon *déjà là*, il aurait adopté du même coup *a priori* une métaphysique. En partant des données fournies par la science, il croit assurer à sa méthode une rigueur, une portée encore non atteintes par la philosophie. Peut-être se trompe-t-il – nous examinerons la question en concluant –, mais il est en tout cas incontestable que, sans ce rejet de toute théodicée, sans cette volontée de positivité, le *projet* bergsonien devient strictement incompréhensible. Déjà dans les *Données immédiates* le retour aux données premières, et surtout à la durée, semble libérer la philosophie de la traditionnelle structuration onto-théo-logique[4] dont nous avons constaté plus haut la complète restauration chez Ravaisson. La question qui se pose maintenant est la suivante: est-ce que les résultats seront à la mesure des espérances éveillées par la méthode? Nous avons vu que Bergson se sépare de Ravaisson et de la métaphysique traditionnelle par ce que nous avons appelé, après M. Gouhier, un «scientisme», une volonté d'adaptation de la philosophie aux nouvelles méthodes de la science, un projet d'application de l'esprit expérimental à des domaines qui lui étaient jusqu'alors interdits; nous avons montré quelles conséquences en résultent

---

[1] E.C., p. 43.
[2] *Ibid.*, p. 47.
[3] Cf. *Ibid.*, pp. 368–369.
[4] Sur ce mot et sa signification, voir Martin HEIDEGGER, *Die onto-theo-logische Verfassung der Metaphysik*, dans *Identität und Differenz*, Pfullingen, Neske, 1957, pp. 35–73.

pour l'approche de la plus métaphysique des questions, celle de Dieu, comment l'opposition entre Bergson et Ravaisson se révèle encore plus nette sur des problèmes qui se trouvent le long de la «surface commune» entre science et philosophie, surtout celui de l'Évolution; bref, nous avons constaté à quel point le bergsonisme est lié à une méthode qui ne doit rien à Ravaisson, mais tout aux exemples donnés par les développements les plus récents de la science. Il nous faut examiner maintenant comment la philosophie bergsonienne tient ses promesses et dans quelle mesure la métaphysique qui *résulte* de la nouvelle méthode se révèle également tout à fait inédite par rapport à la métaphysique traditionnelle restaurée par Ravaisson.

§ 2. La métaphysique de la durée créatrice

Notre propos – confronter les résultats de la nouvelle métaphysique avec ceux de la métaphysique traditionnelle représentée par Ravaisson – ne va pas sans difficultés. On n'étudie pas les résultats d'une philosophie comme ceux d'un plan de production industrielle ou même ceux d'une expérience de chimie. Ce que Hegel revendique pour sa philosophie est vrai de toute authentique philosophie: la forme ne se laisse pas séparer du contenu, la méthode ne peut être abstraite des vérités auxquelles elle achemine. Cette essentielle connexion, Merleau-Ponty nous la rappelle avec vigueur au début de son beau texte *Bergson se faisant*: «Il n'y a plus de philosophie si l'on regarde d'abord aux conclusions; le philosophe ne cherche pas les raccourcis, il fait toute la route».[1] La philosophie n'est pas comme un roman dont il suffirait de lire le dernier chapitre pour connaître le mot de l'énigme et qui ne présenterait pas d'autre intérêt. Il est certain que la pensée bergsonienne fixée en ses résultats principaux présente encore beaucoup d'analogies avec ce qui l'a précédée, c'est-à-dire surtout Ravaisson; elle perd alors presque toute son originalité; suivie au contraire dans les méandres de ses percées, de ses hésitations, de ses retours, elle est inimitable, irremplaçable, elle est elle-même. Il est plus facile pour un historien d'étudier un passé mort, immobile, ayant trouvé le repos; mais quand l'historien est philosophe et que son objet d'étude est une philosophie, il doit affronter la suprême difficulté au risque de tout rater: surprendre la pensée dans la vibration qui a donné naissance à son style, qui a dessiné ses contours. Merleau-Ponty nous montre la voie dans *Bergson se faisant*. Mais il avoue lui-même sa partialité dans le débat, nous met lui-même en garde; il nous prévient qu'il ne peut rendre son témoi-

---

[1] *Signes*, Paris, Gallimard, 1960, p. 230.

gnage en faveur de Bergson «qu'en disant comment il est présent dans notre travail».[1] Son aveu comme son choix sont bergsoniens: «Il n'y a pas d'histoire si ce n'est par le dedans» confie Bergson à Jacques Chevalier.[2] Ainsi le Bergson de Merleau-Ponty sera-t-il aussi contestable, aussi partial que le Ravaisson de Bergson. Il nous aidera à nous orienter, même si ses indications doivent être parfois corrigées, tout comme le Ravaisson «bergsonifié», en éveillant nos critiques, nous a forcé à redresser le portrait philosophique du maître méconnu. Sans doute faudra-t-il à la fin faire un bilan, départager les avis, ébaucher un jugement, mais heureusement sans trop d'illusions: Valéry prétendait n'apprécier que les livres qui lui résistaient; de même pourrions-nous dire ici que la force de Bergson, c'est de nous résister encore, de se révéler rebelle aux classements, de pouvoir revivre à travers un Merleau-Ponty.

Redécouvrons donc Bergson, en grande partie grâce à Merleau-Ponty mais aussi par nos propres moyens, voyons ce que devient la réalité substantielle de la métaphysique classique, et ses visages: le moi, Dieu, le monde. Exposant dans l'*Introduction à la Métaphysique* les principes de sa méthode, Bergson énonce d'abord celui-ci: «*Il y a une réalité extérieure et pourtant donnée immédiatement à notre esprit*».[3] Y a-t-il là rien de révolutionnaire? Apparemment non, puisque Bergson prétend revenir au sens commun. D'ailleurs cette «réalité extérieure» ne désigne-t-elle pas en fait la *substance* déjà réhabilitée dans les *Données immédiates*? Assurément; mais le deuxième principe de l'*Introduction à la Métaphysique* n'est pas aussi rassurant; Bergson ajoute en effet: «Cette réalité est mobilité». Affirmation dont il s'empresse de préciser qu'elle ne mène pas au mobilisme universel: «Encore une fois, nous n'écartons nullement par là la *substance*. Nous affirmons au contraire la persistance des existences».[4] Nous voici donc en présence d'une réalité substantielle dont l'évolution n'exclut pas la persistance. C'est dire d'abord qu'on ne saurait lui attribuer l'éternité comme attribut, ou à la rigueur une «éternité de vie» qui ne serait plus caractérisée, comme dans la métaphysique classique, par la conservation indéfinie de l'identique, ensuite et du même coup qu'aucune perfection ne lui est attachée *a priori*, étant donné qu'elle est bien plutôt perfectionnement, c'est-à-dire, en définitive, création.

Examinons ces traits dominants de la substance bergsonienne. Le

---

[1] *Signes, op. cit.*, p. 231.
[2] *Entretiens* . . ., *op. cit.*, p. 55.
[3] P.M., p. 211. Souligné par Bergson.
[4] *Ibid.*, note.

refus, dans *L'Évolution créatrice*, d'attribuer de la fixité à l'absolu a été précédé par la critique dans les *Données immédiates* de l'application du «temps quantitatif» à la vie psychique, mais il s'agit du même rejet et de la même intuition : qu'on envisage la vie à l'état élémentaire ou à son sommet d'organisation et de raffinement, de toute façon la même carence de notre intelligence du temps apparaît à Bergson ; l'intelligence isole des simultanéités factices pour «étalonner» la durée vitale ; quant à l'éternité, elle est également oeuvre d'intelligence : une simultanéité prolongée indéfiniment, du présent concentré abstrait de toute condition de mesure ou de développement. Considérer toutes choses *sub specie durationis*, c'est se refuser à isoler certains de leurs éléments ou à les circonscrire elles-mêmes pour les mesurer à d'autres dans un espace idéal, c'est les saisir dans leurs modulations propres. Bergson nous dit ainsi des sensations qu'elles se fondent «les unes dans les autres de manière à douer l'ensemble d'un aspect propre, de manière à en faire une espèce de phrase musicale».[1] C'est encore au vocabulaire de la musique et de la poésie que Bergson a recours quand il veut qualifier la façon dont dure notre conscience : «La durée vécue par notre conscience est une durée au rythme déterminé ...»[2] La durée ne se révèle donc pas plus définissable que mesurable ; bien plus, sans qu'elle soit pour autant dissociable en parties ou comparable en chacun de ses points, elle n'est pas *une* ; il y a autant de manières de durer que de genres d'êtres, et même d'êtres ; la durée d'une conscience n'est pas celle d'un organisme vivant, et dans la sphère intersubjective la durée d'une conscience se confond d'autant moins facilement avec celle de la voisine qu'elles sont toutes deux plus originales. La durée nous offre, non des repères permettant l'identification des nouveautés ou des inconnues sous des notions générales, ou autorisant des analogies, mais des différences que les spécifications n'épuisent pas : «L'intuition – écrit M. Gilles Deleuze – est la jouissance de la différence».[3] Cela signifie-t-il qu'elle n'est que conscience de la différence ? La différenciation s'opère sur fond d'identité : elle reste oeuvre d'intelligence ; elle définit en cela une partie du parcours de l'intuition elle-même. Cependant nous ne croyons pas que l'intuition s'arrête à la vue de la différence ; ce serait en donner une définition encore trop logique, donc limitative aux yeux de Bergson. Lorsque l'intuition coïncide avec l'objet dans ce qu'il a d'unique et d'inexprimable, elle est à ce point elle-même le lieu de la différence

---

[1] D.I., p. 95.
[2] M.M., p. 230.
[3] *La conception de la Différence chez Bergson*, dans *Ét. berg.*, IV, p. 81.

qu'elle ne peut la poser comme telle; sur le moment elle est au contact de l'irréductible, du «tout autre», ce n'est qu'*a posteriori* qu'elle identifie la différence. Ainsi l'intuition de la durée ne se réduit pas à la conscience d'un délai, d'une étape, d'un développement, mais est elle-même durée en acte. Afin que notre propre intuition de la durée bergsonienne soit plus proche de la réalité qu'elle veut étreindre, ayons recours à une «image médiatrice» qui revient assez souvent sous la plume de Bergson : l'image, empruntée à la physique, de la contraction et de la dilatation. Il semble que pour Bergson la durée, comme la vie dont elle est la plus intime expression, représente une incommensurable détente d'énergie et qu'aux différentes étapes de sa «distension», jusqu'en chaque être, elle s'épanche et se disperse à des rythmes différents. Aussi l'intuition de la durée n'est-elle pas une contemplation arrêtée : elle débouche sur cet «espace du dedans ..., qui est le monde où Achille marche», comme le dit Merleau-Ponty.[1] Vue de la chose en elle-même, l'intuition lorsqu'elle s'étend à la mesure du Tout devient vision du monde en son intériorité ou, pour citer encore Merleau-Ponty, «restitution de toutes les durées ensemble».[2]

La restitution des durées qui sont des états changeants implique la révélation de la durée du Tout, c'est-à-dire de cette évolution générale que chaque durée ne faisait que suggérer. On découvre alors que si la vie est dilatation, c'est qu'elle est en profondeur expansion, que si la durée se révèle inépuisable, inconcevable en son fond, c'est qu'elle est création. Il ne suffit donc pas, pour caractériser la durée, de lui reconnaître un rythme propre, de la distinguer du temps des horloges, il faut lui attribuer la qualité-origine : la création. Si la durée ne résultait pas d'un jaillissement continu de nouveauté, nous dépayserait-elle autant, ne serait-elle pas plus facilement repérable et conceptualisable? Notre propre intériorité devrait être la plus facilement explorable; pourtant «mon état d'âme, en avançant sur la route du temps s'enfle continuellement de la durée qu'il ramasse; il fait pour ainsi dire boule de neige avec lui-même ...»:[3] par conséquent, même si je n'ai pas une vie psychique d'une intensité exceptionnelle, du fait même qu'elle est vie et durée, mon intériorité désarme la prévision. A plus forte raison, dans une âme d'artiste ou de poète, la durée n'est-elle pas simplement croissance par addition, mais expansion par invention. Tout se passe alors comme si la conscience faisait écho à une force souterraine dont les

---

[1] *Signes, op. cit.*, p. 232.
[2] *Ibid.*, p. 234.
[3] E.C., p. 2.

coups de bélier font craquer les cadres de l'intelligence; cette force, c'est pour Bergson l'énergie vitale elle-même. «Il est difficile – écrit-il – de jeter un coup d'oeil sur l'évolution de la vie sans avoir le sentiment que cette poussée intérieure est une réalité».[1]

Notre présent propos n'est pas de reprendre l'exposé capital de *L'Évolution créatrice*, mais d'établir dans quelle mesure la découverte du caractère «duratif» et créateur de la réalité en son fond dresse devant la métaphysique bergsonienne des difficultés particulières et la sépare de la métaphysique classique, notamment de Ravaisson. En effet, comment une métaphysique de la durée créatrice serait-elle possible si la métaphysique se réduisait à mettre en oeuvre l'intelligence qui fige et conserve? Il faut donc que la métaphysique soit aussi et surtout intuitive, qu'elle renverse le mouvement naturel de l'intelligence, qu'elle ouvre, dilate, et brise au besoin les concepts. Cette prise de pouvoir de l'intuition ou, si l'on préfère, cette intrusion de la durée créatrice dans le palais intemporel des idées s'opère-t-elle en continuité ou en rupture par rapport à ce qui précède? L'intuition vient-elle couronner la science ou la bouleverser? Cette question, nous l'avons déjà rencontrée quand nous avons traité de l'intuition, et nous avons montré qu'une interprétation par la continuité se révèle non seulement possible, mais est la plus profonde: l'interprétation de l'intuition comme couronnement a pour mérite de restituer au bergsonisme la profondeur nuancée; elle permet aussi de mieux relier Bergson à Ravaisson. Mais il faut avouer que les textes ne sont pas toujours aussi nets, et que l'intuition est souvent présentée comme bouleversement, arrachement, ce qui permet justement une lecture audacieuse du genre de celle de Merleau-Ponty. Sans doute la solution authentiquement bergsonienne, c'est-à-dire la plus conforme à la cohérence de la pensée de Bergson, est-elle la suivante: *tout dépend des domaines envisagés*. En art, l'intuition est plus arrachement que réflexion; dans une science humaine, par exemple la sociologie, l'intuition se révèle plus réflexive qu'extatique. S'il y a autant de durées que d'êtres au sein du monde en évolution où se dessine la modulation générale de l'évolution créatrice, il y a de même autant d'infléchissements et de nuances de l'intuition elle-même. Cette souplesse est dans la logique d'une philosophie qui a l'ambition de suivre les sinuosités du réel; elle peut apparaître aussi comme l'échec d'une entreprise qui se voulait positive et *précise*; au demeurant, nous avons déjà eu l'occasion de constater que les textes bergsoniens ne nous aident pas toujours à adopter

[1] E.S., p. 19.

le point de vue synoptique auquel nous venons d'aboutir: sans doute Bergson lui-même a-t-il reculé devant les conséquences révolutionnaires de ses premières intuitions.

* * *

Après avoir rappelé le trait principal qui distingue la métaphysique bergsonienne de la durée créatrice des philosophies précédentes, il nous faut maintenant engager plus précisément la confrontation entre cette nouveauté bergsonienne et la pensée de Ravaisson. Bergson indique lui-même dans un entretien avec Isaac Benrubi sur quoi lui semble porter la différence principale qui le sépare de Ravaisson: «On ne peut pas se représenter la perfection comme quelque chose de tout fait et de donné une fois pour toutes. C'est sur ce point en particulier que je me sépare de Plotin et même de Ravaisson. Tout au plus peut-on parler d'une aspiration vers le meilleur, c'est-à-dire vers quelque chose qui diffère de ce qui est donné à tel ou tel moment déterminé».[1] Ce qui est remarquable pour nous dans cette opinion, ce n'est pas tellement la dernière phrase – car nous savons que l'évolutionnisme vrai, tout comme celui de Darwin, s'en tient à la constatation et à l'interprétation de ce que Renan appelait la «tendance au progrès»,[2] c'est plutôt le rattachement de Ravaisson à la philosophie antique. Certes Ravaisson n'est pas confondu avec Plotin, mais il est placé dans la même perspective; quant à Plotin, il est choisi comme représentant la pensée antique achevée, c'est-à-dire comme couronnant et systématisant le platonisme. Si nous en doutons encore, reportons-nous au chapitre IV de *L'Évolution créatrice*, consacré à «l'histoire des systèmes», et plus spécialement à la partie concernant la philosophie grecque. Nous voyons que pour Bergson la métaphysique antique résulte des vues prises par une «intelligence systématique» sur l'universel devenir: elle exprime le «mouvement naturel de l'intelligence»;[3] c'est pourquoi nous secrétons encore aujourd'hui cette philosophie, nous la recréons malgré tout; c'est pourquoi aussi nous devons sans cesse combattre cette tendance par un recours à l'intuition. Si Plotin est cité plus haut par Bergson, c'est que la conception grecque «transparaît de plus en plus sous les raisonnements à mesure qu'on va de Platon à Plotin»; Bergson ajoute alors qu'il formulerait ainsi cette conception: «*La position d'une réalité implique la po-*

---

[1] *Op. cit.*, p. 78.
[2] Cf. R., p. 102.
[3] E.C., p. 322.

sition simultanée de tous les degrés de réalité intermédiaires entre elle et le pur néant.[1] Comment les anciens posent-ils la réalité? Non comme Bergson en précisant que «cette réalité est mobilité»,[2] mais, à l'inverse, en reconnaissant à l'être premier les qualités qui font à leurs yeux sa supériorité: le repos, la stabilité, la plénitude. Tout ce qui n'est pas l'être parfait, à savoir la plus grande partie de notre univers, y compris nous-mêmes, se situe par conséquent dans l'intervalle qui flotte, pour reprendre le mot de Platon, entre l'être et le néant. Que la perfection suprême exerce une attraction ou une impulsion, de toute façon elle prédétermine tout perfectionnement apparent: nous n'inventons jamais que l'ersatz de l'idéal, de même que notre temps n'arrive qu'à singer l'éternité dont il est la monnaie. Telle est, pour l'essentiel, l'idée que Bergson se fait de la philosophie grecque. Il y aurait là-dessus beaucoup à dire et à redire: Bergson schématise d'autant plus la pensée grecque qu'il croit qu'elle représente typiquement ce qu'il combat, la pure intelligence à l'oeuvre. Il ne nous importe pas d'entreprendre ici la critique, pourtant par ailleurs nécessaire, de cette interprétation bergsonienne, mais de comprendre que Bergson se sépare de Ravaisson *sur ce fond*. En s'opposant à la philosophie grecque, Bergson s'insurge aussi, et même peut-être surtout, contre son héritage. Or, qui plus que Ravaisson peut apparaître, en France, au XIXème siècle, comme l'héritier de la métaphysique grecque? Pour Bergson, la philosophie nouvelle doit progresser à *contre-pente*, contre la pente suivie naturellement par la philosophie dont Ravaisson s'est fait le porte-parole. Ainsi, la critique de la métaphysique grecque jette une lumière d'autant plus vive sur le rejet par Bergson de la métaphysique ravaissonienne que celle-ci lui apparaît comme une émanation de celle-là et qu'elle offre elle-même la meilleure documentation sur ses origines.

Du côté grec et ravaissonien s'offre à nous une philosophie dans laquelle l'être se déploie suivant ses lois propres, non au gré des caprices immanents à son développement, une philosophie dans laquelle le possible précède et prédétermine le réel; du côté évolutionniste et bergsonien, nous trouvons une vision du monde où l'être n'a d'autres lois que celles qui s'inventent au fil de son évolution et où le réel crée le possible. D'un côté, «la loi primordiale et la forme la plus générale de l'être» est, comme nous le lisons à la fin de *L'Habitude*, «la tendance à persévérer dans l'acte même qui constitue l'être»,[3] de l'autre il n'y a pas de loi

---

[1] E.C., p. 323. Souligné par Bergson.
[2] P.M., p. 211.
[3] H., p. 59.

primordiale fixe, il y a en l'être la puissance fondamentale de s'accroître et de créer, «l'acte même qui constitue l'être» est l'acte créateur. Est-il possible de concevoir contraste plus tranché? L'opposition constatée sur le problème de l'Évolution était le signe d'une divergence métaphysique dont nous découvrons à présent l'ampleur et la profondeur. Nous allons voir maintenant comment s'articule cette opposition quant à la structure métaphysique en général, comme en ce qui concerne ses principaux noyaux: l'organisation vitale par rapport au monde matériel, puis le moi, et Dieu.

Nous avons vu que Bergson résume la conception antique en affirmant que pour elle «la position d'une réalité implique la position simultanée de tous les degrés de réalité intermédiaires entre elle et le pur néant».[1] Cette conception est aussi celle de Ravaisson pour qui les «différences de degré» constituent le «caractère général des réalités»:[2] dans L'Habitude, c'est par de progressives gradations que la «seconde nature» est à l'oeuvre, il n'y a que l'abstrait qui ne connaisse pas de degrés; mais c'est une constante et même un des traits les plus originaux de son oeuvre que cette attention à souligner l'étagement continu de l'échelle des êtres; nous le voyons encore écrire dans Métaphysique et Morale que ce qui est résulté de la condescendance du Principe «remonte de degré en degré jusqu'à lui».[3] En ce sens, Ravaisson ne fait que transposer dans un langage moderne la métaphysique d'Aristote revue par le néoplatonisme: il est donc, pourrait-on dire, au centre de la cible que vise Bergson en reprochant à la philosophie grecque d'avoir établi les différences a priori dans l'être même. Il est vrai que Bergson ne semble pas renoncer aux degrés, mais – comme le remarque M. Deleuze – il y revient en leur donnant un sens différent: son idée est «qu'il n'y a pas de différences de degré dans l'être, mais des degrés de la différence elle-même»;[4] les degrés sont à comprendre en fonction d'une détente de la durée, non à partir d'une structure inscrite de toute éternité dans l'être. Autrement dit, il s'agit de savoir quelle est, dans la métaphysique traditionnelle et plus spécialement chez Ravaisson, la réalité qui, une fois posée, implique la position simultanée de tous les degrés possibles de réalité. C'est évidemment Dieu conçu comme être parfait à partir duquel se hiérarchise la structure ontologique. Il faut, par conséquent, préciser que la réalité suprême à travers laquelle s'opère la position de l'être n'est autre qu'une «éternité d'immutabilité», ce qui ne va pas sans

---

[1] E.C., p. 323.
[2] T., p. 107.
[3] Art. cit., p. 25.
[4] Ét. berg., IV, p. 109.

conséquences négatives aux yeux du philosophe de la durée créatrice; «une perpétuité de mobilité n'est possible – écrit Bergson – que si elle est adossée à une éternité d'immutabilité . . .»[1] La métaphysique ravaissonienne est ainsi adossée; Bergson refuse ce support qui prédéterminerait sa recherche; en ce sens, l'auteur des *Données immédiates* est philosophiquement athée. Donc le point de départ bergsonien est radicalement différent de celui de Ravaisson; du même coup, on peut se demander si la notion de *structure métaphysique* a encore une signification chez Bergson: il n'y a pas structure sans fixité des éléments et constance du rapport qui les lie; or Bergson prétend rejeter fixité et constance, saisir les choses dans leur mouvement, sans, il est vrai, perdre de vue ce qui reste permanent en elles. Aussi n'emploierons-nous ici le mot structure qu'en précisant ce qu'il devient: une structure en mouvement, une modulation telle qu'en connaît peut-être la musique contemporaine à condition de ne pas trop l'enclore dans un cadre sériel dont la pensée bergsonienne s'accommoderait sans doute mal.[2]

Que deviennent les principaux centres de référence dans cette mouvante structure? Le moi conscient était chez Ravaisson le centre perspectif qui nous offrait la vue décisive sur le véritable sommet de l'être: Dieu. Il ne reste pas chez Bergson le fondement de l'entreprise métaphysique au même sens. La conscience de soi n'est plus la pierre angulaire d'un édifice de certitudes; elle est le lieu à partir duquel va s'opérer l'approfondissement de ce qui est donné à la conscience dans une immédiateté qu'elle arrive à cerner, non à sonder. Il ne s'agit plus de bâtir comme Descartes une science absolument certaine; il s'agit d'être au contact de l'intériorité que les médiations dérobent à nos propres yeux. Le moi conscient reste un point de départ; il ne remplit son rôle que s'il s'ouvre à ce qui, en lui-même, le déborde et le dépasse. Il n'est plus le centre perspectif; la vision se renverse, le centre se loge au coeur du jaillissement vital. Selon Merleau-Ponty «c'est une grande nouveauté en 1889, et qui a de l'avenir, de donner pour principe à la philosophie, non un *je pense* et ses pensées immanentes, mais un Être-soi dont la cohésion est aussi arrachement».[3] Le sujet replacé lui-même dans la durée reste substance, mais au sens dynamique où l'entend Bergson. Désormais les frontières du moi deviennent indécises. C'est pourquoi l'on comprend l'inquiétude d'un thomiste naguère célèbre, le P. Sertil-

---

[1] E.C., p. 325.
[2] «Il y a des êtres, des structures, comme la mélodie, (Bergson dit: des organisations) qui ne sont rien qu'une certaine manière de durer» écrit MERLEAU-PONTY dans *Bergson se faisant, Signes*, p. 232.
[3] *Ibid.*

langes, et l'on admire qu'il ait songé à invoquer l'autorité de Ravaisson en la matière. Nous lisons en effet dans son article *Le libre arbitre chez S. Thomas et chez H. Bergson*: «On a relevé dans l'*Essai* (p. 132) cette définition qu'on trouve arbitraire: «Si l'on convient d'appeler libre tout acte qui émane du moi, et du moi seulement, l'acte qui porte la marque de notre personne est véritablement libre, car notre moi seul en revendiquera la spontanéité». C'est là, dit-on, ce que nous appelons spontanéité, et non liberté. Déjà Ravaisson, je l'ai appris récemment par une voie très sûre, avait redouté cette interprétation, mais pour sa part ne la trouvait pas équitable».[1] Ce qui est significatif, c'est que Ravaisson ait songé à cette objection: même s'il l'a finalement rejetée; cela indique qu'il était quelque peu dépaysé par une conception de la liberté, qui élargissait son domaine à la mesure même de l'approfondissement du moi. Si le moi ne s'arrête pas aux limites de la conscience, du même coup la liberté plonge ses racines plus profondément en nous, mais – par voie de conséquence – elle ne réside plus simplement dans le choix rationnel d'un sujet conscient.

Le moi bergsonien n'est donc plus le moi de la métaphysique classique: on doit le ressaisir dans la dynamique de l'évolution, comme prolongeant ou annonçant d'autres centres d'organisation. Bergson s'interrogeant dans *L'Évolution créatrice* sur la notion d'individualité ne trouve pas de raison pour «refuser d'y voir une propriété caractéristique de la vie».[2] Alors que Ravaisson nous semble pouvoir être classé parmi ceux qui posent d'abord la conscience et qui – comme l'écrit Bergson – «par un *decrescendo* habilement ménagé»[3] retrouvent la vie et la matière, Bergson lui-même part de la matière et de la vie, ou plutôt de l'inversion de la vie en matière, pour remonter en *crescendo* dans le sens où s'opère la poussée de l'élan vital, c'est-à-dire en fonction de l'organisation croissante. La conscience est comprise à partir du fond vital qui la rend possible, la soutient et l'entraîne, l'organisation vitale est appréhendée comme l'équilibre momentanément réalisé entre deux tendances antagonistes: «. . . dans le cas de l'individualité, on peut dire que, si la tendance à s'individuer est partout présente dans le monde organisé, elle est partout combattue par la tendance à se reproduire . . .»[4] A la limite, l'individualité se réduirait à un conflit de tendances. Chez Ravaisson au contraire le principe de l'habitude est inscrit dans celui

---

[1] *Le libre arbitre chez S. Thomas et chez Henri Bergson*, dans *La Vie Intellectuelle*, 10 avril 1937, XLIX, n⁰ 1, p. 254.
[2] E.C., p. 12.
[3] *Ibid.*, p. 191.
[4] *Ibid.*, p. 13.

de la vie qui reflète lui-même l'essence de l'esprit: «C'est ... dans le principe de la vie que consiste proprement la nature comme l'être».[1] Or, ce principe, c'est l'autonomie dont nous constatons les progrès, de degré en degré, quand nous montons dans la hiérarchie des êtres. Il y a donc complète opposition de perspective entre nos deux auteurs: Bergson considère l'organisation comme un arrêt momentané dans le flux vital: ce qui compte pour lui, c'est le mouvement; Ravaisson pense que l'organisation recèle le mot de l'univers et donne sa pleine signification à l'évolution passée, tout en faisant signe vers sa finalité: ce qui compte pour lui, c'est de remonter au principe du Tout, qui en est aussi le terme.

Mais Bergson, tout en refusant de prendre le Principe divin comme fondement, n'est-il pas contraint de s'acheminer vers lui pour aboutir dans *Les Deux Sources* à l'idée d'un «univers qui ne serait que l'aspect visible et tangible de l'amour et du besoin d'aimer»? [2] Avec le Dieu d'amour, Bergson ne retrouve-t-il pas le Dieu chrétien, le Dieu de Ravaisson? Sans doute retrouve-t-il le Dieu chrétien; il ne semble pourtant pas accepter de lui attribuer les qualités que lui reconnaît la «philosophie chrétienne». Bergson rejette le Dieu des philosophes; son Dieu, c'est celui des mystiques, or «le mystique ne s'inquiètera pas ... des difficultés accumulées par la philosophie autour des attributs «métaphysiques» de la divinité; il n'a que faire de déterminations qui sont des négations ...»[3] Prenons en effet quelques-uns des attributs principaux du Dieu chrétien tel que la métaphysique et la théologie tentent de le déterminer – la perfection, l'infinité, le caractère personnel, la puissance créatrice – et voyons si nous pouvons les appliquer au Dieu de Bergson. La perfection? Certes si Dieu est plénitude de vie, il est parfait, mais il «n'a rien de tout fait»:[4] nous avons vu que Bergson repousse justement l'idée de perfection parce qu'elle implique la référence à un plan ou à un quelconque *a priori*. Le Dieu de Bergson est-il infini? Il n'est assurément pas fini, mais sa non-finité n'implique pas nécessairement une infinité essentielle: «Le Dieu de Bergson – écrit Merleau-Ponty – est immense plutôt qu'infini, ou encore il est un infini de qualité».[5] Est-ce un Dieu personnel? Oui, si l'on pense qu'il n'y a ni liberté, ni *a fortiori* amour sans personnalité; nous savons cependant que la liberté bergsonienne a la fluidité même de la

[1] H., p. 7.
[2] D.S., p. 271.
[3] *Ibid.*, p. 267.
[4] E.C., p. 249.
[5] *Signes*, p. 239.

vie. Dieu est Amour: «à cette indication – nous dit Bergson – s'atta-
chera le philosophe qui tient Dieu pour une personne et qui ne veut
pourtant pas donner dans un grossier anthropomorphisme».[1] Tout indique que Bergson ne veut pas sombrer dans cet anthropomorphisme
et qu'il accepte l'idée d'un Dieu personnel. A la fin de la conférence
Le Possible et le Réel n'écrit-il pas que nous devons nous considérer comme des «maîtres associés à un plus grand Maître»?[2] Il reste que nous
disposons de fort peu d'éléments pour préciser les traits de la personnalité du Dieu bergsonien, par exemple on ne trouve ni approbation ni
critique de la doctrine de la Trinité. Étant donné que toute détermination est négation et que Bergson juge indigne de la vie d'y introduire
l'élément négatif autrement que comme inversion et déviation de sa
plénitude, Dieu ne saurait être dit et pensé que comme sur-affirmation
de lui-même et notre langage risque à son propos de rester tautologique. L'ambiguïté que nous venons de constater quant au caractère
personnel du Dieu bergsonien, nous la retrouvons lorsqu'il s'agit de
savoir s'il est ou non créateur. Bergson répond dans *L'Évolution créatrice*:
«Tout est obscur dans l'idée de création si l'on pense à des *choses* qui
seraient créées et à une *chose* qui crée, comme on le fait d'habitude,
comme l'entendement ne peut s'empêcher de le faire.»[3] Bergson aurait
donc récusé notre question, mal posée à ses yeux comme toutes les
questions de la métaphysique classique. Pour lui, affirmer le caractère
créateur de Dieu, ce n'est pas venir soutenir ou prolonger par des
arguments philosophiques la vision du commencement du monde proposée par la *Genèse*, ce n'est pas non plus se borner à affirmer que le
monde est créé, c'est plutôt suggérer que, la création étant le fond du
réel, elle ne se poursuit pas moins en Dieu que dans le monde. Si nous
voyons de nos yeux naître le possible, comment celui qui est à sa source
pourrait-il ne faire qu'enregistrer l'acquis? Donc Dieu est créateur en
tant que centre d'une création permanente, non parce qu'il a créé le
monde une fois pour toutes. Tentons maintenant de faire le bilan
de nos réponses à la question de savoir s'il est possible d'attribuer au
Dieu bergsonien les qualités traditionnellement reconnues au Dieu
chrétien. Nous constatons que Bergson, sur les quatre points examinés,
retrouve les vérités chrétiennes, mais en leur donnant un sens nouveau.
Qu'il s'agisse de la perfection, de l'infinité, de la personnalité ou du

---

[1] D.S., p. 267.
[2] P.M., p. 116. Cf. aussi «l'amour de Dieu pour son oeuvre, amour qui a tout fait, . . .»,
D.S., p. 248.
[3] E.C., p. 249.

caractère créateur, les attributs traditionnels peuvent s'appliquer au Dieu bergsonien, à condition d'être à ce point «dilatés» que le Dieu de la métaphysique classique ne soit pratiquement plus reconnaissable. Nous n'y retrouvons plus la différenciation, l'opposition aux créatures et au monde, qui nous semblent devoir définir Dieu: «Dieu ainsi défini – prétend Bergson –, n'a rien de tout fait; il est vie incessante, action, liberté».[1] Mais l'action, la vie, la liberté ne sont-elles pas, surtout chez Bergson, indéfinissables? Au lieu de dire «Dieu ainsi défini», Bergson aurait dû dire «Dieu ainsi indéfini...». C'est finalement à l'élan vital qu'on a parfois identifié – à tort, mais non sans excuses – le Dieu bergsonien: ne serait-il que l'élan vital divinisé? Il serait téméraire de le soutenir.[2] On a, cependant, quelque peine à reconnaître une personnalité divine absolument transcendante en ce centre d'où l'être et les êtres ne cessent de jaillir. Suffit-il que le panthéisme soit évité pour qu'un monothéisme strictement traditionnel soit incontestablement réintroduit? Il semble que le Dieu bergsonien ne soit pas pensable hors de la contingence radicale qui est attribuée au monde: la force qui l'a créé ne paraît-elle pas avoir agi «avec amour, pour rien, pour le plaisir»?[3] Certes, Bergson avait précisé, juste avant d'écrire ces derniers mots, que la nature était alors «vue du dehors»; envisagée dans l'unité de son mouvement, elle révèle une signification d'ensemble; mais cette finalité *a posteriori*, considérée à son tour comme une unité, un bloc, se voit-elle dégagée de toute contingence, ou ne constitue-t-elle pas elle-même, irréductible et monumentale énigme, la suprême gratuité? L'infléchissement qu'on relève dans *Les Deux Sources* ne suffit pas à faire du bergsonisme une philosophie chrétienne. Même lorsqu'on sait ce que recèle cette évolution tardive, on ne peut oublier le «physicisme» nu et sauvage de *L'Évolution créatrice* qui a pu faire dire à Merleau-Ponty que Dieu y était un «immense *ceci*».[4] Saisi à ce moment, le Dieu de Bergson, élémentaire, contingent, est à une incommensurable distance du Dieu de Ravaisson, Principe et Raison du Tout; envisagé à partir des *Deux Sources*, le Dieu de Bergson peut apparaître au

---

[1] E.C., p. 249.

[2] BERGSON lui-même s'est prononcé contre une telle lecture dans sa réponse du 12 mai 1908 au P. DE TONQUÉDEC, où il prend soin de distinguer la *source* créatrice de ses «courants» ou «élans» (E.P., II, p. 249). M. GOUHIER fait justement remarquer, à ce propos: «La distinction de créature à créateur est celle d'une énergie finie à une source intarissable d'énergie» (*Bergson et le Christ des Évangiles*, Paris, Fayard, 1961, p. 133). Mais, inversement, la relation de la «source énergétique» à ses courants est-elle *intégralement* traduisible dans les termes et les limites de la théologie classique?

[3] E.S., p. 24.

[4] *Signes, op. cit.*, p. 239.

contraire comme une restitution originale, quoiqu'encore incertaine, du Dieu chrétien. Le Dieu bergsonien ne se révèle donc pas moins ambigu que les autres «substances» repensées par Bergson en fonction de la durée. Avant de nous interroger sur la portée générale de cette ambiguïté, reconnaissons que rien de comparable n'existe chez Ravaisson: sa métaphysique nous est apparue comme déchiffrable de manière non équivoque, bien que toute énigme n'en soit pas pour autant absente. La situation s'est renversée depuis le début de notre recherche: nous croyions connaître Bergson, il nous fallait identifier Ravaisson; ceci accompli, le poids de l'interrogation s'est porté sur Bergson, non par hasard: c'est la restitution de la philosophie ravaissonienne dans sa pureté qui, par contre-coup, permet d'isoler plus clairement les points de rupture où se trahit l'insolite nouveauté de l'instauration philosophique tentée par Bergson.

* * *

A quoi sommes-nous parvenu? A vérifier que Bergson ne se sépare pas seulement de Ravaisson par sa méthode, qui se veut réellement positive, mais par les résultats auxquels il aboutit. Encore faut-il saisir ces résultats dans le mouvement même qui les fait jaillir de la méthode. Le paradoxe est ici que les résultats sont d'ordinaire fixes et définitifs, alors que rien d'essentiel n'est pour Bergson définitivement acquis. L'interprétation la plus fidèle à la dynamique interne du bergsonisme doit donc surprendre en sa naissance ce qui *résulte* de l'application la plus directe de la méthode. C'est dans ce sens que Merleau-Ponty nous a orienté, en nous aidant à *entendre* la métaphysique de la durée créatrice dans sa tonalité la plus originale. Nous avons pu établir ainsi que Bergson glisse, sous des mots connus, sous des termes consacrés, un tout autre sens: la substance devient qualité pure, replacée elle-même dans une durée qui ne se réduit pas à l'addition d'instants, mais, selon des rythmes infiniment divers, se révèle créatrice d'imprévisible nouveauté. Il en résulte que la structure métaphysique traditionnelle, traduite dans ce nouveau langage ou – si l'on préfère – dans la dimension de la durée, n'est plus guère reconnaissable: aux substances bien définies se substituent des durées en acte, des centres potentiels. De même que l'organisme vivant apparaît désormais comme un équilibre entre tendances, le moi se déploie comme un noyau de vitalité et en Dieu éclate la détente originelle de la vie.

Si nous sommes arrivé au résultat recherché en ce qui concerne la structure métaphysique, si nous avons pu voir se révéler une ambiguïté absente chez Ravaisson, il n'est pas douteux que le contraste apparaisse au moins aussi nettement en ce qui concerne les principes mêmes qui président à l'entreprise métaphysique. Nous avons vu dans la deuxième partie que ces principes sont plus ou moins implicitement présupposés par Ravaisson, mais indiscutablement fondamentaux pour l'édification de sa métaphysique. Le problème n'est pas si directement soluble chez Bergson. Les règles logiques, mais plus profondément le langage lui-même, sont marqués par leur origine: l'extension et la dispersion matérielles auxquelles doit s'adapter l'intelligence dans l'action. L'exigence de rationalité est donc le lot de toute action efficace; les principes rationnels, qui témoignent que cette exigence est satisfaite, constituent selon Bergson d'indispensables instruments. Cette genèse de l'intelligence à travers l'action, ce pragmatisme ne se trouvent nullement chez Ravaisson, pas plus que la notion de métaphysique naturelle, par laquelle est globalement caractérisée par Bergson la systématisation réussie de l'intelligence. Que la métaphysique naturelle soit inévitable, c'est indiscutable, Bergson le répète; mais cela signifie-t-il que ses principes soient fondateurs pour la vraie métaphysique? Oui ou non, la philosophie bergsonienne est-elle fondée sur la rationalité du réel, sur les règles de la logique classique, sur le *cogito*? Une nouvelle fois il nous faut répondre oui *et* non, comme lorsque nous avons vu que l'intuition est et n'est pas intellectuelle, que Bergson reprend et ne reprend pas les notions métaphysiques traditionnelles. Toujours, sous de nouvelles formes, se présente à nous chez Bergson le balancement, l'hésitation, la difficile coexistence – faut-il ajouter: la contradiction? – entre la nécessaire acceptation de l'intelligence et de la raison et leur non moins nécessaire dépassement. La vie est à chercher au delà du mot et du symbole: au-dessus du mot, il y a le sens; dépasser le symbole, c'est établir le contact avec la chose même. Et pourtant, le sens ne se laisse pas deviner sans le mot, le réel ne nous atteint d'abord que par la médiation du symbole. Toute rationalité est dans une correspondance asymptotique à la vie: d'un côté, elle n'est pas la vie; de l'autre, c'est elle qui renseigne le mieux sur la courbe vitale. Les rapports entre la métaphysique intuitive et la métaphysique naturelle sont à cette image: vue, si l'on peut dire, du coeur de l'intuition, la métaphysique naturelle représente le monde non seulement renversé, mais appauvri et schématisé; considérée de moins haut, elle constitue un tissu de repères et de références qu'il suffit de désymboliser ou de dépragmatiser pour obtenir la vérité pleine. Inversion du sens, la métaphysique naturelle doit être retournée. Bergson présente-t-il cette tâche comme difficile? Nullement: il s'agit de faire éclater les cadres logiques, ou encore de «dilater» les concepts. Cette image de la dilatation désigne on ne peut mieux le constant projet de Bergson: conserver et transfigurer. Respecter totalement la valeur des instances rationnelles tout en s'ouvrant au sur-rationnel, employer le langage de tous les jours et celui de la métaphysique classique en les élargissant à la nouvelle scientificité, respecter la société établie, ses prescriptions et ses règles, en y faisant pénétrer un courant mystique qui la métamorphose de l'intérieur. Ainsi, de même qu'un métal dilaté reste identique tout en changeant de forme et de dimension sous l'action de la chaleur, tout se passe chez Bergson comme si la raison, sans rien modifier quant à sa régulation interne, se voyait comme enrichie, gonflée de sens sous l'effet de la plénitude vitale lorsque se produit l'intuition et que se trouve inversé le mouvement naturel de l'intelligence. Sans la raison, sans sa résistance et sa solidité, comme sans le métal, aucune «dilatation» n'est possible: par conséquent, les principes rationnels et la métaphysique naturelle tout entière sont nécessaires et même fondamentaux. Nous parvenons donc à la conclusion suivante: contrairement à ce que peuvent faire croire certaines ambiguïtés, Bergson ne bouleverse pas la métaphysique dans ses principes essentiels, mais il prétend animer sa méthode, renouveler sa démarche, étendre au besoin son domaine. Il faut saisir en même temps les deux exigences apparemment contradictoires du bergsonisme: la conservation et la métamorphose. Ravaisson cherchait à adapter, à infléchir la métaphysique traditionnelle; son effort se situait modestement à l'intérieur de l'horizon défini par elle. Bergson, plus ambitieux, reprend tout à la base, dilate l'horizon lui-même; c'est par ce «détour» qu'il va retrouver, d'une certaine façon, ce que Ravaisson avait admis d'emblée. Prenons un exemple: en considérant que la pensée grecque exprime la métaphysique naturelle, en admettant qu'un tel genre de pensée est essentiellement inévitable, Bergson justifie après coup l'importance accordée à la Grèce par Ravaisson. Seulement, de simple modèle elle s'est transformée, sous le regard bergsonien, en ce qu'on pourrait appeler un *prototype négatif* réussi par l'esprit humain façonnant ses méthodes. En un sens, ce point de vue accorde, une fois pour toutes, à la tradition la valeur d'une inéluctable référence; plus profondément, ne reflète-t-il pas une schématisation trop rapide du passé, un refus de lui reconnaître son irremplaçable particularité, une complète méconnaissance des surprenantes et significatives mutations que recèle l'histoire? L'alternative «conservation-métamorphose» dans laquelle le bergsonisme s'est enfermé explique, à notre avis, l'oscillation constatée par M. Guéroult dans l'interprétation bergsonienne de l'histoire de la philosophie entre une «réfutation générale des doctrines passées» et leur «confirmation générale».[1] Si nous ne retenons que le chapitre IV de *L'Évolution créatrice*, l'histoire de la philosophie se réduit à la répétition et à la mutation d'un seul et même contre-sens que le passage, dans les Temps modernes, de l'explication causale à l'explication légale ne modifie pas quant au fond: toujours l'intelligence est à l'oeuvre. Si nous prêtons attention aux suggestions de la conférence sur l'*Intuition philosophique*, nous découvrons que toute philosophie possède au coeur d'elle-même un noyau irréductible d'intuition intraduisible et non réfutable; jamais l'intuition ne chôme. Mais dans quelle mesure la correspondance asymptotique entre l'intelligence et l'intuition, entre l'incompréhension et la compréhension de la vie demeure-t-elle constante ou évolue-t-elle? Que vaut par exemple l'intuition qu'on ne saurait contester au platonisme, si critiquable par ailleurs? Pourra-t-on résoudre ce problème par des raisonnements et des réflexions, ou se heurte-t-on à l'inexprimable, à l'ineffable? Voilà des questions auxquelles, semble-t-il, nous ne trouvons pas la réponse chez Bergson, et qui ne sont pas absentes du dialogue que nous avons tenté d'instaurer entre Ravaisson et Bergson. Car, devant le prédécesseur et maître comme devant la tradition philosophique tout entière, la position bergsonienne est ambiguë: réfutation? confirmation? Nous serions resté dans l'incertitude si nous nous en étions tenu à ce que dit Bergson sur Ravaisson: vis-à-vis de son maître, Bergson oscille entre l'annexion intuitive – dans la *Notice* – et le rejet – discernable dans différents propos que nous avons rapportés – d'une pensée représentant la restauration de la «métaphysique naturelle». Sans nous en tenir aux jugements bergsoniens explicitement consacrés à Ravaisson, nous avons entrepris une confrontation méthodique et suivie des deux philosophies. Nous avons ainsi vérifié *de l'intérieur* la vraisemblance de la filiation spirituelle qui unit Ravaisson et Bergson, en isolant d'incontestables rencontres entre les deux penseurs: le même refus du platonisme et du kantisme, de communes admirations, la recherche chez tous deux d'une méthode à la fois positive et spiritualiste, exigeant un dépassement de l'intellect dans l'intuition, permettant un contact de plus en plus étroit avec les réalités spirituelles et débouchant sur une

---

[1] *Bergson en face des philosophes*, Ét. berg., V, p. 28.

morale du don et de l'amour, inspirée de l'Évangile. Cependant, les limites qui viennent borner cette filiation nous sont également apparues: l'originalité du projet bergsonien de fonder une métaphysique prolongeant la science, héritant de son esprit et de sa méthode pour explorer le domaine spirituel, la nouveauté de cette métaphysique de la durée créatrice, ressaisie dans le mouvement qui lui est propre. Nous avions d'abord pu croire que convergences et divergences pourraient être directement confrontées et réduites les unes aux autres; mais nous n'avons rien découvert dans le chapitre II qui nous permît de réfuter ce que nous avions établi dans le chapitre I. L'appartenance de Bergson à la famille spiritualiste n'est concevable et soutenable que si les rapprochements légitimes, suggérés parfois par Bergson lui-même ne font pas oublier les disparités. Retrouvant son ascendance, le bergsonisme ne perd pas sa propre substance.

Nous croyons avoir répondu aux exigences formulées au début de cette partie: déterminer l'étendue et les limites vraisemblables de la filiation entre nos deux philosophes; mais, il faut encore, pour conclure, que s'éclaire l'ultime question: l'originalité bergsonienne paraît irréductible aux convergences relevées avec la philosophie ravaissonienne, mais la nouveauté du bergsonisme nous conduit-elle à un degré de profondeur incomparable avec ce qui a précédé? Bref, il s'agit de savoir si le projet bergsonien parvient à ses fins, si les résultats du bergsonisme sont à la mesure de ses promesses, en d'autres termes s'il faut reconnaître ou non à la philosophie bergsonienne une situation tout à fait singulière par rapport au spiritualisme, et spécialement à Ravaison. Rien n'indique que nous puissions prétendre atteindre un résultat indiscutable et que le débat ouvert ici puisse jamais être considéré comme clos.

QUATRIÈME PARTIE

CONCLUSION

*

SOURCES – BIBLIOGRAPHIE

CONCLUSION

De même qu'un généalogiste cherche, à travers de multiples documents, à authentifier la continuité d'un lignage, ainsi, toutes proportions gardées, nous avons tenté d'établir et de circonscrire l'unité d'inspiration entre des philosophies apparentées, et d'isoler le foyer principal du spiritualisme français. Cette généalogie ne prétend pas détenir le privilège de représenter la seule généalogie possible de tout ce courant de pensée: elle croit, cependant, en avoir envisagé l'axe principal dont les origines sont lisibles jusque dans la philosophie grecque et dont l'aboutissement nous concerne toujours – puisque le bergsonisme n'a pas encore cessé d'être «actuel». Dans ce va-et-vient constant, cet échange perpétuel entre le présent et les différents niveaux du passé, notre démarche a dû se faire circonspecte, se soumettre à un jeu d'épreuves et de contre-épreuves.

Pour qu'un bilan vraiment complet soit établi, une ultime contre-épreuve se révèle nécessaire: elle doit porter non plus sur les limites de la filiation Ravaisson-Bergson, mais sur les bornes de la nouveauté bergsonienne. La réalité de celle-ci, en principe évidente, a été prouvée *a contrario* par notre première partie. Plus généralement, nos deux premières parties avaient opéré une remontée de Bergson à Ravaisson. La reconstitution de la filiation qui lie celui-là à celui-ci nous ramène à notre point de départ, le bergsonisme, mais avec le bénéfice de notre inventaire critique: l'expérience qui a été menée doit permettre de reconnaître à la philosophie bergsonienne sa spécificité. La nécessité de remonter de Bergson à Ravaisson ne nous a pas paru compromettre la possibilité de la filiation. Le mouvement inverse, de Ravaisson à Bergson, ne doit pas nous faire croire qu'elle se trouve plus mise en cause. Ni l'originalité ravaissonienne ni l'originalité bergsonienne ne sont incompatibles avec une authentique filiation spirituelle.

*   *
  *

Au terme de notre recherche, nous voici bien loin d'avoir sur la philosophie bergsonienne une vision aussi définitive que sur la philosophie de Ravaisson. Alors qu'avec celle-ci il est clair que nous avons affaire à une tentative originale de restauration de la métaphysique classique, c'est-à-dire à une oeuvre nouvelle moins par le fond que par la manière de «placer la balle», la situation paraît plus incertaine en ce qui concerne le bergsonisme: d'un côté on y trouve plus d'un écho du spiritualisme ravaissonien, de l'autre côté on doit y découvrir le projet nouveau d'instauration d'une philosophie positive au contact de la science, on peut même y déceler avec Merleau-Ponty des accents phénoménologiques. La question essentielle ne porte plus sur la réalité de l'originalité bergsonienne; même si l'on juge illégitime l'interprétation proposée dans le dernier chapitre, on se voit contraint d'admettre que l'ambiguïté de certains textes bergsoniens la permet: ce qui était inconcevable dans le cas de Ravaisson. Le fait même que la discussion soit ouverte pour Bergson, non pour Ravaisson, suffit à assurer au premier un statut philosophique irréductible à celui du second; en poussant les choses à la limite, Bergson ne serait plus original que par son ambiguïté. La question essentielle ne porte donc plus sur le fait de l'originalité bergsonienne, mais sur sa *portée profonde*: avec Bergson la tradition métaphysique est-elle dépassée? La nouveauté bergsonienne est-elle à ce point fondatrice qu'on doive reconnaître qu'elle opère dans l'histoire de la pensée une mutation radicale?

La question est vaste et délicate; nous ne prétendons pas la traiter sous tous ses aspects; l'entreprise excéderait les limites du présent travail. Afin de ne pas nous perdre dans un inextricable dédale, saisissons le fil conducteur que nous offre Bergson lui-même lorsqu'il affirme dans sa communication de 1901 à la Société française de Philosophie que sa doctrine doit être «la plus empirique par sa méthode et la plus métaphysique par ses résultats».[1] Qu'est-ce à dire? Comment Bergson peut-il séparer la méthode des résultats, pour mieux les réunir finalement? Avouons que cette phrase étonnante mérite d'être envisagée dans toutes ses implications. Examinons d'abord ses conséquences les plus apparentes: en ce qui concerne la méthode, Bergson fait *a priori* confiance à la science; le caractère empirique de la méthode est en effet précisé un peu plus loin: «Je vois ... dans la métaphysique à venir une science empirique à sa manière, progressive».[2] Quant à ce qui touche les résultats, il en découle clairement que la finalité de la pensée

[1] E.P., I, p. 146.
[2] *Ibid.*, p. 147.

bergsonienne est métaphysique. Bergson n'a jamais prétendu le contraire – objectera-t-on –: qu'apprend-on par là de nouveau? Ce qui est
ici remarquable, à notre avis, c'est la manière subreptice et insuffisamment justifiée dont interviennent les résultats métaphysiques. La
question que Bergson ne pose pas est la suivante: comment d'une
méthode purement scientifique peuvent découler des résultats métaphysiques? L'absence de réponse à cette question, ou plutôt le fait
qu'on ne la considère pas comme digne d'être posée, est grave: cela
signifie que, pour Bergson, la métaphysique surgit tout armée, son
contenu tout prêt, sans que le philosophe ait à intervenir à ce sujet,
comme si la confiance faite *a priori* à la science suffisait à dispenser le
philosophe de donner une justification philosophique à son projet
total. Lorsqu'il assure qu'une méthode scientifique peut être la base
ferme où il appuiera l'entreprise métaphysique, Bergson formule une
proposition philosophique dans son essence, mais non reconnue comme
telle, puisqu'il l'admet sans discussion. Cette adhésion à la science,
sur laquelle s'appuie le «scientisme» de Bergson, pose à l'interprète une
énigme peu commune. Comment Bergson peut-il croire que d'une
méthode donnée peuvent sortir des |résultats qui *a priori* ne sont pas
de même nature qu'elle? Ce faisant, il se sert d'un instrument
réputé incontestable pour soutenir des vérités contestables. Comment
donc peut-il ne pas discerner à quel point, comme l'a montré Hegel,
l'interprétation instrumentaliste de la méthode philosophique reste
superficielle? Essayons de trouver dans son oeuvre un minimum de
justification: pour lui la science et la métaphysique ne sont pas essentiellement différentes; seul le domaine envisagé les oblige à se
séparer. Mais cette ébauche de réponse replonge dans le cercle que
nous mettons justement en question: l'identité essentielle admise au
départ entre la science et la métaphysique, qui facilite d'autant mieux
leur fusion en cours de route: une philosophie intuitive, lit-on dans *La
Pensée et le Mouvant*, «mettrait plus de science dans la métaphysique et
plus de métaphysique dans la science».[1] Ainsi, Bergson réduit d'autant
plus facilement le dualisme entre la science et la métaphysique que,
pour lui, il n'a jamais existé, puisque l'une des pétitions de principe
fondamentales de sa pensée est justement l'absence de remise en
question de la signification spécifique de la science par rapport à la
métaphysique. Bergson évite la question par un recours – toujours considéré comme allant de soi – à la distinction aristotélicienne entre

[1] P.M., p. 217.

forme et contenu: sous prétexte qu'il admet la différence incontestable des contenus métaphysique et scientifique, il fait accepter d'autant plus facilement la possible confusion des méthodes. Nous décelons ici ce qui constitue une des lois inapparentes, mais capitale, de la méthode bergsonienne: *le monisme de principe est la présupposition nécessaire au dualisme de fait*. Nous reviendrons sur ce point; soulignons que, dans le domaine qui est pour l'instant le nôtre, l'unité foncière reconnue *a priori* entre la métaphysique et la science est l'horizon implicite où se déploie la problématique bergsonienne de la «frontière commune» et de la collaboration entre métaphysique et science. Donc, pour Bergson, bien qu'il place dans la phrase-clef citée plus haut la métaphysique du côté des résultats, la métaphysique est *la première des données immédiates*. C'est son immédiateté fondamentale, mais non remise en cause, qui permet de dégager les immédiatetés essentielles – qualité, liberté, durée pure – de la gangue où nous les trouvons mêlées à la quantité, à la détermination intelligente, à la contamination de la temporalité par la spatialité.

L'immédiateté de la métaphysique, ne serait-ce que sous la forme omniprésente de la «métaphysique naturelle», vide de toute signification fondamentale le déroulement de son histoire. C'est pourquoi, sans doute, Bergson n'accorde qu'une importance limitée à la tradition philosophique. Selon l'expression de M. Gilson, les philosophes du passé n'ont été pour lui «que des cibles».[1] Or, non seulement il hérite de ladite tradition la métaphysique elle-même, mais il retrouve – sans, bien entendu, l'avouer – la *structure métaphysique* traditionnelle. Nous avons vu en présentant la métaphysique de la durée créatrice que la «structure métaphysique» était souvent difficilement reconnaissable, parce que les concepts traditionnels sont employés dans des sens nouveaux; mais nous n'avons jamais pu aller jusqu'à prétendre qu'elle n'était absolument plus identifiable. Même en suivant la lecture audacieuse de Merleau-Ponty, même si le moi est replacé dans la dynamique de l'évolution, même si Dieu est appréhendé comme un «immense ceci», la métaphysique de la durée créatrice se déploie suivant une structure onto-théo-logique: le fondement absolu soutient ce fondement relatif qu'est notre pensée. La métaphysique de la durée créatrice reste une métaphysique dans son principe, dans sa structure. D'ailleurs, où Bergson nous met-il en garde contre une interprétation traditionaliste des résultats de sa métaphysique? Tout ce que nous

---

[1] *Souvenir de Bergson*, dans R.M.M., avril-juin 1959, n° 2, p. 139.

savons de son évolution indique au contraire que le «Grand Maître» dont il approche au crépuscule de sa vie est le Dieu personnel du Christianisme. Et dans le débat déjà signalé avec le P. Sertillanges, Bergson prend bien soin de se disculper vis-à-vis de critiques qui n'ont de sens que dans la métaphysique la plus classique. Il est, par conséquent, regrettable que Bergson ne se soucie pas plus de la tradition philosophique, alors qu'il n'en est guère indépendant. Du fait de sa fréquente sévérité à l'égard de la tradition il devrait apporter plus de justifications que tout autre: l'appel à l'immédiateté est-il suffisant? Les interlocuteurs de Socrate, aux aussi, invoquaient leur conviction: Bergson a beau rendre hommage au rayonnement moral de Socrate, a-t-il jusqu'au bout affronté en lui-même l'intraitable questionneur?

Avant de faire le bilan de la présente critique et d'en dégager la portée, il nous faut encore voir comment s'articulent chez Bergson le dualisme démonstratif et le monisme de principe et tenter de comprendre quelle peut être l'expression la plus révélatrice de ce lien fondamental. Dès les *Données immédiates*, Bergson se meut dans un horizon de pensée dualiste: l'intuitif et l'extensif, le temps et la durée, la liberté et le déterminisme sont les couples principaux de contraires qui constituent ce dualisme; l'unité présupposée nous paraît celle du moi: qu'il soit superficiel ou profond, le moi est toujours nécessairement un. Nous lisons au début de l'*Avant-Propos* de *Matière et Mémoire* que le livre est «nettement dualiste», mais que, d'autre part, «il envisage corps et esprit de telle manière qu'il espère atténuer beaucoup, *sinon supprimer*, les difficultés théoriques que le dualisme a toujours soulevées»;[1] or, le dualisme sera d'autant plus facilement débarrassé de ses difficultés qu'il sera envisagé à partir de l'unité de l'esprit: «la perception pure, qui serait le plus bas degré de l'esprit – l'esprit sans la mémoire – ferait véritablement partie de la matière telle que nous l'entendons».[2] Dans *L'Évolution créatrice* l'opposition entre l'intelligence et l'instinct ou, si l'on préfère, entre la dispersion matérielle et le jaillissement vital s'explique par la retombée de la vie en matière: la genèse idéale de la matière établit l'unité foncière de l'être. Si l'on y prête attention, on s'aperçoit que Bergson, sous le couvert d'une reconstitution de l'évolution à partir des données de la science, nous demande d'admettre une hypothèse philosophique qui était déjà, explicitement, celle de l'idéalisme absolu: l'identité fondamentale de la matière et de l'esprit. Dans *Les Deux Sources* enfin, l'incessant contraste entre le clos et l'ouvert

---

[1] M.M., p. 1. Nous soulignons.
[2] *Ibid.*, p. 250.

pourrait faire croire qu'ils se font éternellement face, si l'on oubliait que le premier est la retombée du second et que celui-ci est le ferment – toujours à l'oeuvre – de l'unité du Tout, qui doit finalement l'emporter: entre la morale close et la morale ouverte, il y a «toute la distance du repos au mouvement»,[1] mais, comme celui-ci contient virtuellement celui-là, l'unité est implicite à une fausse dualité, puisque l'un des termes peut inclure l'autre.

Le dualisme a beau ne pas être le dernier mot de la philosophie de Bergson, il n'en règle pas moins le déroulement. Nous avons noté dans notre critique de l'interprétation bergsonienne de Ravaisson combien Bergson a tendance à durcir en brutales dichotomies des oppositions nuancées: l'autonomie de l'habitude est mécanisée de telle façon qu'on ne comprend plus la signification ontologique que lui attribuait Ravaisson; de même, le sens de l'oeuvre d'art est ramassé en un point idéal où le contact avec la forme elle-même s'estompe. Bref, Bergson sépare, ou distend, ce que Ravaisson maintient harmoniquement uni sous son regard philosophique. Pourquoi? Nous allons mieux le comprendre en nous reportant à la dualité bergsonienne du *mot* et du *sens*: «La vérité – lisons-nous dans *La Pensée et le Mouvant* – est qu'au-dessus du mot et au-dessus de la phrase il y a quelque chose de beaucoup plus simple qu'une phrase et même qu'un mot: le sens...»[2] Ici se révèle à l'état pur ce que nous avons appelé, dans notre première partie, l'esprit platonicien de Bergson: non sans paradoxe, quand on connaît la critique bergsonienne de Platon. Comment Bergson peut-il tomber dans le défaut qu'il flétrit? A notre avis, en habillant, en masquant l'idée platonicienne sous des apparences qui le trompent lui-même: ce qui est au delà du sensible, ce n'est pas simplement l'idée, c'est «moins une chose pensée qu'un mouvement de pensée, moins un mouvement qu'une direction».[3] Ainsi ce qui occupe l'au delà qui n'est plus le ciel des idées, c'est l'insaisissable, l'ineffable dynamisme de la vie. L'unité que suppose le dualisme est placée là, tout près de nous en un sens, mais en fait fort loin, parce que nous sommes les victimes du langage. La dualité du mot et du sens n'est pas une distinction parmi d'autres: elle reflète la brisure entre l'esprit et ses expressions, l'unité enfuie. Bergson croit qu'en plaçant l'essence de toutes choses dans le mouvement vital il évite le défaut capital du platonisme: la dissociation; sans doute rétorquerait-il à nos objections en montrant que, du fait du mouvement

---

[1] D.S., p. 56.
[2] P.M., p. 133.
[3] *Ibid.*

naturel de l'intelligence, il ne peut s'empêcher d'être lui-même platonicien, puisque, selon lui, nous naissons tous platoniciens, mais que ses propres distinctions doivent être à leur tour surmontées dans l'intuition. Qui ne voit que cette réponse ne ferait que repousser plus haut encore la dissociation que nous mettons en cause? Ce qui n'est pas étudié par Bergson comme une question digne de ce nom, c'est ce que signifie pour nous notre «naissance platonicienne»; ni la valeur ni la profondeur de l'interprétation du platonisme par l'intelligence ne sont suspectées, comme si le platonisme devait de toute éternité échoir à l'humanité dans son ensemble comme lot de son efficacité dans le monde matériel. L'*homo sapiens* platonicien naît de l'*homo faber*: cette inexorable genèse permet à Bergson d'être d'autant plus pessimiste sur le résultat de la genèse – l'intelligence et le langage – qu'il est plus optimiste sur son origine et sur sa fin, bref sur sa direction: la perpétuelle création de nouveauté.

La rupture entre le sens et le langage est à notre avis la marque la plus décisive de la brisure chez Bergson de l'unité du λόγος philosophique. Chez Ravaisson il y a encore une justification philosophique du Tout dans une théodicée: même si la raison doit être dépassée, elle l'est par la méthode d'analogie universelle qui est reconnue comme recélant la signification dernière de l'univers. Bergson dépossédant le langage et la raison de leur rôle ontologique, se voit contraint de rejeter en bloc leur justification au delà du langage, dans le bouillonnement vital; la théodicée est remplacée par la genèse idéale où la finalité du Tout se fraie, pour ainsi dire, un chemin grâce aux tâtonnements de l'élan vital dans ce monumental «roman de physique»: *L'Évolution créatrice*. En somme, du fait de la dépossession ontologique qui frappe le langage, la philosophie bergsonienne est écartelée entre la plénitude ineffable de la vie, quant au fond, et la pauvreté inévitable des dissociations de l'intelligence, quant à la forme, c'est-à-dire quant à la structure même qu'elle revêt. Faute de pouvoir justifier directement l'Un-Tout comme Ravaisson, Bergson reconstitue génétiquement la totalité: les résultats auxquels il parvient sont assez voisins, ce sont les «résultats méta-physiques» qu'on pouvait attendre; en ce sens, *L'Évolution créatrice* est une théodicée qui n'ose pas dire son nom. Reste le détour de la méthode «positive»: aux yeux de Bergson, elle ne se réduit pas à un détour; elle est l'essentiel. Mais lorsqu'on juge une philosophie, on ne peut se borner à tenir compte de l'intention de l'auteur: on se voit contraint de sonder la profondeur et la cohérence de son projet philosophique. Or, comme nous venons de le voir plus haut,

Bergson nous demande d'admettre comme acquises et allant de soi
d'apparentes évidences qui décident en fait de tout le reste: dès qu'il
adopte une méthode réputée scientifique pour parvenir à des résultats
philosophiques, il accomplit une démarche dont la finalité oriente
rétrospectivement tous ses préalables. Un observateur impartial se
comportant en phénoménologue des systèmes peut découvrir deux
métaphysiques bergsoniennes: une métaphysique constituée à partir
de l'expérience et une métaphysique de la chute, se rattachant au
néoplatonisme;[1] nous avons retrouvé cette ambiguïté dans la métaphysique de la durée créatrice. En fait, cette ambiguïté n'est que la
traduction d'un enveloppement que Bergson ne maîtrise pas: l'implication d'un projet métaphysique traditionnel dans un projet scientiste, c'est-à-dire l'implication d'une métaphysique explicite dans une
méta-physique implicite. Peut-on maintenir qu'il y a ambiguïté? Il
nous semble que le dernier mot ne saurait revenir qu'au *projet du projet*,
à ce qui oblige Bergson à commettre dès l'abord une pétition de
principe. Autrement dit, ce qui nous paraît décider de la signification
du bergsonisme, c'est sa finalité, sa «pensée de derrière la tête»: la fin
nous semble en l'occurrence plus importante que les moyens; elle
décide d'eux; elle est, dès l'abord, invisible, mais présente dans leur
mise en oeuvre. C'est donc la métaphysique métamorphosée, mais
toujours présente, c'est la métaphysique avec ses exigences inévitables,
qui nous semble sortir victorieuse, indemne, d'un cheminement où
le poids de son histoire, où l'énigmatique vigueur de son langage ont
été considérés comme allant de soi. Bergson veut, avons-nous remarqué,
dilater l'intellect: la dilatation conserve et transfigure. Grâce au pouvoir
en partie immédiat de l'intuition, Bergson transfigure la tradition: c'est
dire qu'il en fait plus facilement accepter la conservation.

   Le bergsonisme nous paraît donc conditionné par le langage qu'il
emploie alors que lui-même n'accepte pas de s'y reconnaître intégralement; de même, il nous semble hériter plus qu'il ne le croit de
la tradition philosophique. Bergson, à proprement parler, ne nie pas
cet horizon premier: il prétend en dépasser progressivement les limites;
estimant que le passé ne prédétermine en rien le possible, il croit que la
création vitale peut bouleverser nos cadres et jusqu'à notre forme
d'existence. Comme le disait Jean Baruzi: «Dans la philosophie de
Bergson, il n'y a pas … et je ne crois pas qu'il puisse y avoir d'«ultime

---

[1] Cf. Claude Tresmontant, *Deux métaphysiques bergsoniennes*, dans R.M.M., avril-juin
1959, n° 2, pp. 180–193.

horizon». Bien plutôt il faudrait se représenter une suite indéfinie d'horizons, perpétuellement reculés».[1]

L'élargissement ainsi figuré est passablement ambigu : d'un côté, on rappelle sans cesse la possibilité d'une nouveauté radicale, de l'autre – c'est à notre avis le plus important – on corrige les perspectives anciennes en restant dans la même sphère de pensée et de langage. Dans *Les Deux Sources* Bergson affronte le formalisme et le sociologisme, dans *L'Évolution créatrice* le finalisme et le mécanisme, dans *Matière et Mémoire* le parallélisme psycho-sociologique, d'une manière plus générale l'idéalisme et le réalisme : c'est par rapport à eux qu'il accepte de se situer ; c'est sur leur terrain qu'il engage le combat, et n'est-ce pas sur leur terrain qu'il demeure finalement, tout en les ayant vaincus ? C'est ce dont Bergson a conscience, avec une particulière lucidité dans l'*Avant-Propos* des *Données immédiates* : «Quand une traduction illégitime de l'inétendu en étendu, de la qualité en quantité, a installé la contradiction au coeur même de la question posée, est-il étonnant que la contradiction se retrouve dans les solutions qu'on en donne?»[2] Mais ne fallait-il pas, pour l'éclairer à défaut de la résoudre, déloger la contradiction en pénétrant plus au coeur de la question? La défaillance à laquelle Bergson ne nous paraît pas échapper est la suivante: la perspective d'un dépassement de l'horizon traditionnel de la métaphysique sert, au sens strict, d'alibi pour couvrir l'absence d'une réelle remise en question de cet horizon qui reste le seul déterminant. Que celui-ci demeure, nous l'avons vu aussi bien d'après le langage employé que d'après les problèmes traités.

Le bilan de notre contre-épreuve paraît être le suivant: avec Bergson la tradition métaphysique n'est pas vraiment dépassée; la nouveauté bergsonienne n'est pas fondatrice au point d'opérer une mutation radicale dans l'histoire de la pensée. Les percées apparemment réussies par cette oeuvre ne font que métamorphoser le passé, sans en libérer. Pour l'avenir, la reconduction de la tradition, sous le couvert de sa transformation, nous semble la plus décisive.[3] Nous retrouvons ainsi, en quelque sorte, les frontières naturelles du bergsonisme: justement

---

[1] Dans le débat qui a suivi la conférence de M. HYPPOLITE, *Henri Bergson et l'existentialisme*, Réunion du 13 mars 1948, *Ét. berg.*, II, p. 214.

[2] D.I., p. VII.

[3] Même si l'on adoptait l'interprétation-limite de MERLEAU-PONTY, selon laquelle Bergson – quasi phénoménologiquement – «fait voir ce que peut être aujourd'hui une approche de l'être» (*Signes, op. cit.*, p. 241), notre thèse ne serait contredite que si l'on arrivait à montrer que la phénoménologie (de Husserl, voire paradoxalement de Merleau-Ponty lui-même) ne reconduit pas tacitement, en des points nodaux, l'apport de la métaphysique de la représentation.

parce qu'elles se situent au sein même de la métaphysique, elles ne sauraient se dénoncer d'elles-mêmes comme telles. Bergson n'a pas voulu dépasser la métaphysique en général, mais seulement une métaphysique prisonnière de sa pesanteur; en gros, il n'a rien conçu qui fût extérieur à deux orientations de la métaphysique: l'une trop facile, stérilisante, où domine l'intelligence;[1] l'autre plus difficile, étayée scientifiquement, en même temps qu'ouverte, grâce à l'intuition, sur la féconde plénitude de la vie. L'originalité bergsonienne se déploie dans ces limites qui sont, à peu de choses près, les mêmes que celles du spiritualisme antérieur. Tenons-en compte pour préciser maintenant nos conclusions, tant sur la filiation Ravaisson-Bergson que sur le spiritualisme français en général.

* * *

Le détour apparent que nous venons d'accomplir ne nous a, en fait, pas écarté de la confrontation entre Bergson et Ravaisson. En effet, si Bergson est beaucoup plus redevable à la métaphysique classique qu'il ne le prétend, il se révèle, du même coup, moins éloigné de Ravaisson que nous avons pu le croire à la fin de notre troisième partie. Cette correction n'a pu nous apparaître que parce que nous avons tenté de mettre les promesses du bergsonisme à l'épreuve des obstacles réels qu'il prétend dépasser: nous avons dû prendre une distance d'autant plus grande vis-à-vis du programme bergsonien qu'il se montre plus ambitieux. La philosophie de Ravaisson, quant à elle, est plus modeste; par exemple, elle ne prétend pas donner aux mots un sens nouveau; elle n'exige donc pas de nous le même «déploiement critique» que pour Bergson. Mais la constatation des limites effectives du bergsonisme n'ôte rien à son originalité: il faut distinguer entre l'originalité et la capacité de renouveler un horizon de pensée. Plotin fut original: a-t-il profondément bouleversé la métaphysique antique? De même, Bergson reste original par son style et l'application de sa méthode, mais ses résultats le ramènent, pour ainsi dire, dans le sillage de la tradition.

Les perspectives communes dégagées entre nos deux philosophes ne sont donc ni approximatives ni lointaines. A vrai dire, le fait que Bergson demeure, en profondeur, lié à la métaphysique ne suffit pas à le rapprocher de Ravaisson: on peut en conclure simplement qu'il

---

[1] «Ainsi s'expliquent l'unité et la simplicité géométriques de la plupart des philosophies, systèmes complets de problèmes définitivement posés, intégralement résolus». (P. M., p. 47).

n'y a pas de rupture radicale quant au fond. Il faut ensuite remplir l'aire ainsi ouverte: c'est justement dans ce cadre que les points de convergence précis, que nous avons relevés plus haut, doivent être resitués. Si l'on s'en tenait à l'échec du dépassement par Bergson de l'horizon métaphysique, des rapprochements aussi poussés avec Lachelier, Boutroux, Renouvier, et bien d'autres, seraient également possibles. Mais comment soutenir qu'il existe entre ces philosophes et Bergson les convergences qui singularisent le rapport de Bergson à Ravaisson? Ce serait s'en tenir, assurément, à une vision trop lointaine que de faire s'équivaloir les pensées de Ravaisson, Lachelier, Boutroux, Bergson. Il y a entre Bergson et Ravaisson une affinité plus étroite. Ravaisson distingue «Bergson seul»: seul par rapport à qui, sinon à ceux que nous avons nommés: Ravaisson reproche à Lachelier, Renouvier, Boutroux de supprimer la substance, «d'où résulte un universel phénoménisme».[1] Nous lisons dans un manuscrit inédit: «Phénoméniste, Renouvier devrait être déterministe comme Lachelier; c'est donc un esprit inconséquent, faible et non vigoureux comme on le dit toujours. Ce que Lachelier ne peut admettre, c'est dit-il, la substance: en cela conforme à Renouvier ...»[2] L'auteur des *Données immédiates* se distingue de ce lot, aux yeux de Ravaisson, dans la mesure où il sauve de la critique intellectualiste, par une critique plus rigoureuse et plus compréhensive, les fondements même de la métaphysique: le moi libre, la qualité, la substance. Autrement dit, alors que nous sommes tentés, de nos jours, de chercher le côté nouveau et quasi-révolutionnaire des *Données immédiates*, Ravaisson y discerne déjà les germes d'une restauration de *toute* la métaphysique. Si nous étions en droit d'inférer des quelques indications que nous avons une interprétation ravaissonienne de Bergson, elle serait en accord avec le mouvement qui mène directement aux *Deux Sources*: approuvant la fondation de la méthode philosophique sur l'expérience intérieure [3] elle verrait en celle-ci la preuve de la liberté[4] et assignerait, finalement, à la réflexion un aboutissement mystique;[5] ce serait la perspective permettant de mieux

---

[1] T., p. 114.

[2] Inédit *Fonds de Coubertin*.

[3] «Le fondement du jugement est la *Réflexion* sur nous (Bergson), non sur les idées seulement (Leibniz)». (*Fonds Devivaise*, ms. B: voir en appendice, A. *Manuscrits où figure le nom de Bergson*).

[4] «*Fouillée*. Il maintient le déterminisme pour le psychique, comme Leibniz: et c'est à quoi Boutroux ne répond pas. Bergson y répond, en ôtant aux prétendus motifs leur *aséité*, en les réincorporant à l'Esprit libre ...» (*Ibid.*, ms. L).

[5] Cf. cet inédit que nous avons déjà eu l'occasion de citer dans notre introduction: «Bergson par l'idée de Force approche de la vérité complète, *mystique*, car c'est le fond des Mystères». (*Fonds Devivaise*, ms. L). Dans le même texte, Ravaisson déplore chez Bergson une

considérer l'oeuvre bergsonienne comme un tout, mais en réduisant peut-être, du même coup, ses intuitions les plus suggestives et ses ambiguïtés irréductibles.

Le dialogue ouvert se clôt: au jugement de Bergson répond maintenant celui de Ravaisson. Ravaisson «bergsonifié» était plus novateur que nature, Bergson «ravaissonisé» serait plus traditionaliste qu'il ne peut vraisemblablement l'être. Il ne faut pas adopter strictement le jugement de l'un sur l'autre: Ravaisson n'est pas ce que prétend Bergson, celui-ci n'est pas exactement ce que croit Ravaisson. Mais peut-on se fier mieux au jugement que chacun porte sur lui-même? Ravaisson, à cet égard, se trompe sans doute moins sur son propre compte que Bergson.

S'il fallait en effet porter un dernier jugement critique sur Ravaisson, nous conviendrions – comme nous l'avons fait au terme de notre deuxième partie – que son spiritualisme n'échappe pas à maintes objections, en particulier à celle que lui-même élève contre l'idéalisme et qui peut se retourner contre son auteur,[1] mais qu'il a du moins réussi à être ce qu'il a prétendu représenter: il fut, selon l'expression de Thibaudet, l'homme de la tradition métaphysique vivante.[2] Comme le dit encore l'éminent critique, Ravaisson a su «abandonner élégamment» ses premières ambitions philosophiques pour l'archéologie, tout en restant fidèle à son idéal de jeunesse. En revanche, Bergson a visé beaucoup plus loin, il a voulu – comme nous l'avons constaté – concevoir et mener à bien une nouvelle instauration philosophique. A-t-il réussi? Il n'est sans doute pas possible de répondre définitivement à cette question. L'histoire du bergsonisme permet cependant de douter qu'une science du monde intérieur ait été vraiment fondée, que d'importantes recherches doivent encore s'insérer dans cette perspective

---

carence que *Les Deux Sources* ont comblée; après la lecture de ce livre, il n'aurait sans doute pas eu à noter ceci: «. . . au-dessus de tout la disposition initiale à *se donner*; fond et principe de la Causalité. Cela seul manque à Bergson: de là son âme intime prise (par lui-même) pour une nature inférieure, végétative».

[1] La synthèse idéaliste – lisons-nous à la fin du *Rapport* – n'est pas une vraie synthèse parce qu'elle conçoit le «principe de composition» de la matière sous la forme de la «notion générale d'une unité» d'où les différences sont exclues (cf. p. 241); la vraie synthèse part des différences spécifiques. Mais nous voyons Ravaisson concentrer aussitôt son attention sur le premier centre perspectif, «l'absolu de la vie intérieure», qui conduit à «l'absolu de la parfaite personnalité». Suivant le chemin tracé par Descartes, Ravaisson remonte du *cogito* à Dieu; cependant il semble considérer que le seul fait d'affirmer qu'il a affaire à des personnalités, à des êtres, non à des entités, le sépare radicalement du pur idéalisme, alors qu'en fait il n'en est pas si loin, comme le montre l'approbation qu'il accorde à la sentence de Lachelier: «la nature est comme une pensée qui ne se pense point, suspendue à une pensée qui se pense». (R., p. 90).

[2] *Le Bergsonisme*, t. 2, p. 221.

méthodologique. Ne voit-on pas la plupart des bergsoniens pressés d'oublier le côté «scientiste» de leur maître?[1] La tentative de Bergson a produit, pour l'instant, des effets inverses par rapport à ceux de l'instauration cartésienne: alors qu'on a retenu la méthode de celle-ci en mettant de côté nombre de ses résultats, les résultats bergsoniens ont éclipsé, en grande partie, la méthode qui les avait engendrés. C'est que le projet cartésien était d'une nouveauté absolue, tandis que Bergson n'a fait que *radicaliser* une idée qui était plus qu'en germe dans le «positivisme spiritualiste»: celle d'un élargissement de la rationalité philosophique, inspiré des exemples donnés par les sciences de la vie. Ravaisson, comme on l'a vu, n'a pas pris au pied de la lettre le côté positif de sa propre méthode; Bergson n'a eu qu'à le reprendre et le faire fructifier, avec talent et ténacité, pour donner, sur le moment, l'impression d'une totale innovation. En outre, des sciences neuves, dites humaines, ont assuré leur progression et fait valoir leurs titres; le champ scientifique s'est encore élargi, mais d'une manière qui ne correspond pas strictement aux frontières tracées par Bergson: la science se bornant à la matière, la philosophie la relayant pour l'approfondissement de l'esprit.[2] Même si l'on admet que les sciences humaines étudient l'esprit en sa matérialité, aura-t-on par là fécondé l'épistémologie nouvelle ou, simplement, adapté tant bien que mal l'antique distinction entre l'esprit et la matière à une situation à la fois inédite et subtile? L'évolution même des connaissances relativise donc l'instauration bergsonienne, sans compter que celle-ci s'est prolongée dans *Les Deux Sources*, de l'aveu de Bergson, d'une façon qui n'était pas nécessairement impliquée par les prémisses.[3] A cet égard, l'oeuvre de Bergson ne forme pas un tout dont les éléments se déploieraient toujours au même niveau, mais un ensemble complexe de virtualités diversement exploitées. Il est certain que *Matière et Mémoire*, le moins lu des ouvrages de Bergson, est aussi le plus digne de son ambition de positivité. Qu'on arrête le bergsonisme après *Matière et Mémoire*, on en aura une version certes plus modeste dans ses visées, mais plus dense et plus solide par la manière dont elles sont tenues.

Bien que la fondation bergsonienne nous apparaisse, ainsi, grevée

---

[1] «Pour un bergsonien, c'est l'aspect le plus fâcheux» a récemment déclaré M. Jean WAHL (*Nietzsche*, Cahiers de Royaumont, Philosophie n⁰ VI, Paris, Les éditions de minuit, 1967, p. 122).

[2] Voir P.M., p. 44.

[3] «Les conclusions que nous venons de présenter complètent naturellement, quoique non pas nécessairement, celles de nos précédents travaux». (D.S., p. 272). Cette prolongation, ainsi présentée, n'a rien d'illégitime, mais, en éloignant des bases positives, elle contribue à faire oublier leur rôle fondateur.

d'hypothèques, qui tiennent soit au développement même de l'oeuvre soit à l'évolution scientifique, il n'est pas question de prétendre trancher un débat qui reste ouvert.[1] Même en situant la pensée de Bergson dans le strict prolongement du spiritualisme ravaissonien, il faut reconnaître à la première une «charge» supplémentaire de potentialité, et aussi d'ambiguïtés, que ne possède pas le second.

* *
*

Dans leurs thèmes comme dans leurs limites, Bergson et Ravaisson se révèlent, en définitive, bien proches l'un de l'autre, ou du moins bien plus proches l'un de l'autre qu'ils ne le sont chacun de l'un quelconque de leurs contemporains. Que l'essentiel se saisit par intuition plus que par conception, que l'idée doit être soutenue et dilatée par le sentiment, que la philosophie trouve son couronnement dans une morale de l'amour inspirée de l'Évangile, tout cela leur est profondément commun. Nous avons eu maintes occasions de constater que les textes se répondent parfois avec une singulière proximité. Est-il si étonnant, dans ces conditions, que Bergson ait quelque peu mêlé ses propres pensées à celles de son maître? «Bergson ne comprendra Ravaisson – écrit M. Gouhier – qu'après être devenu bergsonien».[2] C'est pourquoi, ajouterons-nous, il a compris Ravaisson de manière si bergsonienne.

En revanche, ce qui est spécifiquement bergsonien, Bergson lui-même l'indique très clairement dans cette phrase de *L'Évolution créatrice*: «L'essentiel est la continuité de progrès qui se poursuit indéfiniment».[3] Cette continuité de progrès n'est pas seulement reconnue dans l'évolution des espèces, elle est identifiée dans notre vie intérieure. En plaçant l'absolue nouveauté du possible en nous, Bergson vient «dynamiser» la spiritualité classique. Désormais le monde s'invente en nous. Sans doute est-ce en cette intime union de l'intériorité à la durée créatrice, et par contre-coup de la conception à la spatialisation, que gît, en ce qu'elle a de plus irréductible, l'originalité bergsonienne qui

---

[1] Si Bergson ne se distinguait vraiment que par ses intentions et son style, ne devrait-on pas avoir pour lui une certaine sévérité? Il aurait su donner l'impression qu'il était un grand philosophe, alors qu'il n'était qu'un remarquable écrivain. Fut-il, comme l'écrivit Julien Benda à Robert de Montesquiou (cf. Philippe JULLIAN, *Robert de Montesquiou, Un Prince 1900*, Paris, 1965, p. 340), le «Rostand de la Philosophie»? Plus éclairant, dans une certaine mesure, serait le jugement d'André GIDE (*Journal*, 1er mars 1924, Paris, Gallimard, 1948, éd. de la Pléiade, p. 783): «Plus tard, on croira découvrir partout son influence sur son époque, simplement parce que lui-même est de son époque et qu'il cède sans cesse au mouvement. D'où son importance représentative».

[2] *Bergson et le Christ des Évangiles, op. cit.*, p. 35.

[3] E.C., p. 27.

n'exclut pas la proximité avec ce qu'elle veut dépasser ou renouveler. Il n'y a pas de formule magique qui donne la clef de la relation entre Bergson et Ravaisson. Il faut accepter de saisir à la fois l'unité et la différence – la différence dans l'unité – entre les deux pensées. Le plus bel hommage que nous puissions rendre finalement à Ravaisson, n'est-ce pas la constatation que sa pensée, mieux qu'aucune autre, permet d'épouser la démarche fluctuante du bergsonisme le plus intimement possible, jusqu'au point où surgit la plus personnelle nouveauté?

Parfois cette nouveauté s'enroule autour de l'ancienne vérité, comme une plante accrochée à une autre. Ainsi dans ce passage de L'Évolution créatrice où Bergson caractérise la vie comme «compénétration réciproque, création indéfiniment continuée», le premier aspect est ravaissonien, le second original. Une fois de plus, Bergson innove tout en s'attachant à conserver: il cherche à sauvegarder une pensée harmonique, soucieuse de l'unité du Tout; mais entre Ravaisson et lui quelque chose s'est brisé, l'acceptation directe de la tradition, le dialogue apparemment direct avec Aristote, avec l'idéalisme postkantien, l'équilibre entre le désir et l'ordre: chez Ravaisson le dynamisme créateur de la vie était encore maintenu dans les chaînes de l'ordre ontologique – dans L'Habitude – sous la forme du désir. Le désir, cette tendance préalable que supposent la prise de conscience et le sentiment de l'effort, c'est déjà l'Esprit lui-même, c'est l'Esprit prenant conscience de son infinité, c'est la subjectivité ouverte, non satisfaite par un savoir incomplet d'elle-même. La philosophie de Ravaisson n'est compréhensible que dans l'optique de la subjectivité absolue. C'est dire que l'insatisfaction de l'Esprit s'y trouve absoute, délivrée, dans la reconnaissance de l'harmonie du Tout: dans l'objectivité absolue d'une hiérarchie, d'un universel équilibre.

Ravaisson et Bergson sont donc séparés, si extraordinaire que cela puisse paraître, par une différence d'époques: chez le premier la métaphysique s'achève en une totalité préservant à la fois la beauté et la rationalité du monde, chez le second la pensée, liée encore à ce passé, voudrait s'en délivrer, s'abandonner à l'inquiétante et exaltante pulsation de l'Être libéré de tout cadre. Mais quelles contraintes nouvelles impose cette libération? Il semble que, faute de pouvoir même poser la question, la pensée bergsonienne se heurte encore à un avenir fait de passé comme à une vitre si transparente qu'on la prend pour l'air libre.

*   *
*

En démontrant, principalement à travers la pensée de Ravaisson, les attaches traditionnelles de l'instauration bergsonienne, notre enquête généalogique a permis de mettre de côté le sens large et trop indéterminé du mot *spiritualisme*, de préciser ce qu'il recouvre en fait et de vérifier l'unité d'inspiration qui a animé naguère les représentants les plus éminents de la pensée française. Comme il se doit, cette généalogie a retenu essentiellement ce qui atteste la continuité, l'existence d'un patrimoine commun. Cependant, en quittant cette famille, qu'il nous soit permis d'élargir un peu l'horizon et de prendre en considération, d'une seule vue, tout ce que le spiritualisme exclut, afin de faire apparaître, une dernière fois, en toute clarté, ses frontières. Nous découvrons, alors, non seulement des doctrines caractérisées trop grossièrement comme matérialistes, scientistes, etc., mais surtout les plus grands noms qui, dans le domaine de la pensée, ont bouleversé les anciennes voies et ouvert de nouveaux champs de recherche. En retrouvant, sur de nouvelles bases, la constatation faite dès l'introduction, nous sommes amené naturellement à reposer la question, déjà sousjacente à travers toute notre étude: comment se fait-il que le spiritualisme français, même sous sa forme bergsonienne, soit resté à l'écart des grandes révolutions spéculatives de l'époque moderne? A défaut d'être en mesure de donner une réponse tout à fait exhaustive à cette aporie, on peut tout au moins indiquer la direction qui permettrait de mieux comprendre pourquoi le spiritualisme français ne va pas plus loin, ni plus profond, ou, si l'on préfère, pourquoi il ne *porte* pas plus loin. Si tel est le cas, il faut, semble-t-il, en chercher l'explication dans les présuppositions que nous avons relevées, dans les limites que nous avons marquées, qui constitueraient, selon notre hypothèse, autant de protections, de digues, ou même éventuellement d'oeillères, contre ce que le réel a de plus redoutable, de plus absurde ou de plus «négateur». Chez nos philosophes, l'angoisse est d'emblée désamorcée, l'être même surabonde comme si le rien n'ouvrait aucun vide corrosif, la violence, le mal, les médiations matérielles apparaissent comme des détours devant être au maximum raccourcis, vu leur peu de poids ontologique; bref, même si un regard souvent lucide analyse les faits, les conclusions sont toujours, pour ainsi dire, happées par un optimisme de principe, qui verrouille toute inquiétude ultérieure, tout échec désespérant. Bergson, Ravaisson, et ceux qui leur sont apparentés, se révèlent des «philosophes sauvés» et qui, si l'on veut bien excuser la formule, se sauvent et se dérobent sans doute trop vite, grâce à leurs principes mêmes, devant les plus agressifs obstacles. Pour l'un, c'est l'élan, pour l'autre, c'est l'amour, qui viennent tourner les difficultés, résoudre la matérialité, englober le partiel dans le total et tout embrasser sous l'unité d'une finalité dynamique ou statique; en un mot, par ces philosophies tout est en puissance *sublimé* au sein du fondamental élan d'amour devant lequel font écran aussi bien la perception que l'entendement ou l'intelligence.[1] La sublimation en psychanalyse ne fait pas s'évanouir les pulsions inférieures, elle ne les «résoud» pas non plus: elle opère leur dérivation du matériel vers le spirituel ou les buts altruistes; ainsi, *mutatis mutandis*, le spiritualisme réussit, sur de solides bases métaphysiques, à métamorphoser ou transposer[2] les dissonances trop criantes du réel en un registre où elles se trouvent traduites dans des termes moins irréductibles. Un exemple particulièrement signifiant, celui du néant, devrait prendre cette sublimation, en quelque sorte, sur le fait.

L'idée de néant nous semble l'obstacle secret auquel Ravaisson et Bergson se sont heurtés: cette idée, qui est souvent, selon Bergson lui-même, «le ressort caché, l'invisible moteur de la pensée philosophique»,[3] nous paraît jeter, comme à contre-jour, une clarté singulière sur les pensées que nous avons étudiées. Pour Ravaisson, Dieu étant l'auteur de tout, a créé aussi le néant: il est donc évident que ce néant n'est pas un *nihil negativum*, un néant absolu, mais «ce néant relatif qui est le possible».[4] Ravaisson ne rejette donc pas l'idée du néant comme une «pseudo-idée»; se situant dans la tradition du *Sophiste*, il l'assimile à l'Autre, à la matière, au possible. Mais Bergson prétend, une fois de plus, «tourner» la métaphysique; dans la célèbre critique de l'idée de néant, il croit montrer que la question du néant est un faux problème dont le philosophe moderne doit faire l'économie. Selon lui, l'idée de néant ne contient pas moins que l'être, elle implique au contraire plus, parce qu'elle nécessite «du côté subjectif une préférence, du côté objectif une substitution».[5] L'idée de néant absolu se révèle ainsi non seulement relative à une plénitude existante, mais dérivée d'elle: elle est la marque d'un creux, d'un vide dans l'action; elle ne vaut rien pour elle-même. Du néant Bergson passe à la négation et son «prétendu pouvoir»:[6] de même qu'il avait réduit le rien à l'absence temporaire ou

---

[1] Ce qui est particulièrement sensible dans cet inédit de Ravaisson: «Bergson: la perception divise pour utiliser et ainsi tue, θεωρίας ἕνεκα; fait des choses, des machines». (*Fonds Devivaise*, ms. L).
[2] Ou encore *dilater*, verbe revenant souvent sous la plume de Bergson, comme nous l'avons déjà remarqué.
[3] E.C., p. 275.
[4] R., pp. 262–263.
[5] E.C., p. 282.
[6] *Ibid.*, p. 286.

imaginaire, il ne comprend la négation que comme le refus d'une affirmation possible; il ne lui est, alors, plus difficile de la présenter comme une affirmation sur une affirmation, non sur l'objet même. On voit que la négation perd tout contact avec l'être, tout rôle ontologique; elle n'est plus que quelque chose «de subjectif, d'artificiellement tronqué, de relatif à l'esprit humain et surtout à la vie sociale».[1] Si nous nous arrêtons quelque peu, mais encore trop peu, sur ce point, c'est que nous nous trouvons là devant le biais qui permet à Bergson de prétendre «court-circuiter» la question essentielle de la méta-physique: «Pourquoi quelque chose existe-t-il plutôt que rien?». «Comment opposer... l'idée de Rien à celle de Tout? Ne voit-on pas que c'est opposer du plein à du plein?...»[2] Le *Sophiste*, la *Logique* de Hegel et bien d'autres méditations scrupuleuses seraient ainsi tissées avec des «fantômes de problème», avec des mirages dérivés d'actions ratées? Ou Bergson ne pourfend-il pas un fantôme qu'il a lui-même créé pour remplacer la véritable question? Nous adopterons cette dernière hypothèse pour les raisons suivantes:

1) Le fait que le néant est inséparable de l'être n'implique pas qu'il n'en soit que le produit imaginaire. Inséparabilité ne signifie pas forcément dérivation, surtout à partir de l'action – la démonstration de Bergson suppose, en effet, un pragmatisme qui demande à être justifié. Si l'être n'apparaît jamais sans le néant dans toute grande philosophie, on peut se demander si un fantôme aussi tenace et aussi inévitable ne joue pas un rôle plus essentiel que celui que lui assigne Bergson.[3] *A fortiori*, pour la négation, y-a-t-il plus de raisons pour affirmer que la négation est une affirmation au second degré plutôt que la contraire, à savoir que l'affirmation est toujours négation de la négation?

2) Bergson réintroduit subrepticement l'équivalent de la négation dont il prétend faire l'économie, sous la forme de «l'imprévisible nouveauté». Comment en effet percevoir la différence même, si l'Autre n'est pas posé comme différent? Comment parler de nouveauté si l'ineffable qualité change sans que cette mutation puisse être identifiée? C'est là oeuvre d'intelligence, dira-t-on; encore faut-il que le rôle

---

[1] E.C., p. 291.
[2] *Ibid.*, p. 296.
[3] Comme le dit M. Jean BEAUFRET, ce quelque chose = x qui précède et rend possible la représentation de l'étant n'est pas un rien de rien, mais «l'horizon encore vide d'une apparition possible de toute chose» (à la p. 97 des *Notes sur la Philosophie en France au XIXème siècle*, cours dactylographié, cf. *Bibliographie*, note liminaire). Voir également, du même auteur, *La pensée du néant dans l'oeuvre de Heidegger* (*La Table Ronde*, nº 182, mars 1963, pp. 76–81).

essentiel de la négation dans l'intelligence et la portée ontologique de cette dernière soient pleinement reconnus. Est-ce le cas chez Bergson?

Lorsque Bergson opère la genèse idéale du néant, comme il l'a fait pour la matière et l'esprit, ce n'est plus seulement un dualisme qui découle d'un monisme de principe, c'est la source même du dualisme, c'est la logique en son fond qui deviennent tautologiques. Mais Bergson ne peut évidemment pas s'en tenir à cette logique tautologique; c'est pourquoi il réintroduit sans crier gare la diversité, l'altérité, bref l'élément négatif, grâce à la reconstitution génétique du Tout. Le rapport avec Ravaisson apparaît dès lors clairement: la philosophie de Ravaisson rend compte du néant au sein du Tout, sous la forme du possible; la philosophie de Bergson récuse l'idée de néant, mais la retrouve en quelque sorte devant elle à son tour, dans le possible, dans ce vide ouvert devant nous, cet avenir qui sollicite la création. Aussi, bien qu'il renverse le rapport du possible au réel, Bergson ne se débarrasse pas aussi facilement qu'il le croit de l'idée de néant.

Nous constatons donc, une dernière fois, que le cas de Bergson n'est pas à dissocier fondamentalement de celui du spiritualisme antérieur. Pour Bergson, comme pour Ravaisson, l'être est placé en son fond à l'abri du néant et de la négation, dans une puissance surabondante d'affirmation: chez Ravaisson, Dieu créateur de tout, même du possible; chez Bergson, la vie créatrice de possible, au point de pouvoir être assimilée finalement à Dieu. Risquons maintenant de placer dans un éclairage plus soutenu la question que nous avons posée: si Bergson et Ravaisson n'ont pas été plus loin, c'est que le déploiement de leurs philosophies exclut l'affrontement nu de l'être et du néant, c'est que la détermination est pensée contre la négation, et non en fonction d'elle. La situation est à cet égard plus claire chez Ravaisson où la négation a, malgré tout, un statut philosophique, alors que pour Bergson elle est le scandale dont l'intelligence doit trouver la contre-partie dans l'intuition.

L'exemple du néant confirme donc finalement que la pensée bergsonienne, bien qu'elle réussisse le plus souvent à donner le change, est à comprendre dans le même sillage que le spiritualisme le plus traditionnel. Ce spiritualisme, quelle que soit la perspective selon laquelle on l'envisage, se tient à l'écart des grands bouleversements qui mettent en cause la tradition, quand il ne s'oppose pas à eux. Certes, il y a mille façons d'attaquer la tradition, et elles ne sont pas toutes heureuses, ni fécondes. Cependant, il est frappant qu'il ne puisse y avoir accueil mutuel, échange enrichissant entre ce spiritualisme

d'une part, et, par ailleurs, les grandes pensées actuellement dé-
terminantes: celles de Hegel, Marx, Nietzsche, Freud, Heidegger.
Qu'il s'agisse de la compréhension de la totalité vivante à travers ses
contradictions, de l'enracinement de celles-ci dans les conditions socio-
économiques, du renversement de toutes les anciennes valeurs au nom
de l'essence de la vie, qu'il s'agisse du rôle de la sexualité et de l'inconscient dans notre existence, ou enfin, plus radicalement encore, de
la mise en question de l'emprise de la métaphysique sur notre langage
oublieux du sens de l'être, de toute façon, le risque est grand de ne
jamais avoir à croiser, ni, *a fortiori*, à rencontrer le spiritualisme, à
nouer le dialogue avec lui, même sous sa forme bergsonienne. A l'opposé, un thomiste aussi rigoureux que M. Gilson n'hésite pas à rendre à
Bergson un hommage sincère se rapportant non seulement à l'homme,
à son influence, mais au fond même de sa doctrine: «Pour la première
fois depuis des siècles – écrit-il à propos de l'*Essai sur les données immédiates* – la métaphysique osait livrer une bataille décisive, et la
gagnait».[1] Ce jugement hyperbolique mérite attention: Bergson y est
confondu avec la métaphysique elle-même; mieux: avec la métaphysique combattante et conquérante. Quelle métaphysique? de-
mandera-t-on: la métaphysique éternelle, celle, justement dont le
spiritualisme de Maine de Biran a commencé la restauration dès le
début du XIXème siècle, en prouvant et en éprouvant quasi expérimentalement la liberté, en dégageant l'esprit du déterminisme et du
mécanisme, en remontant à la source divine de toutes choses. Cette
métaphysique que Bergson, selon M. Gilson, rend enfin victorieuse,
c'est celle même que nous avons suivie patiemment à la trace, c'est
cette lignée dont notre généalogie a montré la continuité profonde. En
cet honneur rendu à Bergson, voici donc pour notre thèse une nouvelle
confirmation qui a du prix.

Il est certain que le bergsonisme apporte peu aux plus audacieux
défricheurs; en revanche, il offre une «structure d'accueil» toute prête
à beaucoup de traditionalistes. Cela n'est pas dû au hasard: les uns et
les autres ont des raisons de trouver leur bien ici ou là. Au terme de
cette généalogie, on saisit sans doute mieux à quel point cette situation,
surprenante au premier regard, est tout à fait logique et normale. L'incertitude ne devrait plus être permise: la «légitimité» métaphysique du
bergsonisme est reconnue; inversement, sa capacité de féconder
l'esprit moderne se révèle moindre qu'on ne le croit généralement. Ce

---

[1] *Le philosophe et la théologie*, Paris, A. Fayard, 1960, p. 134.

n'est pas l'être que Bergson a remis au présent,[1] c'est simplement, pour un temps, le spiritualisme.

* *
*

Chez les philosophes dignes de ce nom, le style n'est pas séparable du fond. Sous l'admirable tenue lucide et posée du style bergsonien, on devine une tension contenue, une nervosité attentive; sous les abandons, et parfois les négligences, de Ravaisson, on sent une sécurité, une sérénité plus assurées. L'homme moderne qui refuse les anciennes certitudes tout en les regrettant parfois, dont l'horizon est fait d'objectifs sans cesse à dépasser, cet homme, optimiste de principe, pessimiste de fait, peut encore être bergsonien. En quoi Ravaisson peut-il le toucher? Un retour pur et simple à cette philosophie du XIXème siècle serait sans doute aussi déplacé qu'une restauration de la métaphysique grecque, mais peut-être pouvons-nous y déceler des qualités dont la pensée d'aujourd'hui manque: réserve, recueillement, délicatesse. Nous voudrions en trouver un témoignage dans une très courte note critique, inédite, de Ravaisson sur *Le Rire* de Bergson: «Le rire est près du sourire, ce que Bergson omet».[2] L'analyse bergsonienne du rire est vivante et ingénieuse, mais elle schématise: il est vrai que le rire est retour triomphant, victoire de la vie sur l'automatisme; cependant, à force d'être jaugé en fonction du mécanisme dont il est la sanction, le rire prend lui-même une allure blafarde, crispée; il risquerait de faire croire que la vie ne connaît pas des abandons purs. Que Bergson ne nous fasse donc pas oublier le message du plus éminent de ses maîtres: «C'est le fond de notre être que l'amour. L'enfant l'apprendrait d'ailleurs, si c'était chose qui s'apprît, du sourire de sa mère dont le poète dit:

Incipe, parve puer, risu cognoscere matrem».[3]

---

[1] Cf. *Signes, op. cit.*, p. 241.
[2] Inédit B.N.
[3] T., p. 101.

SOURCES

L'approche bibliographique, pas plus que l'étude elle-même, ne peut être menée suivant un strict parallélisme entre Bergson et Ravaisson. Qu'il s'agisse des travaux des auteurs eux-mêmes ou des ouvrages qui leur sont consacrés, la situation est différente dans les deux cas.

Les oeuvres de Bergson sont toutes publiées; elles se trouvent facilement, à part *Durée et Simultanéité* que nous avons consulté dans la deuxième édition augmentée (Paris, Alcan, 1923, in-12°, 289 p.) et la thèse complémentaire *Quid Aristoteles de loco senserit*, Lutetiae Parisiorum, F. Alcan, 1889, in-8°, 82 p., B.N. 8° [R. 9546. Mme Mossé-Bastide a publié la traduction de ce dernier ouvrage dans *Ét. berg.*, vol. II, 1949, pp. 5–104. M. André Robinet a publié dans *Ét. berg.*, vol. VI, des *Textes de Bergson*, premières rédactions qui n'avaient pu prendre place dans l'apparat critique des *Oeuvres*, et dans *Ét. berg.*, vol. VII, des documents sur deux conférences: *La nature de l'âme* et *Le problème de la personnalité*. L'ouvrage de M. J. Guitton, *La vocation de Bergson*, Paris, Gallimard, 1960, in-12°, 263 p., contient deux dissertations de Bergson à l'École normale. En outre, comme nous l'avons signalé d'emblée dans le tableau des abréviations, nous avons consulté les *Écrits et Paroles*, textes rassemblés par R. M. Mossé-Bastide, trois vol. in-8°, Paris, P.U.F., 1956–1959, et nous avons sans cesse utilisé l'Édition du Centenaire, *Henri Bergson, Oeuvres*, textes annotés par André Robinet, Introduction par Henri Gouhier, Paris, P.U.F., in-16°, XXXI – 1.602 p. Ajoutons encore que des manuscrits de Bergson se trouvent à la Bibliothèque nationale, à la Bibliothèque Mazarine, et surtout au *Fonds Bergson* de la Bibliothèque Doucet, place du Panthéon, Paris, où est poursuivi le regroupement de la correspondance.

Face à cette situation relativement claire, la bibliographie des sources ravaissoniennes apparaît très complexe. Les textes de Ravaisson, plus nombreux mais aussi plus divers que ceux de Bergson, sont pour la plupart introuvables en librairie et doivent être consultés en bibliothèque. Cet état de choses nous a imposé un choix en faveur de l'auteur jusqu'ici négligé. Notre revue des textes imprimés de Ravaisson est donc aussi complète que possible; nous n'avons cependant pas jugé bon de retenir des travaux ou des fragments ne présentant pas d'intérêt philosophique (catalogues de manuscrits et de bibliothèques, simples résumés des *Comptes rendus* de l'Institut, observations trop succinctes ou trop particulières présentées devant l'Académie des Sciences morales ou l'Académie des Inscriptions et Belles-Lettres). Quant aux manuscrits, très nombreux, passablement divers, ils sont d'autant plus difficiles à classer qu'ils ont été dispersés après la mort de Ravaisson et qu'ils sont seulement en voie de rassemblement: nous avons tenté de faire, avec le plus d'exactitude possible, le point de la situation des différents fonds.

Notre «bibliographie générale» regroupe les principaux travaux cités ou consultés par nous. Pour ce qui touche à Ravaisson, on se reportera avec fruit à l'*Appendice II* du livre de M. Dopp (pp. 351–361); notre bibliographie, en ce domaine, est sélective: nous n'avons mentionné que les travaux qui nous semblent encore dignes de retenir l'attention de nos jours. A plus forte raison avons-nous dû faire un choix dans la très abondante bibliographie bergsonienne: nous ne signalons ici que les ouvrages qui ont été pour nous, à divers titres, directement éclairants. Pour plus ample information, on se reportera aux travaux qui font autorité en la matière: à la fin de l'ouvrage de Mme Rose-Marie Mossé-Bastide, *Bergson éducateur*, la bibliographie de Bergson avec les grandes dates de sa vie, et surtout la bibliographie générale des études sur le bergsonisme (jusqu'en 1952 inclus) qui doit être complétée par le travail de M. Georges Mourélos (pour la période allant de 1953 à 1960) à la fin de *Bergson et les niveaux de réalité*, pp. 245–254, par la *Notice bibliographique* qui clôt le livre de M. Gouhier, *Bergson et le Christ des Évangiles*, ainsi que par les indications données par Mme Barthélemy-Madaule aux pp. 225–226 de *Bergson adversaire de Kant*.

Signalons, en outre, qu'une première version dactylographiée du présent ouvrage – intitulée *Ravaisson et Bergson* – a été couronnée en octobre 1966 par l'Académie des Sciences morales et politiques (prix Charles Lambert).

Par ailleurs, il faut souhaiter la prompte publication des *Notes sur la philosophie en France au XIXème siècle de Maine de Biran à Bergson*, Cours de M. Jean Beaufret, 1956–1957, dactylographie R. Vezin, 48 rue de la Santé, Paris.

I. TEXTES DE RAVAISSON

A. Sources manuscrites

§ 1) – On distinguait jusqu'ici dans les manuscrits de Ravaisson trois fonds principaux: le fonds Xavier Léon, le fonds de Coubertin, le fonds Bottinelli. Cette distinction est déjà en partie – et sera bientôt plus encore – dépassée: Madame Feldmann, fille de X. Léon, a fait don récemment de ses manuscrits à la Bibliothèque nationale; M. le Professeur Devivaise a l'intention de faire de même pour les textes en sa possession, qui proviennent principalement du fonds Léon et du fonds Bottinelli. Un fonds regroupant la grande majorité des manuscrits se trouvera donc prochainement constitué à la Bibliothèque nationale.

a) Les papiers actuellement à la Bibliothèque nationale (Don. 15827) ne sont pas classés. Ils sont contenus dans sept cartons. Voici, très sommairement, quel est le contenu des différents cartons:

1) Dans une enveloppe à en-tête de la R.M.M. : *Fragments de Manuscrits* (sur Speusippe, Xénocrate, Mars et Vénus, Mars Borghèse) ; dans une seconde enveloppe à en-tête de la R.M.M. : «*Archéologie – Travail sur la Vénus de Milo*».

2) Carton au contenu constitué de feuillets tardifs groupés par petites liasses annotées par une main qui n'est pas celle de Ravaisson.

3) Papiers regroupés comme dans le carton précédent ; en plus, une grosse chemise contenant des papiers divers (Intellect, Méthode, Vie, Générosité, etc.).

4) Manuscrits divers (petits feuillets).

5) *Id.*

6) Papiers portant sur des sujets archéologiques. Manuscrits d'un écrit sur la Vénus de Milo.

7) Papiers personnels (lettres de différentes époques, y compris la lettre de Schelling du 14 janvier 1838 et des lettres de Quinet, Correspondance publiée par P-M. Schuhl, R.M.M., 1936, pp. 487–506).

b) Les inédits, qui nous furent aimablement prêtés par Melle de Coubertin, ont été déposés depuis, avec son autorisation, à la Bibliothèque nationale (Don, 18842), groupés ainsi :

1) Novembre 1897 (Art, Enthousiasme, Mort) ; février 1898 (Art) ; juin 1898 (Esthétique).

2) Janvier 1897 (Science, Art, Morale) ; mars–octobre 1897 (Génie ; écrits divers sur l'art).

3) Textes de la même époque sur l'Art et la Beauté.

c) M. le Professeur Devivaise a bien voulu nous confier une partie de ses manuscrits avant de les déposer à la Bibliothèque nationale ; ces textes ont été classés par lui, d'après les sujets traités (Homère ; les dieux ; les monuments funéraires ; les mystères ; le culte des morts ; Thésée ; la Vénus de Milo ; Speusippe ; Aristote ; le Stoïcisme, etc.). Comme on le voit, ces inédits se rapportent tous, d'une façon ou d'une autre, à la Grèce, de même que d'autres manuscrits dont M. Devivaise nous a transmis les copies (trente pages de textes datant pour la plupart de 1860 environ).

D'après l'inventaire général que nous venons de faire, on constate que le difficile et long travail de classement ne sera possible que lorsque tous les manuscrits seront rassemblés à la Bibliothèque nationale.

§ 2) – Le manuscrit d'une oeuvre inédite de Ravaisson se trouve aux archives de l'Académie des Sciences morales et politiques : *De la Métaphysique d'Aristote*, Mémoire sur la question mise au concours par l'Académie des Sciences morales et politiques en 1833, in-4°, 281 p.

§ 3) – La masse de la correspondance inédite est dispersée dans neuf bibliothèques ou archives parisiennes (B.N., Bibliothèque V. Cousin, Sorbonne, Institut, Bibliothèque Thiers, Mazarine, Archives du musée Carnavalet, Archives nationales, Archives du Louvre). Cf. sur ce point TH., III, Bibliographie, IV, Lettres.

B. Sources imprimées

1. *Jugement de Schelling sur la philosophie de M. Cousin, et sur l'état de la philosophie française et de la philosophie allemande en général*, (traduction précédée d'une courte note de Ravaisson), dans *Revue germanique*, 3ème série, III, 10ème numéro, octobre 1835, pp. 3–24. B.N. [Z 59877.

2. *Essai sur la Métaphysique d'Aristote. Tome Ier.* – Paris, Imprimerie royale, 1837, in-8°, VII–559 p. Reproduction «photomécanique» par Georg Olms Verlagsbuchhandlung, Hildesheim, 1963.

3. *Speusippi de primis rerum principiis placita qualia fuisse videantur ex Aristotele.* – Dissertatio academica. Parisiis, Firmin Didot, 1838, in-8°, 45 p. B.N. [R. 48057.

4. *De l'Habitude.* Thèse de doctorat soutenue à la Faculté des Lettres de Paris, le 26 décembre 1838. – Paris, H. Fournier & Cie, in-8°, 48 p.
   – Publiée de nouveau dans la *Revue de Métaphysique et de Morale*, tome II, janvier 1894, pp. 1–35, avec quelques variantes.
   – Nouvelle édition, précédée d'une Introduction par Jean Baruzi, Paris, Alcan, 1933, in-16°, XLII–60 p. Reprend le texte de 1838 et signale les variantes de 1894 dans la *Note*, p. II.

5. *Philosophie contemporaine*, à propos des *Fragments de Philosophie par M. Hamilton, traduits de l'anglais par M. Louis Peisse*, dans *Revue des Deux Mondes*, novembre 1840, tome vingt-quatrième, quatrième série, pp. 396–427. B.N. [Z 21418.

6. *De la Philosophie d'Aristote chez les Arabes*, dans *Séances et Travaux de l'Académie des Sciences morales et politiques*, tome V, 1844, 1er semestre, séance du 27 janvier 1844, pp. 9–28. B. N. [8° R 88.

7. *Essai sur la Métaphysique d'Aristote, Tome II.* – Paris, de Joubert, 1846, in-8°, VI–584 p.
   – Reproduction «photomécanique» par Georg Olms Verlagsbuchhandlung, Hildesheim, 1963.

8. *De la Morale des Stoïciens*, dans *Comptes rendus de l'Académie des Inscriptions et Belles-Lettres*, 16 août 1850, Paris, 1850, in-4°, pp. 103–125.

9. *De l'enseignement du dessin dans les lycées.* – Rapport du Ministère de l'Instruction Publique, composé par Ravaisson, Paris, P. Dupont, 1854, in-4°, 76 p. B.N. [V. 16963.

10. *Mémoire sur le Stoïcisme*, dans *Mémoires de l'Académie des Sciences morales et politiques*, tome XXI, première partie, 1857, pp. 1–94.

11. *Discours* à l'Académie des Inscriptions et Belles-Lettres, le 7 août 1857, dans *Comptes rendus*, tome I, pp. 21–38.
    – Paris, F. Didot, 1857, in-4°, 133 p. B.N. [Z 5139 (76).

12. *Le monothéisme des races sémitiques*, observations faites à l'Académie des Inscriptions et Belles-Lettres, les 10 juin et 15 juillet 1859, dans *Comptes rendus*, tome III, 1859, pp. 74, 76, 77, 80–81, 84, 135–136.

13. *Discours prononcé à la Distribution des prix du lycée Saint-Louis*, le 11 août 1863, Paris, Dupont, 1863, 9 p. B.N. [Rp. 5620.
    – Paris, E. Donnaud, in-8°, 14 p. B.N. [Rp. 5619.

14. *La Philosophie en France au XIXe siècle.* – Paris, Recueil de Rapports sur les progrès des lettres et des arts en France, Imprimerie impériale, 1868, in-4°, 266 p.

15. *La Vénus de Milo au musée des Antiques,* dans *Revue des Deux Mondes,* septembre 1871, pp. 192–218.
    – Paris, Hachette, 1871, in-8°, 68 p., photographies rapportées. B.N. [V. 50504 et [Z. Renan. 6167.

16. *Lettre à Monsieur le Directeur de la Revue Archéologique,* dans *Revue Archéologique,* 1873. B.N. [8° V. 684.
    – Paris, Didier & Cie, 1873, in-8°, 5 p.

17. *Discours prononcé à la distribution solennelle des prix du Lycée Louis-le-Grand,* le 5 août 1873.
    Paris, Chamerot, 1873, in-8°, 15 p. B.N. [Rp. 5622.
    – Paris, E. Donnaud, 1873, in-8°, 15 p. B.N. [Rp. 5621.

18. *Un musée à créer,* dans *Revue des Deux Mondes,* 1874, vol. 2, 1er mars 1874, pp. 232–240.

19. *Un vase funéraire orné de bas-reliefs, trouvé en Attique,* Communication faite à l'Académie des Inscriptions et Belles-Lettres le 19 Février 1875, dans *Mémoires de l'Institut, Académie des Inscriptions et Belles-Lettres,* vol. 31, première partie, 1875, pp. 61–63.

20. *Un Bas-relief funéraire antique,* dans *Revue Archéologique,* juin 1875, nouvelle série, 16ème année, 29ème vol., pp. 353–357.

21. *Projet d'un Musée de Plâtres,* dans *Revue Archéologique,* septembre 1875, nouvelle série, 16ème année, 30ème vol., pp. 147–154.

22. *Le monument de Myrrhine et les Bas-Reliefs funéraires des Grecs en général.* – Paris, G. Chamerot, 1876, gr. in-4°, 26 p., pl. B.N. [Fol. J. Pièce 1.

23. *Notice sur une amphore peinte du Musée du Louvre, représentant le combat des dieux et des géants.* Communication à l'Académie des Inscriptions et Belles-Lettres, le 28 janvier 1876, dans *Comptes rendus,* 4ème série, tome IV, pp. 34–46.
    – dans *Monuments grecs publiés par l'Association pour l'encouragement des études grecques en France,* 1875, n° 4.
    – Paris, G. Chamerot, 1876, in-4°, 16 p. B.N. [4° V. Pièce 212.

24. *Plusieurs vases antiques remarquables au point de vue de l'Art et au point de vue des figures qui y sont représentées.* Communication à l'Académie des Inscriptions et Belles-Lettres, le 4 mai 1877, dans *Comptes rendus,* 4ème série, t. V, pp. 170–174.

25. *La découverte d'un bras de marbre dans l'île de Milo et les causes et l'époque probable de la mutilation et de l'enterrement de la Vénus de Milo.* Communication à l'Académie des Inscriptions et Belles-Lettres le 8 juin 1877, dans *Comptes rendus,* 4ème série, t. V, pp. 138–140.

26. *Discours d'ouverture* à la séance publique de l'Académie des Inscriptions et Belles-Lettres du 7 Décembre 1877, dans *Comptes rendus,* 4ème série, t. V, pp. 1–24.
    – Paris, impr. de Firmin–Didot, 1877, in-4°, 133 p. B.N. [Z 5139 (147).

27. *La Vénus de Vienne,* dans *Gazette des Beaux-Arts,* mai 1879, t. XIX, pp. 401–414.
    – Paris, A. Quantin, 1879, in-4°, 13 p. B.N. [4° V. Pièce 1123.

28. *L'Art dans l'école.* – Paris, impr. de A. Quantin, 1879, gr. in-8°, 8 p. B.N. [4° V. Pièce 1175.

29. Articles *Art* et *Dessin*, dans *Dictionnaire de Pédagogie et d'Instruction primaire*, publié sous la direction de F. Buisson, Paris, Hachette, 1882.
   – Article *Art*, pp. 122–124, Première partie, tome I.
   – Article *Dessin* (partie théorique), pp. 671–684, *ibid.*
   – Article *Dessin* (partie pratique), pp. 575–580, Seconde partie, tome I.

30. *Les Monuments funéraires des Grecs*, in *Revue Politique et Littéraire, Revue bleue*, 1880, 10 avril, 2ème série, t. XVIII, pp. 963–970. B.N. [4° R 16.

31. *Rapport sur le Concours pour le Prix Victor Cousin:* «*Le Scepticisme dans l'Antiquité grecque*», *Séances et Travaux de l'Académie des Sciences morales et politiques*, 1885, tome 123, pp. 665–704.

32. *L'Hercule* ἐπιτραπέζιος *de Lysippe*, dans *Mémoires de l'Académie des Inscriptions et Belles-Lettres*, t. XXXII, 2ème partie (1891), pp. 13–56.
   – Paris, Impr. nationale, 1888, in-4°, 48 p., pl. B.N. [4° J. 184.

33. *Le Code Civil et la question ouvrière*, dans *Séances et Travaux de l'Académie des Sciences morales et politiques*, 1886, vol. 126, pp. 129 et 147–152.
   – Paris, A. Picard, 1886, in-8°, 8 p. B.N. [8° R Pièce 3551.

34. *La Réforme sociale et la Législation ouvrière*, dans *La Réforme sociale*, 15 juin 1886, 2ème série, t. I, pp. 647–651. B.N. [8° R 4042.

35. *Discours prononcé à la distribution des prix du lycée de Vanves*, le 3 août 1886.
   – Impr. de Cerf & fils, in-8°, 16 p. B.N. [8° R. Pièce 3509.

36. *La question du luxe*, dans *Séances et Travaux de l'Académie des Sciences morales et politiques*, t. 128 (1887), pp. 727–728, 734.

37. *La Philosophie de Pascal*, dans *Revue des Deux Mondes*, 15 mars 1887, tome 80, pp. 399–428.

38. *Éducation*, dans *Revue Politique et Littéraire, Revue Bleue*, 23 avril 1887, tome XIII, pp. 513–519.

39. *Léonard de Vinci et l'enseignement du dessin*, dans *Revue Politique et Littéraire, Revue Bleue*, 12 novembre 1887, t. XIV, pp. 627–629.

40. *La restauration des sculptures*, dans *L'Ami des Monuments*, 1888, n° 7, pp. 87–88. B.N. [L¹⁸ c 405.

41. *La Vénus de Milo*, lu dans la séance publique annuelle des cinq Académies, le 25 Octobre 1890, Paris, Firmin-Didot, 1890, in-4°, 16 p. B.N. [4° V. Pièce 5496.

42. *La Vénus de Milo*, dans *Mémoires de l'Académie des Inscriptions et Belles-Lettres*, 1892, tome XXXIV, première partie, pp. 145–256, 9 pl.
   – Paris, Klincksieck, 1892, in-4°, paginé 145–256. B.N. [4° V. 3484.

43. *Étude sur l'histoire des Religions. Les Mystères*, dans *Revue Politique et Littéraire, Revue Bleue*, 19 mars 1892.
   – dans *Comptes rendus* de l'Académie des Sciences morales et politiques, vol. 137, pp. 423, 718–732.
   – Paris, A. Picard, 1892, in-8°, 17 p. B.N. [8° H. Pièce 530.

44. *Métaphysique et Morale*, dans *Revue de Métaphysique et de Morale*, 1ère année, 1893, n° 1, pp. 6–25.

45. *Préface* à *La morale du coeur, études d'âmes modernes* de Jules Angot des Rotours, Paris, Perrin, 1893, in-16°, VII – 288 p. B.N. [8° R. 11213.

46. *Une oeuvre de Pisanello*, dans *Mémoires de l'Académie des Inscriptions et Belles-Lettres*, t. XXXIV, 2ème partie, 1893, pp. 293–308, pl.
    – Paris, E. Leroux, 1893, in-8°, 14 p., pl. B.N. [8° V. Pièce 9802.
    – Paris, Impr. nationale, 1895, in-4°, 28 p., pl. B.N. [4° V. P.3978.

47. *Rapport sur le Concours pour le prix Victor Cousin à décerner en 1893. Examen critique de la philosophie atomistique*, dans *Comptes rendus* de l'Académie des Sciences morales et politiques, 1894, vol. 141, pp. 545–558.

48. *Monuments grecs relatifs à Achille*, dans *Mémoires de l'Académie des Inscriptions et Belles-Lettres*, 1895, t. XXXIV, 2ème partie, pp. 309–352,
    – Paris, C. Klincksieck, 1895, in-4°, 48 p. pl. B.N. [4° J. 349.

49. *Discours d'ouverture prononcé dans la séance publique annuelle des cinq Académies*, le 24 octobre 1896, dans *Séances et Travaux de l'Académie des Sciences morales et politiques*, vol. 147, nouv. série 47, 1897, pp. 250–256.

50. *Discours pour la séance publique annuelle de l'Académie des Sciences morales et politiques*, le 5 décembre 1896, dans *Séances et Travaux de l'Académie des Sciences morales et politiques*, vol. 147, nouv. série 47, 1897, pp. 5–24.

51. *Lettre à J. Gardair*, dans *Pensées philosophiques du docteur J. Fournet*, recueillies et préfacées par J. Gardair, Paris, Lethielleux, 1900, in-8°, 440 p. B.N. [8° R. 17046.

52. *Lettre à M. Léon Ollé-Laprune* (1892), dans Léon Ollé-Laprune, *La Vitalité Chrétienne*, Paris, Perrin, 1901, p. 295. B.N. [8° R. 17381.

53. *Testament philosophique*, fragments publiés par Xavier Léon dans *Revue de Métaphysique et de Morale*, 1901, pp. 1–31.

54. *Conditions d'une pédagogie capable de préparer à la vie: l'exemple des Grecs*, fragments publiés par Paul Bottinelli dans *La Nouvelle Journée*, première année, novembre 1920, pp. 260–275; décembre 1920, pp. 369–383.

55. *Hellénisme, Judaïsme, Christianisme*, fragments publiés par Paul Bottinelli, dans *La Nouvelle Journée*, 3ème année, 10 avril 1922, pp. 241–256.

56. *Fragments inédits* cités par Jean Baruzi dans l'Introduction à *De l'Habitude*, nouvelle édition, Paris, Alcan, 1927, pp. XXXII–XXXIII, XL.

57. *Fragments divers* publiés par Joseph Dopp dans *Félix Ravaisson, La formation de sa pensée d'après des documents inédits*, Louvain, Éd. de l'Institut Supérieur de Philosophie, 1933, pp. 363–389.

58. *Testament philosophique et fragments*, texte revu et présenté par Charles Devivaise, précédé de la notice lue en 1904 à l'Académie des Sciences morales et politiques par Henri Bergson, Paris, Boivin & Cie, 1933, in-8°, VII–199 p.

59. *Lettres de Ravaisson, Quinet et Schelling*, publiées par Pierre-Maxime Schuhl, dans *Revue de Métaphysique et de Morale*, 1936, pp. 487–506.

60. *Correspondance Ravaisson-de Vogüé* publiée au sein des *Lettres à Félix Ravaisson (1846–1892)* par Pierre-Maxime Schuhl, dans *Revue de Métaphysique et de Morale*, 1938, pp. 173–202.

61. *Fragments inédits* recueillis et publiés par Charles Devivaise, dans *Philosophie, Art, Archéologie selon Félix Ravaisson, Annales de la Faculté des Lettres d'Aix-en-Provence*, Fascicules 1–2, 1951.

62. *Essai sur la Métaphysique d'Aristote, Fragments du tome III, (Hellénisme, Judaïsme, Christianisme)*, texte établi par Charles Devivaise, Paris, Vrin, 1953, in-8°, 159 p.

63. *Lettre du 23 octobre 1839 à E. Quinet*, publiée par Madame David, dans *Revue Philosophique*, juillet-septembre 1952, pp. 454-456.
64. *Une note inédite de Ravaisson sur la sagesse*, publiée par P-M. Schuhl, dans *Revue Philosophique*, janvier-mars 1961, pp. 89-90.

N.B. Des *fragments inédits* ont été transcrits par M. Devivaise à la fin de sa thèse (dactylographiée), *La Philosophie de Félix Ravaisson*, Faculté des Lettres de Paris, 1952.

II. BIBLIOGRAPHIE GÉNÉRALE

ARON (Raymond), *Note sur Bergson et l'Histoire*, dans *Les Études bergsoniennes*, Paris, Presses Universitaires de France, 1956, vol. IV, pp. 41-51.
AUBENQUE (Pierre). *Le problème de l'être chez Aristote*. – Paris, Presses Universitaires de France, 1962, in-8°, 552 p.
— *Sens et Structure de la Métaphysique d'Aristote*, dans *Bulletin de la Société française de Philosophie*, Paris, A. Colin, janvier-mars 1964, pp. 1-50.
ARISTOTE. *Ethica Nicomachea*. – Recognovit brevique adnotatione critica instruxit I. Bywater, Oxford, 1954, in-16°, VIII-264 p.
— *Éthique à Nicomaque*. – Nouvelle traduction par Jules Tricot, Paris, J. Vrin, 1959, in-8°, 540 p.
— *Metaphysica*. – Recognovit brevique adnotatione critica instruxit W. Jaeger, Oxford, 1960, in-16°, XXII-312 p.
— *La Métaphysique*. – Nouvelle édition entièrement refondue avec commentaire par J. Tricot, Paris, J. Vrin, 1953, 2 tomes in-8°, LVIII – 878 p.
BARON (Roger), *Intuition bergsonienne et intuition sophianique*, dans *Les Études Philosophiques*, 1963, dix-huitième année, pp. 439-442.
BARTHÉLEMY-MADAULE (Madeleine). *Bergson et Teilhard de Chardin*. – Paris, Éd. du Seuil, 1963, in-16°, 687 p.
— *Bergson adversaire de Kant*. Préface de Vladimir Jankélévitch. Paris, Presses Universitaires de France, 1966, in-8°, VIII-276 p.
BARTHÉLEMY-SAINT-HILAIRE (Jules). *M. Victor Cousin, sa vie et sa correspondance*. – Paris, Hachette et Alcan, 1895, 3 vol. in-8°.
BARUZI (Jean). *Introduction à De l'Habitude*. – Nouvelle édition, Paris, Alcan, 1933, in-16°, XLII-60 p.
BÉGUIN (Albert). *Essais et témoignages* recueillis par A. Béguin et P. Thévenaz. – Neuchâtel, Les Cahiers du Rhône, Éd. de la Baconnière, Août 1943, in-16°, 376 p.
BENRUBI (Isaac). *Souvenirs sur Henri Bergson*. – Neuchâtel-Paris, Delachaux et Niestlé, 1942, in-8°, 136 p.
BERNARD (Claude). *Introduction à l'étude de la médecine expérimentale*. – Paris, C. Delagrave, 1898, in-8°, 364 p.
BERTHELOT (René). *Un romantisme utilitaire. Étude sur le mouvement pragmatiste*. Deuxième volume: *Le pragmatisme chez Bergson*. – Paris, Alcan, 1913, in-8°, 358 p.
BOUTROUX (Émile). *La philosophie de Félix Ravaisson*, dans *Revue de Métaphysique et de Morale*, novembre 1900, pp. 699-711.

BRÉHIER (Emile). *Schelling.* – Paris, Alcan, 1912, in-8°, 313 p.

BRENTANO (Franz). *Von der mannigfachen Bedeutung des Seienden nach Aristoteles.* – Hildesheim, Georg Olms, 1960, reproduction «photomécanique» de la première éd., Freiburg im Breisgau, 1862, in-8°, X–220 p.

BRUNSCHVICG (Léon). *Le progrès de la conscience dans la philosophie occidentale.* – Paris, Alcan, 1927, 2 vol. in-8°, 807 p.

CANIVEZ (André). *Jules Lagneau professeur de philosophie. Essai sur la condition du professeur de philosophie jusqu'à la fin du XIXème siècle.* – Paris, «Les Belles Lettres,» 1965, 2 vol., in-8°, 600 p.

CARO (Elme). *Philosophie et philosophes.* – Paris, Hachette, 1888, in-8°, 423 p.

CAZENEUVE (Jean). *La philosophie médicale de Ravaisson.* – Paris, Presses Universitaires de France, 1958, in-8°, 161 p.

CHAIX-RUY (Jules), *Bergson parvient-il à éliminer toute référence au néant?*, dans *Bergson et nous*, Actes du Xème Congrès des Sociétés de Philosophie de Langue française, numéro spécial du *Bulletin de la Société française de Philosophie*, Paris, A. Colin, 1959, in-8°, pp. 59–62.

CHAPELAN (Maurice), *Le fonds Bergson à la bibliothèque Doucet*, dans *Le Figaro Littéraire*, 1964, dix-neuvième année, n° 945, p. 10. B.N. [G fol. Lc¹³ 9 (10).

CHEVALIER (Jacques). *Bergson.* – Paris, Plon, 1926, in-8°, XII–319 p.

— *L'habitude. Essai de métaphysique scientifique.* – Paris, Boivin & Cie, 1929, in-8°, XVIII–256 p.

— *Entretiens avec Henri Bergson.* – Paris, Plon, 1959, in-16°, IV–317 p.

COUSIN (Victor). *De la Métaphysique d'Aristote. Rapport sur le concours ouvert par l'Académie des Sciences Morales et Politiques; suivi d'un essai de traduction du premier livre de la Métaphysique.* – Paris, Ladrange, 1835, in-12°, VII–185 p. (Bibliothèque de la Fondation Thiers: n° 50.024).

DELEUZE (Gilles), *La conception de la Différence chez Bergson*, dans *Les Études bergsoniennes*, vol. IV, Paris, Presses Universitaires de France, 1956, pp. 77–112.

— *Le Bergsonisme.* – Paris, Presses Universitaires de France, collection «Initiation philosophique», in-16°, 120 p.

DELHOMME (Jeanne). *Vie et conscience de la vie, Essai sur Bergson.* – Paris, Presses Universitaires de France, 1954, in-8°, IV–196 p.

DESCARTES. *Oeuvres.* – Éd. Adam & Tannery, Paris, J. Vrin, éd. de 1957, onze vol. in-4°.

DEVIVAISE (Charles). *La philosophie de Félix Ravaisson.* – Thèse principale soutenue devant la Faculté des Lettres de Paris en 1952, 3 vol. dactylographiés.

— Introduction à l'*Essai sur la Métaphysique d'Aristote. Fragments du tome III* (*Hellénisme, Judaïsme, Christianisme*). – Paris, J. Vrin, 1953, in-8°, pp. 9–24.

DOPP (Joseph). *Félix Ravaisson. La Formation de sa pensée d'après des documents inédits.* – Louvain, Éd. de l'Institut Supérieur de Philosophie, 1933, in-8°, 396 p.

FRANCK (Adolphe). *Moralistes et Philosophes.* – Paris, Didier, 1872, in-8°, 485 p.

FUNKE (Gerhard). *Ravaissons Abhandlung «über die Gewohnheit».* – Bonn, Habelt, 1954, in-8°, 75 p.

— *Gewohnheit*, *Archiv für Begriffsgeschichte*, Band III, Bonn, Bouvier, 1958, pp. 440–465. B.N. [4° R 8036 (3).

GILSON (Étienne). *Le Thomisme. Introduction à la philosophie de Saint Thomas d'Aquin.* – Paris, J. Vrin, cinquième édition revue et augmentée, 1948, in-8°, 552 p.

— *Le philosophe et la théologie.* – Paris, A. Fayard, 1960, in-8°, 263 p.

— *Souvenir de Bergson*, dans *Revue de Métaphysique et de Morale*, avril-juin 1959, n° 2, pp. 129–140.

GOUHIER (Henri), *Maine de Biran et Bergson*, dans *Les Études bergsoniennes*, Paris, A. Michel, 1948, vol. I, pp. 129–173.

— *Le bergsonisme dans l'histoire de la philosophie française* dans *Revue des Travaux de l'Académie des Sciences morales et politiques*, 1959, pp. 183–200.

— *Introduction* à l'Édition du Centenaire des *Oeuvres* de Henri Bergson. – Paris, Presses Universitaires de France, 1959, XXX– 1603 p.

— *Bergson et la philosophie du Christianisme*, dans *Revue de Théologie et de Philosophie* (Lausanne), IIIème série, 1960, pp. 1–22.

— *Bergson et le Christ des Évangiles.* – Paris, A. Fayard, 1961, in-8°, 223 p.

GUÉROULT (Martial), *Bergson en face des philosophes*, dans *Les Études bergsoniennes*, vol. V, Paris, Presses Universitaires de France, 1960, pp. 9–35.

GUITTON (Jean). *La vocation de Bergson.* – Paris, Gallimard, 1960, in-16°, 263 p.

— *Le Clair et l'Obscur.* – Paris, Librairie Auguste Blaizot, 1962, in-4°, 129 p.

— *La vie et l'oeuvre de Henri Bergson*, dans *Collection des Prix Nobel de Littérature, L'Évolution créatrice* de Henri Bergson, Paris, Éd. Rombaldi. Guilde des Bibliophiles, 1962, in-4°, pp. 23–36.

HEIDEGGER (Martin). *Sein und Zeit.* – Sechste unveränderte Auflage, Tübingen, Max Niemeyer, 1949, 23 × 15,5 cm., VII–438 p.

— *Identität und Differenz.* – Pfullingen, G. Neske, 1957, in-8°, 78 p.

HEIDSIECK (François). *Henri Bergson et la notion d'espace.* – Paris, P.U.F., 1961, in-4°, 199 p.

HUSSON (Léon). *L'intellectualisme de Bergson, Genèse et développement de la notion bergsonienne d'intuition.* – Paris, Presses Universitaires de France, 1947, in-8°, XI–240 p.

JANET (Paul). *La philosophie française contemporaine.* – Paris, Calmann-Lévy, 1879, in-8°, 458 p.

JANKÉLÉVITCH (Vladimir). *Henri Bergson.* – Nouvelle édition refondue, Paris, Presses Universitaires de France, 1959, in-8°, 300 p.

KANT (Emmanuel). *Critique de la Raison pure.* – Traduction Tremesaygues et Pacaud, nouvelle éd. avec une préface de Ch. Serrus, Paris, Presses Universitaires de France, 1950, in-8°, XXXI–587 p.

— *Critique de la Raison pratique.* – Trad. Picavet, introduction nouvelle de F. Alquié, Paris, Presses Universitaires de France, 1949, in-8°, XXXII–192 p.

— *Critique du Jugement.* – Trad. Gibelin, troisième éd., Paris, J. Vrin, 1951, in-8°, 279 p.

LEIBNIZ (Gottfried Wilhelm). *Die philosophischen Schriften.* – éd. Gerhardt, Berlin, 1890, reproduite par Georg Olms, Hildesheim, 7 vol. in-8°.

LENOIR (Raymond), *La doctrine de Ravaisson et la pensée moderne*, dans *Revue de Métaphysique et de Morale*, vingt-sixième année, 1919, pp. 353–374.

— *Claude Bernard et l'Esprit expérimental*, dans *Revue Philosophique*, janvier–février 1919, pp. 72–101.

MADINIER (Gabriel). *Conscience et Mouvement. Essai sur les rapports de la conscience et de l'effort moteur dans la philosophie française de Condillac à Bergson.* – Paris, Alcan, 1938, in-8°, IX–482 p.

MAINE DE BIRAN (Pierre). *Influence de l'habitude sur la faculté de penser.* – Introduction, notes et appendice par Pierre Tisserand, Paris, P.U.F., 1954, in-8°, LXIV–243 p.

— *Nouvelles Considérations sur les rapports du physique et du moral de l'homme.* – Ouvrage posthume publié par M. Cousin, Paris, Ladrange, 1834, in-8°, XLII–403 p.

— *Oeuvres choisies.* – Introduction par Henri Gouhier, Paris, Aubier, 1942, in-8°, 323 p.

MAIRE (Gilbert). *Bergson mon maître.* – Paris, B. Grasset, 1935, in-16°, 231 p.

MERLEAU-PONTY (Maurice). *Signes.* – Paris, Gallimard, 1960, in-8°, 439 p.

— *L'Oeil et l'Esprit.* – Paris, Gallimard, 1964, in-8°, 95 p.

— *Le Visible et l'Invisible.* – Paris, Gallimard, 1964, in-8°, 362 p.

MOSSÉ-BASTIDE (Rose-Marie). *Bergson éducateur.* – Paris, Presses Universitaires de France, 1955, in-8°, 467 p.

— *Bergson et Plotin.* – Paris, Presse Universitaires de France, 1959, in-8°, 423 p.

MOURÉLOS (Georges). *Bergson et les niveaux de réalité.* – Paris, Presses Universitaires de France, 1964, in-8°, 257 p.

PASCAL (Blaise). *Pensées et opuscules.* – Éd. Brunschvicg, Paris, Hachette, 1946, in-16°, X–787 p.

PLATON. *Le Banquet.* – *Oeuvres complètes*, tome IV, 2ème partie, texte établi et traduit par Léon Robin, sixième éd. revue et corrigée, Paris, «Les Belles Lettres», 1958, in-8°, CXXI–94 p.

— *Le Sophiste.* – *Oeuvres complètes*, tome VIII, 3ème partie, texte établi et traduit par Auguste Diès, troisième éd. revue et corrigée, Paris, «Les Belles Lettres», 1955, in-8°, pp. 261–393.

PLOTIN. *Ennéades.* – Texte établi et traduit par Émile Bréhier, Paris, «Les Belles Lettres», éd. de 1963, sept. vol., in-8°.

POLIN (Raymond), *Bergson et le mal*, dans *Les Études bergsoniennes*, vol. III, Paris, A. Michel, 1952, in-8°, pp. 7–40.

— *Y a-t-il chez Bergson une philosophie de l'Histoire?* dans *Les Études bergsoniennes*, vol. IV, Paris, Presses Universitaires de France, 1956, in-8°, pp. 7–40.

ROBINET (André). *Bergson.* – Paris, Collection «Philosophes de tous les temps», Seghers, 1965, in-16°, 192 p.

SCHELLING (Friedrich Wilhelm Joseph). *Philosophie der Mythologie.* – *Sämmtliche Werke*, t. 12, Stuttgart und Augsburg, Cotta, 1857, in-8°, XVI–686 p.

— *Introduction à la Philosophie de la Mythologie.* – Trad. S. Jankélévitch, Paris, Aubier, 1945, 2 vol. in-8°, X–315 et 381 p.

— *Essais.* – Traduits et préfacés par S. Jankélévitch, Paris, Aubier, 1946, in-8°, 560 p.

SCHILLER (Friedrich). *Poèmes philosophiques.* – Traduits et préfacés par Robert d'Harcourt, Paris, Aubier, 1954, in-8°, 351 p.

SCHUHL (Pierre-Maxime), *Note* (Sur le rôle de Madame Xavier Léon dans la conservation de manuscrits ou de souvenirs de Ravaisson), dans *Revue Philosophique*, 1960, III, p. 428.

SERTILLANGES (R.P. A.-D.), *Le libre-arbitre chez S. Thomas et chez Henri Bergson*, dans *La Vie Intellectuelle*, 10 avril 1937, XLIX, n° 1, pp. 252–267. B.N. [8° Z 24765.

SÉAILLES (Gabriel), *Philosophes contemporains*, dans *Revue Philosophique*, 1878, juillet-décembre, pp. 359–386.

SPENCER (Herbert). *First principles.* – London, Williams and Norgate, 1863, in-8°, XII–503 p.

— *Les Premiers principes.* – Trad. par E. Cazelles, Paris, G. Baillière, 1871, in-8°, CXXIV–604 p.

— *The Principles of biology.* – London, Williams and Norgate, 1864–1867, 2 vol., in-8°.

— *Principes de biologie.* – Trad par E. Cazelles, Paris, G. Baillière, 1877–1878, 2 vol., in-8°.

TAINE (Hippolyte). *Les ?hilosophes français du XIXème siècle.* – Paris, L. Hachette, 1857, in-18°, 367 p.

THIBAUDET (Albert). *Trente ans de vie française. III. Le Bergsonisme.* – Paris, Nouvelle Revue Française, 4ème éd., 1923, 2 vol., in-16°, 257 et 257 p.

TONQUÉDEC (R. P. J. de). *Sur la philosophie bergsonienne.* – Paris, Beauchesne, 1936, in-8°, 243 p.

TRESMONTANT (Claude), *Deux métaphysiques bergsoniennes?*, dans *Revue de Métaphysique et de Morale*, avril-juin 1959, n° 2, pp. 180–193.

VACHEROT (Étienne), *La situation philosophique en France*, dans *Revue des Deux Mondes*, 15 juin 1868, pp. 950–977.

VINCI (Léonard de). *Traité de la Peinture.* – Traduit et «reconstruit» par André Chastel, Paris, Club des Libraires de France, 1960, in-4°, XXV–262 p., pl.

III. BIBLIOGRAPHIE DES ÉTUDES SUR LE BERGSONISME
(à partir de 1960)

1960

ARRAIZA (I.), *Dios en la filosofia de Henri Bergson*, dans *Ecclesiastica Xaveriana*, Bogotá, 1960, 10ème année, pp. 8–140.

BARTHÉLEMY-MADAULE (Madeleine), *Introduction à un rapprochement entre Bergson et Teilhard de Chardin*, dans *Les Études bergsoniennes*, V, Paris, P.U.F., 1960, pp. 65–85.

CHAIX-RUY (Jules), *Vitalité et élan vital: Bergson et Croce*, dans *Les Études bergsoniennes*, V, pp. 143–167.

DELHOMME (Jeanne), *Nietzsche et Bergson: la représentation de la vérité*, dans *Les Études bergsoniennes*, V, pp. 39–62.

DYSERINCK (Hugo), *Die Briefe Henri Bergsons an Graf Hermann Keyserling,* dans *Deutsche Vierteljahrsschrift für Literaturwissenschaft und Geistesgeschichte*, Halle, 1960, p. 169–188.

FABRE LUCE DE GRUSON (Françoise), *Bergson, lecteur de Kant*, dans *Les Études bergsoniennes*, V, pp. 171–190.

FAVARGER (Charles), *Durée et intuition* (Exposé présenté au Congrès Bergson organisé par la Société romande de Philosophie), dans *Revue de Théologie et de Philosophie*, Lausanne, 10ème année, n° 1, pp. 169–187.

GILSON (Étienne). *Le philosophe et la théologie.* – Paris, A. Fayard, 1960, in-8°, 263 p.

GOUHIER (Henri), *Bergson et la philosophie du Christianisme*, dans *Revue de Théologie et de Philosophie*, Lausanne, n° 1, pp. 1–22.

GUÉROULT (Martial), *Bergson en face des philosophes*, dans *Les Études bergsoniennes*, V, pp. 9–35.

GUITTON (Jean), *Esquisse pour un portrait d'Henri Bergson*, dans *La Table ronde*, n° 145, pp. 57–71.

— *La vocation de Bergson.* – Paris, Gallimard, 1960, 12 × 18,5 cm., 263 p.

GURVITCH (Georges), *Deux aspects de la philosophie de Bergson: temps et liberté*, dans *Revue de Métaphysique et de Morale*, 1960, 65ème année, n° 3, pp. 307–316.

HOMMAGE SOLENNEL À HENRI BERGSON, dans *Bulletin de la Société française de Philosophie*, 54ème année, janvier-mars 1960, discours de M. Bataillon, G. Berger, J. Hyppolite, V. Jankélévitch, G. Marcel, M. Merleau-Ponty, J. Wahl.

JOUHAUD (Michel), *Édouard Le Roy, le bergsonisme et la philosophie réflexive*, dans *Les Études bergsoniennes*, V, pp. 87–139.

MARNEFFE (J. de), *Bergson's and Husserl's concepts of intuition*, dans *Philosophical Quarterly*, Amalner (India), 1960, pp. 169–180.

MORANDINI (F.), Il X Congresso dellà Società di Filosofia di lingua francese *Bergson et nous*, dans *Gregorianum*, Roma, 41ème année, pp. 78–79.

POLIN (Raymond), *Bergson philosophe de la création*, dans *Les Études bergsoniennes*, V, pp. 193–213.

POULET (Georges), *Bergson et le thème de la vision panoramique des consciences*, dans *Revue de Théologie et de Philosophie*, Lausanne, n° 1, pp. 23–41.

RIDEAU (Émile), *Matière et Esprit chez Bergson*, dans *La Revue Nouvelle*, Tournai, 1960, pp. 337–354.

ROMANELL (Patrick), *Bergson in Mexico: a tribute to José Vasconcelos*, dans *Philosophy and phenomenological Research*, Philadelphia, 1960–1961, pp. 501–513.

TEIXEIRA (Lívio), *Bergson e a história da filosofia*, dans *Kriterion*, Belo Horizonte (Brasil), 1960, pp. 9–20.

VALÉRY (Paul), *Deux lettres à Henri Bergson*, dans *Les Études bergsoniennes*, V, pp. 3–7.

VANDEL (A.), *L'importance de L'Évolution créatrice dans la genèse de la pensée moderne*, dans *Revue de Théologie et de Philosophie*, 1960, n° 1, pp. 85–108.

VAN PEURSEN (C. A.), *Henry Bergson: une phénoménologie de la perception*, dans *Revue de Métaphysique et de Morale*, 1960, n° 3, pp. 317–326.

VIOLETTE (R.), *Vladimir Jankélévitch, Henri Bergson*, dans *Revue Philosophique*, n° 4, octobre–décembre 1960, pp. 501–504.

1961

ARREGUI (Cristina), *Cuatro filósofos contemporáneos frente al problema de la immortalidad: H. Bergson, Max Scheler, Louis Lavelle, A. Wenzl*, dans *Cuadernos urugayos de Filosofia*, 1961, n° 1, pp. 109–137.

CENTENÀRIO DE BERGSON, *Depoimentos* de Candido Mota Filho, Leonardo Van Acker, José de Castro Nery, Silvio de Macedo, dans *Revista brasileira de Filosofia*, 1961, pp. 106–113.

CRESCINI (Angelo), *La molteplicità nella filosofia del Bergson*, dans *Rivista di Filosofia Neo-Scolastica*, 1961, tome 53, pp. 414–419.

DUBOIS (Jacques), *Trois interprétations classiques de la définition aristotélicienne du temps. . .* (3. Un dialogue avec Kant et Bergson: Henri Carteron), dans *Revue Thomiste*, Toulouse, 1961, pp. 399–429.

ELLACURÍA (Ignacio), *Religion y religiositad en Bergson*, dans *Ephemarides Carmeliticae*, Firenze, 1961, pp. 205–212.

GALEFFI (Romano). *Presença de Bergson.* – Bahia, Publicaçoes da Universidade da Bahia, 1961, 83 p.

GALY (R.), *Le temps et la liberté chez Kant et Bergson*, dans *La Nature humaine*, Actes du XIème Congrès des Sociétés de Philosophie de langue française (Montpellier, 4–6 sept. 1961), dans *Les Études Philosophiques*, 1961, n° 3, pp. 281–284.

GOUHIER (Henri). *Bergson et le Christ des Évangiles.* – Paris, A. Fayard, collection «Le Signe», 19,5 × 14,5 cm., 223 p.

HEIDSIECK (François). *Henri Bergson et la notion d'espace.* – Nouvelle édition, Paris, P.U.F., 1961, 24 × 16 cm., 196 p.

LES ÉTUDES BERGSONIENNES. Tome VI: Textes de Bergson. Premières rédactions éditées par André Robinet de *La conscience et la vie, Fantômes de vivants, Le rêve, L'effort intellectuel, Le possible et le réel, La perception du changement.* Index des matières des *Oeuvres.* L'année Bergson, par André Robinet. Paris, P.U.F., 1961, 20 × 15 cm., 212 p.

PIAZZA (Elena), *Il problema morale e religioso in H. Bergson*, dans *Sapienza*, Roma, 1961, pp. 459–478.

PINTO (Luigi), introd. à la trad. italienne de *Les Deux Sources de la morale et de la religion*, Napoli, Ediz. Claux, 1961, XXXVI–141 p.

ROLLAND (Édouard), *Le Dieu de Bergson*, dans *Sciences ecclésiastiques*, Montréal, 1961, pp. 83–98.

1962

BERGSON (Henri). *L'Évolution créatrice. Introduction*, par Kjell Strömberg. *Discours de réception* prononcé par Per Hallström lors de la remise du prix Nobel de littérature à H. Bergson, le 10 novembre 1928. *La vie et l'oeuvre de H. Bergson*, par Jean Guitton. – Guilde des Bibliophiles, collection des prix Nobel de littérature, Paris, Presses du Compagnonnage, 1962, in-4°, 349 p.

DURANT (Will). *Van Sokrates tot Bergson.* Hoofdfiguren uit de geschiedenis van het denken [*The story of philosophy*]. Vert. door Helena C. Pos

(Herdruk III: Van Spencer tot Bergson). – Amsterdam, Em. Querido, 1962, 18,5 × 11,5 cm., 191 p.

HANNA (Thomas). *The Bergsonian Heritage* with articles by Marcel Bataillon, Gaston Berger, Jean Hyppolite, Vladimir Jankélévitch, Gabriel Marcel, Maurice Merleau-Ponty, Édouard Morot-Sir, Jaroslav Pelikan, Enid Starky and Jean Wahl, – New-York, Columbia University Press, 1962, VIII–170 p.

JERPHAGNON (Lucien), *Entre la solitude et la banalité. Philosophie bergsonienne du banal*, dans *Revue de Métaphysique et de Morale*, 1962, pp. 322–329.

KUMAR (Shiv). *Bergson and the stream of consciousness novel.* – Glasgow, Blackie & Son, 1962, 174 p.

ROBERTS (James Deotis). *Faith and reason. A comparative study of Pascal, Bergson and James.* – Boston, Christopher, 1962, XII–98 p.

1963

BARON (Roger), *Intuition bergsonienne et intuition sophianique*, dans *Les Études Philosophiques*, 1963, pp. 439–442.

BARTHÉLEMY-MADAULE (Madeleine). *Bergson et Teilhard de Chardin.* – Paris, Éd. du Seuil, 1963, 20,5 × 14 cm., 688 p.

DE SANCTIS (Nicola), *Note su Bergson e l'esistenzialismo dal non-essere al nulla*, dans *Studi Urbinati di Storia*, Urbino, 1963, pp. 135–142.

EUCKEN (Rudolf), BERGSON (Henri) en RUSSELL (Bertrand), *Filosofische geschriften.* [... Vert. van Henri Bergson: Gerard Wijdeveld en A. Moreno ...]. Ingeleid door H. F. Beerling en B. Delfgaauw (Pantheon der winnaars van de Nobelprijs voor literatuur). – Haarlem, De Toorts, 1963, 22,5 × 14,5 cm., 397 p.

INGARDEN (Roman). *Intuicja i inteleck u Henryka Bergsona*, przedstawienie teorii i próba krytyki, dans *Z badan nad filosofia wspólczena* [*Résultats des investigations concernant la philosophie contemporaine*]. – Warszawa, Panstwowe Wydawnictwo Naukowe, 1963, 24 × 17 cm., 664 p.

JOUSSAIN (André), *Schopenhauer et Bergson*, dans *Archives de Philosophie*, 1963, 24 × 17 cm., pp. 71–89.

KINNEN (Édouard), *Bergson et nous* [réflexions inspirées par le Congrès Bergson de 1959], dans *Revue internationale de Philosophie*, Bruxelles, 1963, pp. 68–91.

PASQUALI (Antonio). *Fundamentos gnoseológicos para una ciencia de la moral. Ensayo sobre la formación de una teoría especial del conocimiento moral en las filosofías de Kant, Lequier, Renouvier y Bergson.* – Caracas, Universidad Central de Venezuela, 1963, 21 × 15 cm., 150 p.

1964

BARTHÉLEMY-MADAULE (Madeleine). *Bergson et Teilhard de Chardin, La parole attendue.* – «Cahiers Pierre Teilhard de Chardin», n° IV, Paris, Éd. du Seuil, 1964, 14 × 19 cm., 158 p.

CHAPELAN (Maurice), *Le fonds Bergson à la bibliothèque Doucet*, dans *Le Figaro littéraire*, 1964, n° 945, p. 10.

MOURÉLOS (Georges). *Bergson et les niveaux de réalité*. – Paris, P.U.F., 1964, 14 × 22,5 cm., 256 p.

1965

GRAPPE (A.), *Pradines et Bergson*, dans *Revue Philosophique*, 1965, pp. 103–110.
ROBINET (André). *Bergson et les métamorphoses de la durée*. – Paris, Seghers, collection «Philosophes de tous les temps», 16 × 13,5 cm., 192 p.

1966

DE LATTRE (Alain), *Remarques sur l'intuition comme principe régulateur de la connaissance chez Bergson*, dans *les Études bergsoniennes*, VII, pp. 193–215.
DELEUZE (Gilles). *Le Bergsonisme*. – Paris, P.U.F., collection «Initiation philosophique», 11,5 × 17,5 cm., 120 p.
KREMER-MARIETTI (A.), *L'explication bergsonienne*, dans *Les Études bergsoniennes*, VII, pp. 179–192.
KURRIS (F.), *Le bergsonisme d'A. Thibaudet*, dans *Les Études bergsoniennes*, VII, pp. 137–178.
LES ÉTUDES BERGSONIENNES, t. VII, Documents sur deux conférences faites par Bergson à Londres et Edimbourg (*La nature de l'âme, Le problème de la personnalité*) présentés par André et Martine Robinet (en outre, dans ce volume, les textes cités ici), Paris, P.U.F., 1966, 20 × 15 cm., 231 p.

1967

BARTHÉLEMY-MADAULE (Madeleine). *Bergson*. – Paris, Éd. du Seuil, 1967, 11 × 18 cm., 139 p.

1968

POLITZER (Georges). *La fin d'une parade philosophique: le bergsonisme*. – Paris, J.J. Pauvert, 1968, 17,5 × 9 cm, 191 p. Nouvelle édition.

FRAGMENTS DE RAVAISSON

De l'exposé qui a été fait dans la Bibliographie sur l'état des sources manuscrites, il ressort qu'une édition critique et méthodique de ces sources ne sera possible que lorsque l'ensemble du fonds Ravaisson aura été regroupé et classé à Paris, au Cabinet des manuscrits de la Bibliothèque nationale. De toute façon, étant donné les limites du présent ouvrage, la formule des «morceaux choisis» s'imposait. En effet, Ravaisson, à la recherche de l'expression idéale de sa pensée, se répète assez fréquemment d'un feuillet à l'autre. Nous avons évité de reproduire ici ces redites.

La plupart des textes qui suivent datent de la fin de la vie de Ravaisson (entre 1895 et 1900); la date a été précisée aussi souvent que possible. Certains fragments sont des brouillons destinés au *Testament philosophique*, les autres de simples méditations où le philosophe ne dialogue qu'avec lui-même: ces «pensées», presque toujours elliptiques, brisées, peuvent être considérées comme des ébauches, mais également parfois comme des poèmes philosophiques en prose, dont l'inachèvement a, pour ainsi dire, une allure définitive.

Lorsqu'aucune mention, à part une éventuelle datation, ne suit un fragment – c'est le cas le plus fréquent –, celui-ci provient du fonds Ravaisson de la Bibliothèque nationale (Paris), qui comprend également, désormais, l'ancien fonds Coubertin.

Les autres fragments, en possession de M. le Professeur Devivaise, ont été transcrits par ce dernier qui a eu l'amabilité de nous transmettre des copies. Pour ces textes, nous nous fions donc à sa lecture et nous donnons les références particulières à ce fonds.

Pour plus de clarté, nous avons rassemblé les fragments en fonction de quatre thèmes principaux: Bergson; de la nature à l'art; Paganisme et Christianisme; la méthode.

A. MANUSCRITS OÙ FIGURE LE NOM DE BERGSON

A priori

Vacherot: rien de tel; n'est *a priori* et nécessaire que ce qui provient de l'*analyse*, cela seul rationnel, Raison est faculté de *raisonner*. Mais le *Nous*? C'est plus que Raison, c'est Génie. De celui-ci est vrai ce que Fénelon et

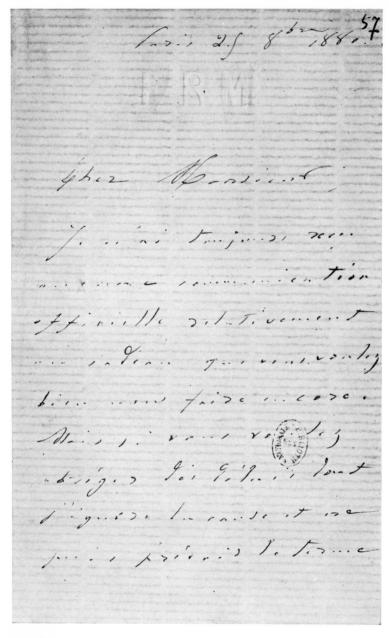

Deux billets à JOSEPH REINACH (publiciste et homme politique, ami de GAMBETTA), illustrant le changement d'écriture de RAVAISSON. Le premier billet, daté du 25 octobre 1880, est écrit de la main droite; le second, daté du 6 mars 1882, nettement plus lisible, est cependant écrit de la main gauche.

(Bibliothèque nationale, Cabinet des manuscrits)

Paris 6 Mars 1882.

Cher Monsieur,

Je serai à la disposition de M. Gambetta et à la vôtre lundi à 1ʰ. si ce moment vous convient. Je vous attendrai dans la salle des Caryatides.

Mille amitiés.

[signature]

Cousin ont dit de la Raison. Et cela c'est la *Conscience* d'un θεῖον de l'Esprit, la vue de Dieu. Descartes et Malebranche, et Spinoza. Là aussi une nécessité (de convenance) supérieure à la rationnelle.

Vacherot: la Raison ne révèle rien, mais seulement l'Expérience. Mais l'Expérience du divin est révélatrice. Le Coeur: on ne peut comprendre cela qu'en dépassant le niveau des λογισμοί et du mécanisme (Bergson seul): seul justifie la Métaphysique comme supérieure à toute *quantité* et matérialité.

Car la courbe et l'ondulation se concilient l'Un et le Divers, la rectification fait reculer à l'élément droit et carré, et ainsi rabaisse. Le point de vue philosophique sera de considérer la droite comme une sorte de courbe.

Nous devons tout voir, quoique confusément, dans une lumière divine primitive; de là Platon tire la géométrie, qu'elle-même doit être εἰκών de l'harmonie intérieure des combinaisons spirituelles. En nous primitivement, des mariages d'idées sous le régime d'une Vénus céleste.

Là le primitif *a priori*. Vision de nous en Dieu et de Dieu en nous et ainsi de tout *sub specie aeterni*, et comme fond sur lequel ressort cette lumière, subvision et imagination de la χώρα, quantité étendue. Là les racines des idées d'être, de substance et cause de permanence, constance, images de la Vertu intime, qui est l'Amour éternel.

Au commencement le Verbe, c'est-à-dire le dialogue de l'Esprit divin avec lui-même, ou réflexion dans un miroir interne, et ainsi circulation réflexive, ἐποιστροφή.

On voit tout d'abord dans la Lumière de l'Amour, Vénus, Beauté.

Ribot

... Par la prolongation, la sensation s'émousse, non la perception, au contraire. L'objectif est l'immuable. Rien là-dessus chez Ribot. Ribot prépare Bergson qui vient démêler le psychologique pur – et sépare de la Conscience les accessoires physiologiques ou physiques. Descartes déjà distingue deux mémoires, la pure et la mixte, où ont part la quantité (Pascal) ... [*verso*] ... M. Ribot est de ceux qui ont le plus fait pour nous en fournir la connaissance [des travaux allemands et anglais]. Il a ainsi préparé ceux, très importants, de M. Bergson pour distinguer nettement dans la conscience ce qui est propre à l'intelligence et ce qui s'y mêle d'ailleurs – question toujours à approfondir des rapports de l'âme et du corps, de l'esprit et de la matière.

(Fonds Devivaise, ms. 15.827)

Jugement

Le jugement nie ou affirme, joint ou sépare. Affirmatif, il déclare qu'une chose, en étant telle, est pourtant aussi autre chose, qui est une affection d'elle, un mode.

L'association, si elle est un simple fait, comme dans la mémoire, n'est rien pour l'intelligence, mais pour l'imagination seulement. C'est le jugement qui prononce qu'il y a similitude, et que c'est ce qui a produit le rapprochement, l'association. La cause de l'association, ou rapprochement, est la perception d'une identité totale ou partielle. N'est-ce pas aussi le fond de la mémoire intellectuelle de Descartes?

Le jugement qui établit identité, ressemblance, a pour type notre intuition de notre Répétition et d'abord *continuation* de nous-mêmes dans la conscience; c'est déjà altération par division, nombre, que de remplacer la *continuation* (continu) par la *répétition* (discret).

Le fondement du jugement est la *Réflexion* sur *nous* (Bergson), non sur les idées seulement (Leibniz). La vraie école est celle non de la *Conscience* seulement (Vacherot), mais de la *Réflexion*, inaugurée par Locke et Leibniz, après Descartes, fondée sur le *Cogito*, réflexion pure de quantité et de relation.

Aristote commence à purger l'idée de l'οὐσία de toute addition semblable (*Mét.*, M. *initio*). La première cherche l'Être sous les écorces et phénomènes. La quantité montre l'Être diffus, délayé, affaibli.

Le langage trompe en faisant de l'Être même un attribut (il *est*), comme s'il était une affection, et aussi en en faisant un *sujet*, comme s'il était une *pierre vêtue*. Il n'est καθ'αὐτό ni l'un ni l'autre. L'un et l'autre métamorphosent, le *matérialisent* en une *chose* morte. Seule l'Âme est personne, vivante et agissante.

La méthode suprême est réflexive, et toute autre vraie l'imite en cherchant un *summum* que le reste reproduit.

Autrement, phénoménisme (Renouvier, Lachelier).

(Fonds Devivaise, ms. B)

Fouillée

Il maintient le déterminisme pour le psychique, comme Leibniz: et c'est à quoi Boutroux ne répond pas. Bergson y répond, en ôtant aux prétendus motifs leur *aséité*, en les réincorporant à l'Esprit libre, en réfutant ainsi et Fouillée et Lachelier, également déterministes idolâtres.

Le prétendu déterminisme psychique est transport à l'esprit du mode corporel d'existence et de relations.

. . . .

Fouillée: rien contre la théorie de la Liberté de Bergson. Mais soutient que la morale exclut comme la science l'indétermination de la prétendue contingence.

(Fonds Devivaise, ms. L)

Durée

Platon cherche un *constant* (Descartes un solide). Mais quelle cause à la constance? Le *courage*, le τόνος, l'énergie. C'est là la *Cause*, limitée par la condition. La cause est l'Individu, dont la constance est la source de la *généralité*; elle est cause du prolongement, ou *extensio*.

L'esprit est souvenir et prévision, donc durée, domination sur le Temps.

Le corps, *mens* momentanea.

L'esprit, corps durable.

Platon: la forme, Aristote: la forme avec commencement et fin; l'art veut réaliser un objet traversé, embrassé *uno spiritu*; au lieu du temps à moments détachés, διεσπασμένως, une *durée continue* à laquelle s'attachent mémoire et prévision.

Aristote veut la *cause*, profonde, solide, source. Les idées non seulement inutiles, mais nuisibles, découpent, hachent la réalité en *feuilles sèches*. Bergson: la perception divise pour utiliser et ainsi tue, θεωρίας ἕνεκα; fait des choses, des machines. L'art vivifie par le *spiritus*. Platon établit des limites, cloisons. Aristote: des âmes qui se compénètrent, détails de l'Énergie substantielle, donatrice.

(Fonds Devivaise, ms. L)

Amour, abnégation, jusqu'à mort volontaire. De là le charme de l'*abandon*, de la grâce.

L'imite toute *evanescentia*, et mort.

Le phénoménisme (Hume, Mill, Renouvier) supprime avec l'Absolu, l'enchaînement intime: rien qu'assemblage d'externes.

Rétablir, avec l'Identité radicale, le vrai étant de *soi pour soi* (ἐπιστροφή) après *l'abandon de soi*.

Après la *Grâce*, la *Gloire*, par restitution de l'identité. Alors aussi Beauté absolue, supérieure à la Grâce même? Mais non: au-dessus de tout la disposition initiale à *se donner*: fond et principe de la *Causalité*.

Cela seul manque à Bergson: de là son âme intime prise (par lui-même) pour une nature inférieure, végétative. Et de même Belot qui veut le réduire à cela.

Bergson par l'idée de Force approche de la vérité complète, *mystique*, car c'est le fond des Mystères. Ils mènent à la Grâce. Là l'ἀπόρρητον sur lequel l'Église a fini par imposer le silence. Chercher au contraire à l'approfondir, quoique pour arriver définitivement à la Σιγή; au Βυθός.

Dans chaque métamorphose, on y arrive par mort et en repart.

Le secret de l'Évolution: Résurrection, Réhabilitation.

(Fonds Devivaise, ms. L)

Division

Génération primitive, la *scissiparité*. Là est le type de l'*analyse* logique: diviser pour mieux *unir*. – La jeunesse divise ce que réunissait l'enfance pour mieux l'unir: de même la pensée.

Chacune des parties d'un organisme est près de se détacher pour vivre à part. C'est qu'il s'est d'abord divisé, plurifié, pour se renouveler.

La nutrition, la génération sont rénovation. L'ὁδός de tout art est la *métamorphose*. Le but est l'action (Bergson), mais d'abord reconnaissance du but et des moyens. C'est ce qu'il omet; son volontarisme est donc outré. La pensée est surtout *critique*, l'action synthétique (composition) ou organique par position du but (Amphion).

(Fonds Devivaise, ms. L)

Action

[au dos d'une note du 14 janvier 1897]
  C'est le But. Bergson, Ribot [au-dessus: Ridder], Pascal, Aristote.
  C'est l'objectif grec. La vie perpétuelle, création. Le but est donc d'accroître le Trésor universel.
  Amour, génération pour conduire au πλήρωμα divin.
  Méthode en art, *actuare* le Principe enfoui sous les imperfections et détails. Le rendre visible, saillant, en relief; le retrouver, le glorifier, l'adorer. L'art est apothéose, religion. C'est renouveler la vie, ressusciter de la mort.
  Danse, figure l'amour; morale le réalise. Art de vivre est donc art d'aimer et en effet vie = amour.
  Un seul Être (Parménide), mais *nuancé*, distingué comme les vagues, plus ou moins tendu, sans division, par *hache*. Vagues récurrentes (ou résurrection?).

(Fonds Devivaise, ms. L)

Philosophie

  Les *idées* sont la fonction unifiante, abstraite, ainsi généralisée et érigée en *être*, la *loi* érigée en cause. Le progrès a été de reconnaître des *lois*, le tort, pour Platon et Kant, d'y voir le *summum*.
  Τέλειον et ἀτελής appartiennent à la quantité (*Mét.*, K, 9, l.23). Ainsi la question même de l'Absolu et de l'Infini est de *quantité*? Qu'est-ce donc qui est de qualité? Rien d'exprimable, sauf peut-être les idées de Beauté et de Bonté? Tout le reste est symbole tiré de la quantité. Même des degrés de Bonté sont quantité encore; aussi Bergson n'en admet-il pas, mais seulement des additions ou superpositions? Mais n'est-ce pas nombre, et dès lors encore quantité?
  Morale: *hominem ludere.* A cela revient la maxime universelle de Kant, c'est-à-dire qu'autrui est respectable, qu'on doit à l'humanité φιλανθρωπία, φιλία. Au moins τιμή, αἰδώς, σωφροσύνη: ne pas prendre, pas *d'avaritia*.

(Fonds Devivaise, ms. L.)

B. DE LA NATURE À L'ART

  L'Être est ce qui *agit*. Mais agir, c'est vouloir, donc penser. Et ceci implique plus ou moins *réflexion*; donc l'Être vrai se pense, est νόησις νοήσεως ... Si Dieu dort dans la pierre, c'est d'un sommeil voulu.

*

  La Force créatrice se concentre et s'épand alternativement. Tout se fait par battement, concentration et expansion alternatives, l'une image, c'est-à-dire répétition modifiée de l'autre. De là rythmes, rimes, palpitations, veille et sommeil, ou vie et mort:

  amant alterna Camenae

Bis repetita placent. Or *pulchra=grata.* L'agrément ne fait pas la beauté, mais la beauté plaît par ce qu'elle contient d'amour qui est plaisir et bonheur.

Unité universelle

Il n'y a, n'y a eu, n'y aura qu'un Homme, simple et double, un et multiple, se succédant en héritiers. Ainsi une chaîne ininterrompue de διάδοχοι, plus ou moins lumineux ou enténébrés. Le monde se conserve dans une unité nuancée, modulée à l'infini. Fugue ou rien ne disparaît entièrement, mais tout *subsiste*, comme des notes sourdes sous des claires, et les unes sensibles au travers des autres... Translucidité perpétuelle et universelle, perpétuelle Mémoire?

*

Don: l'Esprit est naturellement *donateur* et *don*. Le Christianisme renouvelle cela. L'Esprit donne où il souffle ...

*

Toute la nature procède par une suite de métamorphoses. Chacune en est une crise d'abaissement et comme de mortification. Aussi dans chaque mue, l'animal est-il porté à une sorte de honte et de tristesse, il cherche la solitude et la nuit; le ver se tisse lui-même, pour subir sa transformation, un tombeau. C'est ce qui a lieu sous des formes diverses, dans tout hymen. Aussi est-ce toujours chose de pudeur et de ténèbres.

C'est ce que l'art imite quand il passe pour arriver à la création par une période de confusion et d'obscurité. Tirez de la fumée la lumière, dit Horace.

Dans la série des rites religieux le commencement est purification; la purification dans le baptême chrétien est immersion dans l'abîme des eaux, d'où sortira la vie nouvelle: le baptisé sort de l'eau à la lueur de flambeaux allumés; dans l'ancienne théologie le baptême appelé sacrement de mort est appelé aussi sacrement d'illumination (φωτισμός).

Évolution

Dans un vivant la division n'est pas absolue: il y reste un fond d'unité. De même, dans le tout qui est la nature. *Ego sum vitis, vos palmites.*

La théologie, chrétienne nous montre une seule et même divinité se divisant sans séparation absolue, en personnalités différentes. Le Christ dit à ses disciples: Je suis la vigne, vous en êtes les rameaux.

Rien n'empêche qu'une seule et même substance se divise en une pluralité et même une infinité d'autres, sans s'y perdre et sans se diminuer ou s'appauvrir.

La mer en est une image se décomposant incessamment en vagues qui incessamment aussi se recomposent en elle.

Ce n'est peut-être pas le tort de Spinoza d'avoir conçu ainsi sa divinité, mais seulement d'en avoir fait une sorte d'universelle matière, quoiqu'intelligence, soumise à un développement fatal.

*

Le monde géométrique est le domaine de la nécessité et de la servitude. Les choses vivantes auxquelles se rapportent proprement, avec les sciences naturelles, la philosophie et l'art, sont les unités non logiques, mais réelles, qui pleines et fécondes s'épandent ou rayonnent, libres et aimantes, en la multitude d'attributs et de modes par où elles se révèlent, et qui, par conséquent, définit le mieux l'idée de la libéralité.

L'art a pour objet de représenter l'âme, autrement dit le principe générateur, le principe qui crée en aimant et auquel retourne, reconnaissant, ce qu'il a créé.

La morale établit pour principe, comme l'âme de toute conduite, c'est-à-dire comme la source de toutes les vertus, l'amour dont l'objet de toutes choses est ensuite de procurer le règne.

C'est là aussi le résumé de la politique ou sociologie.

La nature, cercle qui forme l'ἱερός γάμος.

*

C'est le mouvement sur une grande échelle d'une source intarissable qui s'épancherait comme avec complaisance sans jamais s'épuiser. Ce mouvement qui est comme la fonction spéciale des âmes généreuses.

Les théories matérialistes représentent l'univers comme ayant passé graduellement sans cause, non de l'absolu néant, mais d'un chaos à cet ordre qui lui fit donner par les Grecs le nom de κόσμος, ordre, arrangement.

Le successeur de Platon, Speusippe, disait, en adhérant à ces idées, que le beau et le bien étaient choses relativement récentes et il citait en preuve l'oeuf, où l'on ne voit d'abord qu'une masse informe; Aristote répondait que le commencement pour le vivant n'était pas l'oeuf, mais un adulte de qui il sortait et qui possédait toute la perfection à laquelle parvenait graduellement un embryon que l'oeuf renfermait. Sans doute sa pensée était encore que la cause immédiate du développement était une force.

C'est compléter sa pensée que d'ajouter que la cause efficiente du développement est une force invisible qui, de l'adulte qu'elle a organisé, descend dans l'embryon y recommencer, suivant une idée directrice, son travail. Dans ce système, c'est l'âme organisatrice qui, successivement, de génération en génération, s'abaisse et se relève. Et ainsi se propage la vie comme un fleuve qui d'onde en onde lentement s'avancerait. A chaque moment de ce mouvement l'incarnation inexplicable d'une secrète imagination. De la sorte, le monde vivant est l'apparition successive, parmi la diversité des espèces et des individus, de détails en lesquels se réalisent de mystérieuses volontés.

Nature

La nature de même, pour qui la considère à la lumière dont l'éclaire la conscience, est un renouvellement perpétuel avec perfectionnement par une suite perpétuelle de sacrifices.

Chaque créature est un assemblage d'éléments similaires, chaque animal une multitude d'animaux: c'est ce qu'on a appelé le polyzoïsme. Mais c'est ce qu'on a appelé colonies animales, comme si la pluralité avait préexisté à l'unité, ce qui est l'explication matérialiste. En réalité, au contraire, tout résulte de la division de l'unité. D'abord a été le meilleur, puis est venu, avec la plurification, l'abaissement, puis enfin le relèvement, la résurrection dans la gloire.

Vainement a-t-on cherché à prouver par l'expérience ce qu'on a appelé la génération spontanée des corpuscules organiques inertes se rapprochant, s'arrangeant en corps organisés, doués de vie, et même de sentiment et de pensée. L'expérience, faite avec exactitude, a toujours montré les vivants, n'importe de quel degré, provenant du développement d'un embryon auquel avait donné origine un vivant tout semblable. *Omne vivum ex ovo, omne ovum ex vivo.*

Comment s'opère, dans ce phénomène sans exception, la transmission de la vie? Nous ne saurions le dire: chacun ne peut que répéter cette parole de Jean-Baptiste Van Helmont: «J'ignore de quelle manière les principes séminaux manifestent leurs propriétés». Nous pouvons remarquer du moins que c'est en s'abaissant de l'unité vitale à la multiplicité en des germes où semble s'incorporer la force génératrice, et qu'ainsi le progrès organique, à chaque génération, est une réhabilitation, une reconstitution. C'est le terme qu'employait le Stoïcisme, et qui désignait l'action par laquelle l'âme, après s'être déployée dans la multiplicité de ses facultés, revient à la simplicité radicale de sa tension.

Dès la première exertion de ses puissances, la force génératrice pose en quelque sorte le principe de son développement. Elle le pose en formant premièrement l'essentiel. Elle commence par les parties principales. Dès le début le coeur et la tête. Chez certains arthropodes où est plus apparente la loi générale, la tête se montre d'abord seule. Un anneau en sort ensuite avec deux membres symétriques ...

Morale-Nature

Les Anciens voulaient, à quelque secte qu'ils appartinssent, qu'on suivît la nature. Kant considère ce précepte comme une erreur, la nature s'opposant pour lui à l'esprit. Mais qui empêche de prendre ce terme dans un sens plus large embrassant à la fois tous les degrés de l'existence?

Prise dans son ensemble, la nature tend à la perfection. Une force intime nous y pousse. De là ce qu'Aristote a remarqué chez tous les hommes d'un désir insatiable de savoir. Mais la perfection la plus haute, celle de la volonté, est celle qui constitue l'amour. Le savoir est l'instrument, l'amour est la fin.

La perfection la plus haute est de vouloir constamment ce que veut l'auteur suprême; et ce qu'il veut, comme le montre tout le cours de la nature, c'est que l'amour unisse tout.

La Kabbale hébraïque disait: que fait l'Auteur de toutes choses depuis qu'il les a créées? ... Elle répond: il siège et il opère des mariages. C'est ce que nous montre partout la nature, c'est la formule générale des assemblages qui constituent la vie. Le mariage suprême est celui des éléments opposés et harmoniques de la divinité. C'est, à un degré déjà inférieur de l'existence, celui que célèbrent l'ancien et le nouveau Testament et les mystères grecs de la divinité et de l'humanité.

Le Principe se crée une *image* (fils ou fille), puis s'en fait une *épouse* pour une seconde création (Jéhovah crée la Sagesse). Verbe, idée, puis en a l'Esprit (*qui a patre filioque procedit*). Un instinct nous dit τί ἐστι le devoir. Nous le justifions ensuite.

Vie

Art: croissance par *assimilation* et *répulsion*. Amour et haine, Empédocle.

Adulte, le vivant se multiplie en s'abaissant; puis continue; c'est figure de sa destinée éternelle, qui embrasse l'infini. Il prend du monde de quoi se développer et rouler indéfiniment, en pénétrant [?] le Principe et prenant conscience du θεῖον.

L'art, jeu, figure du combat pour le triomphe de l'esprit. Ce triomphe est la Morale héroïque, divine.

Fêtes pour jeux-prophéties. Combats, Victoires. Images du triomphe moral. Les jeux, exhibition de Beauté dans l'enthousiasme de l'ivresse. Bacchus vaincu lui-même en Marsyas par Apollon. Jeu suprême, νόμος, Aphrodite, reine des Tombeaux. Vénus de Milo est le dernier mot.

La vie est descente et relèvement. Πόνος ... Gloire et bonheur. Par l'abaissement, atteindre tout, reformer le troupeau dispersé. Par l'art, peindre l'avenir, l'Éternité.

Chaque Sabbat annonce le Sabbat final. Peut-être d'abord le Jour nuptial? Bacchus précède Vénus, l'Eucharistie le Mariage Sacré.

Métamorphoses

Le feu se transforme en tout par ἄνεσις, puis, de sa partie restée intacte, fond en soi tout ce en quoi il s'était changé et le transforme ainsi en soi.

C'est le papillon invisible qui change en papillon la chrysalide, après l'avoir fondue, tuée. Évolution par appel orphique.

Dans cette légende est impliquée la pensée que si le Sauvage se change en ἥμερον, par une évolution graduelle, c'est sous l'influence d'un principe supérieur qui réveille ce qu'il avait déposé d'analogue dans l'inférieur, et l'appelle ainsi à soi. Dans cette légende est donc contenue toute la métaphysique. Grâce prévenante, sollicitante, évocatrice, éducatrice (*effusio formarens*).

Aristote: l'inférieur ne se change en supérieur que sous l'action d'un principe supérieur qui suscite en lui ce qu'il y a déposé d'analogue.

Dans l'évolutionnisme matérialiste, l'inférieur se transforme de lui-même ou sous la pression d'un milieu aveugle, en quelque chose de meilleur. Rien ne vient du pur chaos, mais d'une étincelle que Dieu a cachée.

Mécontentement

Provient surtout d'une préoccupation excessive de soi. On peut être *inquiet* pour les siens: on n'est guère aigri et haineux que pour soi. Est moins mécontent celui qui regarde hors de lui songe, même avec sollicitude, à l'avenir des siens.

Les bons sentiments s'accordent. L'affection pour sa famille adoucit l'âme comme l'égoïsme l'aigrit.

Aujourd'hui plus de degrés, ni d'ascension graduelle. Chacun aspire à arriver d'emblée au sommet. Dès lors ambition et mécontentement universels.

A Rome, *census*; chez nous, poussière égalitaire. C'est passage à une réorganisation sociale.

La Révolution a affranchi, et promis le Bonheur.

Le progrès de l'industrie et de la science a amélioré matériellement: recul moral. (Villermé, Le Play). Progrès du mécontentement, donc de malheur. Afflux dans les villes: population sensuelle sans modération, comme sans prévoyance ni sécurité. Épargne des femmes, palliatif.

Art

Épurer la nature offusquée, défigurée par des accidents, y accentuer le rythme auquel partout elle est soumise, en faire ainsi un poème, faire voir aux dépens de la *naturata* la *naturans*; apparaîtra le principe à l'état vierge, naissant; préparer ainsi par la beauté la perfection morale en s'habituant sur des sujets sensibles à comprendre ce que c'est que hiérarchie, économie.

Beauté, inexplicable, que nous ne pouvons guère définir que par l'impression que nous en recevons, *admiration* et *penchant à aimer*, et à s'y *attacher* et *assimiler*, parce que nous y sentons l'unité qui nous appelle: unité de l'Amour ἐνοποιός. Nous voulons devenir amour comme l'est au fond l'objet.

Le subjectif n'est pas la raison de la beauté (Kant), mais nous en fait trouver la raison, l'unité d'amour qui est aussi le fond du sujet. Cet amour en nous nous fait reconnaître l'Amour dans l'objet. Nous devinons et aimons la beauté, la Volonté bienveillante et compatissante.

Tolstoï

L'art est jeu, car est semblant. Comme aussi la μίξις, simulacre de combat et de victoire. De même le théâtre: ἀγών. Mais il en faut comme il faut ἄνεσις et sommeil. Et ainsi se refont les forces. L'école aussi, *ludus*, ἄνεσις, θέσις, *neque semper (arcum) tendit Apollo*. Jouer du violon. *Et Abraham jocans comme uxore*. Les ris et les jeux, avec Vénus et l'Amour, et les Anges. Tolstoï: *vae qui rident*. *Sommeil*, dons *(divum)*. Jeu: épanchement, abandon.

L'enfance est jeu; or il lui faut rassembler. *Ludite*. L'inspiration est aussi παιδιά. Bacchus; Ivresse. Le sérieux continu ennuie; est pédantisme, tendance continuelle aux idées au lieu d'abandon au sentiment. Platon: sacrifier aux Grâces. C'est l'élément enfantin et féminin [...?...] frisant le satyre, la bête et sa simplicité.

La nuit porte conseil.

Le jeu est donc souvent meilleur conseiller que la contention d'esprit, Descartes, Leibniz. Platon est un jeu perpétuel. Aussi Montaigne, La Fontaine. – *Et prodesse volunt et delectare poetae. Castigat ridendo* ...

Tolstoï avec son austérité ordinaire proscrit la recherche de la beauté: il craint que ce ne soit que chercher le plaisir et s'abandonner à la sensualité.

Mais le plaisir même (ou l'agrément) ne peut-il être envisagé d'un oeil moins austère? L'Évangile, auquel Tolstoï nous renvoie sans cesse, ne célèbre-t-il pas les Béatitudes, ne promet-il pas, avec la paix, le bonheur? Et si l'on répond qu'il y est question d'une félicité toute morale où il n'entre rien de métaphysique, ne peut-on rappeler ce que le Christ dit de la beauté du lys, qu'elle surpasse la splendeur de Salomon dans toute sa Gloire? Jansénius, si sévère, dit de la Grâce divine, qui se rend maîtresse de la volonté, qu'elle agit par une délectation. Et n'est-ce pas aussi la doctrine de Saint Augustin? Pascal s'écrie Joie, Joie, comme aussi feu, feu, et ne croit pas en cela mal faire.

(Fonds Devivaise: cf. TH., II, p. 159)

L'art donc, dans l'imitation surtout des objets de l'ordre le plus élevé et de la beauté la plus délicate, ne s'applique pas proprement à reproduire des ouvrages de la nature, mais plutôt à reproduire la tendance, la volonté d'où ils émanent ou, en empruntant une expression à Spinoza, il s'applique à imiter la nature naturante plutôt que la nature naturée ou, plus simplement, le dessein plutôt que le résultat.

Aristote a pu dire: la poésie est chose plus sérieuse et plus philosophique que l'histoire: car l'histoire dit ce qui est et la poésie ce qui doit être.

(Nov. 1897)

D'un autre côté, nous trouvons de la grandeur en toute chose où l'unité règne sur la multitude et où rien dès lors ne suggère aucune idée de limite. Et une unité qui contient et pénètre à la fois la multitude, comme le Stoïcisme le disait de son dieu ou esprit universel, c'est la beauté même. Aussi, non seulement il n'est pas de beauté sans grandeur, mais il semble que la beauté soit la grandeur même. Et c'est ce qui explique comment la vue d'un objet de cette beauté souveraine qui va jusqu'à la sublimité jette dans une rêverie où il semble qu'on se sente flotter et comme planer dans une mystérieuse immensité.

Dissymétrie esthétique

On a reconnu assez généralement que la beauté impliquait certain accord de l'unité et de la variété, mais sans remarquer assez que c'en était une condition préalable plutôt que l'essence, et le genre sans la différence propre et caractéristique.

Plotin, du moins, a remarqué qu'avec l'accord de l'unité et de la variété, pour constituer la beauté, il fallait encore la vie. Mais la vie même, c'est là encore un attribut trop général. C'est au corps ajouter l'âme. Il fallait dire cette vie spirituelle qui est l'amour. Dans une belle chose, a très bien dit Schelling, il semble que tout aime. Et en effet le tout semble y tendre au bien, à la perfection de toutes les parties, en faisant que toutes contribuent au bien de chacune, et les parties, réciproquement, semblent tendre toutes au bien de l'ensemble. C'est ce que Pascal, si préoccupé de l'amour, avait exprimé avec une force singulière; enfin c'est à lui qu'il paraît juste de rapporter, comme au premier auteur, l'origine de la définition de Schelling. En tout cas, on peut remarquer que plus est grande chez les vivants la perfection organique, plus est grande entre le tout et les parties la solidarité et étroite l'union. Tous les animaux, comme l'ont dit plusieurs physiologistes, et en dernier lieu M. Durand de Gros, sont au moins dans une large mesure des assemblages: dans les espèces supérieures l'unité l'emporte de beaucoup sur la pluralité.

On peut imaginer avec les polyzoïstes que la multiplicité a été le commencement et l'union la suite. Il paraît plus vrai que la formation animale a ressemblé au bourgeonnement des plantes....

(Juin 1898)

Esthétique

Le beau est admirable, c'est-à-dire plus grand que l'humain; tel aussi le divin, miraculeux. La tragédie, poésie supérieure même à toute épopée faite pour la *grandeur*. Eschyle, Corneille. La grandeur et l'ordre. Beauté, ordre de la grandeur. La grandeur, *condition* de la beauté: en est la *matière* = existence. La grâce est le ἕν, l'achèvement, τέλος. Le héros dépasse sa propre existence, est magnanime.

Leopardi: une lueur de génie quand il rapproche l'amour et la mort (fondus dans le sacrifice).

Aristote réduit les différences à l'ordre (1, 2, 3, ...) agrandit ainsi, en supprimant les négations ou les limites.

Être est *grandeur*, plus encore la sacrifier par amour, c'est là le ἕν εἶναι fin de tout dans la fusion en unité. Le beau supérieur ou sublime est ce qui ravit, transporte, enthousiasme = θεῖον. La *translatio*, qui est la poésie, détache d'une forme particulière, prépare le ravissement qui emporte en Dieu (Élie).

La répétition poétique montre de chaque chose qu'elle peut être *autrement* (ἕτερον τω, εἶναι) et ainsi est, par les translations, universelle; donc la fait ainsi *grande* indéfiniment. Le poète universalise donc comme le philosophe. La nature par ses variations et métamorphoses enseigne l'identité infinie.

Que la *diversité* soit *unité*, c'est la *merveille* universelle, qui est beauté par le calme que l'unité étend sur les choses réunies en l'amour.

Je rêve tout cela sans le préciser assez.

*

Définir le beau ce qui plaît sans qu'il y ait intérêt, c'est dire sans intérêt matériel, corporel, intérêt comme biens étant pris ordinairement dans le sens le plus bas, le plus grossier. Or ce qui est tel est ce qui plaît *à l'esprit*. Mais tout ce qui plaît à l'esprit n'est pas pour cela seul beau: ainsi *l'ordre*, la régularité, la logique, la raison. Il faut de plus quelque chose qui ravisse, charme, qui nous sorte de nous, quelque chose de *divin*. Or est tel cela seul qui paraît aimer, l'amour étant le θεῖον. Ce qui n'est pas divin n'est que condition, *ingrédient*, non constituant.

On a senti que le beau est suprasensible, mais sans aller à son essence, et en ne dépassant pas le λογικόν.

Le beau n'est pas seulement approuvé, loué, ἐπαινετός, mais est τίμιον, transporte, comble, paraît surhumain, infini, mystérieux (le simple *ordre* est explicable, rationnel).

Mystère aussi l'abnégation, le sacrifice, la grâce : *nescio quid* ; tel est tout don *de Dieu* ; le sommeil, la nutrition. Mystère aussi le sublime, qui confond, la grâce, inexprimable.

Art

L'art imite la nature non pas tant à la vérité telle qu'elle est que telle qu'elle doit être, qu'elle veut être, et c'est pourquoi Aristote a dit que la poésie était chose plus sérieuse et plus philosophique que l'histoire, mais enfin elle l'imite.

La nature va du grand au grand en passant par le petit. Autant en fait l'art.

Aussi sa marche est-elle de partir d'une totalité pour en descendre à des parties qui de nouveau réunies reconstituent une totalité égale ou supérieure à la première.

D'abord poser le tout a dit Horace. C'est ce qu'ont fait tous les maîtres.

Il est d'une petite philosophie de faire les grandes choses de plus petites. C'est également le plus petit art, non le grand qui construit l'ensemble par le détail. On obtient ainsi le contraire d'une belle chose : une tragédie, comme dit Aristote, toute formée d'épisodes.

*

Nul ne sait ce que c'est que l'art, disait Paul Véronèse, s'il ne possède l'art. A plus forte raison peut-on dire : nul ne sait ce que c'est que la morale que les Stoïciens appelaient si bien l'art de la vie, et où a sa racine tout autre art, s'il ne la porte en soi. Nul ne sait ce que c'est que courage s'il n'est courageux, que libéralité s'il n'est libéral, que magnanimité s'il n'est magnanime.

Le secret de l'art ne se trouve donc pas dans une science de l'âme qui s'est détachée de l'âme, il se trouve dans l'âme vivante et agissante en laquelle vit et agit un génie qui l'inspire comme Apollon inspirait sa prêtresse, en la pénétrant de son prophétique savoir.

L'Art n'est pas le dernier mot. Il est image, figure, prophétie. Chez les Grecs, les jours consacrés à célébrer les Dieux sont employés à des jeux, combats fictifs, terminés par des Victoires où triomphe le Divin, prophétisées par les sculptures des Temples.

La vie sérieuse : luttes et Triomphes de la Grâce. Figure en Israël : les Tabernacles ; rafraîchissement, ombre, εὐνή? Bacchus sous la feuillée, avec Ariane : Sagesse, qui a le fil du Labyrinthe?

Art – Simple vue

La méthode nouvelle procède, comme on le fait en géométrie, de partie à partie, de détail à détail. Elle ne peut procurer cette vue de l'ensemble où Pascal a vu le caractère de l'esprit de finesse et qu'implique, dit Léonard de Vinci, la perception de la beauté. De cela seul il suit qu'elle n'est point la méthode de l'art.

La méthode de l'art est au contraire de s'exercer à saisir d'un seul coup l'ensemble avec son rapport aux parties. Dans la musique même où la méthode est successive, il n'y a perception de la beauté qu'autant que la mémoire condense, ramasse en un seul moment le successif.

Ainsi en est-il de toute intuition du spirituel, qui est supérieur au temps, et de l'oreille percevant un accord.

La comparaison veut un *temps indivisible*; là-dessus est fondé le théorème qu'il faut pour le jugement un Pensant *simple*. Sa réduction veut ou souffre une pensée plus lâche, un sentiment moins vif qui ne s'adapte pas de même à la beauté. L'esprit de *finesse* atteint l'Unité dominante dont le règne est la Beauté. Là règne le sentiment avec l'analogie, non plus la pesante démonstration ni le Calcul. L'enthymème déjà est moins pesant et compassé. L'analogie est encore plus vive et prompte, rapproche les différences, franchit les plus grands espaces, embrasse le monde *d'une vue*, comme la poésie qui est toute analogie, tranposition, *translatio* ou μεταφορά.

Poésie, imitation donc substitution, équivalence. Les *symboles*, figures, cérémonies, représentations comme la monnaie. L'esprit de finesse est libre et prompt. Le géométrique lent, pesant; Pascal: vues *lentes*. Est-ce différence de simple quantité? L'exécution par habitude simule l'instantanéité. Poincaré réduit à cela le *continu*, qui ne serait que l'imperceptible? ou au contraire le successif rapide simulerait-il l'instantanéité?

*

Art: fait pour choisir et éterniser (apothéose) ce qui le mérite, le θεῖον. L'amour seul est éternel. L'art éternise ce qui porte le caractère de l'amour.

*

Dans cette marche on ne s'avance pas comme en dessin linéaire sans voir encore devant soi en suivant un fil donné comme dans un obscur labyrinthe, mais en vertu d'une révélation de plus en plus lumineuse du génie que l'on porte en soi. On discerne mieux à mesure qu'on apprend et que la science croissante met plus en éveil l'observation. Je ne vois bien que ce que je sais, disait profondément un peintre penseur, Fromentin.

*

L'art fait ressortir l'*Unum et simplex*, à la fois *summum* et *sufficiens*, laissant transparaître le πολλά qui témoigne de sa force économique; grâce victorieuse; détail subordonné.

Mathématiques: unité aussi, mais par enchaînement, détail à détail.

*

La Beauté nous plaît, au fond, comme expression d'Amour. L'Art avance le règne du royaume de Dieu ... C'est la Beauté qui nous *touche*. La Beauté met en relief l'âme qui va éveiller l'amour par son essence totale ...

Somno aeternali

C'est le Dieu définitif auquel sont réunis les morts: sommeil avec rêve (l'Hermaphrodite)...

... Amour; solitude en même temps solidarité. Léonard: le peintre, solitaire dans l'enthousiasme. Rêve ensemble, figuré par l'Hermaphrodite. Israël espère être *dans le sein d'Abraham*, évidemment y dormir comme les petits des animaux dans ou sous leur mère.

Dans la danse, dans la course, l'homme ne touche plus à la terre que par les doigts, et la danse, remarque Emerson, offre un équilibre perpétuellement troublé, perpétuellement rétabli. L'allure humaine est ainsi, comme celle de l'oiseau dans l'air: une merveille, incessamment renouvelée de libre vouloir.

C. PAGANISME ET CHRISTIANISME

Idéal grec: παῖς καλός, ἱερός γάμος, παιδεία, παίζειν, ἐνθουσιασμός, rêve d'amour. De là les jeux et ἀγῶνες, émulation en des jeux; car la lyre aussi donne lieu à ἀγών. Apollon et Mars.

Idéal suprême: νίκη et la Couronne, voile de la Nuit conjugale mystique.

Polyclète

Le Doryphore: ἔρις, πόλεμος, Mars. Le Diadumène annonce Vénus et l'Amour.

L'Amour ne se montre que par le voile, la Nuit: mystère. Du secret de cette Nuit, rien. Le dernier mot est l'ἄρρητόν.

L'oeuf est voile, καλύπτρα. Sous ce voile, travaille l'Amour créateur, φιλία. Mars lui-même est au fond *Ultor et Pacifer*. Sa lance est épée de justice.

La phase critique du monde est division (percer et couper: lance et épée).

Le Voile enveloppe réunit, συνέχει, comme tout lien (*vincire* = σειρά?), *legere, colligere, cogitare*, δεῖν.

Les deux héros, opposés comme Force et Grâce, Mars et Vénus, πόλεμος et φιλία.

*

Pourpre signifie divinité, d'où loisir dans la gloire. Entrant dans la vie active, on quitte la *prétexte*, robe longue et ornée, pour la tunique courte et simple. On voit la robe aux dieux, à Orphée, à Triptolème, à Achille dans Scyros, aux rois, aux prêtres, à Sérapis comme dieu du Loisir éternel.

Expansion

Joie provoque épanouissement. Sourire élargit, dilate, la tristesse contracte. L'homme plus développé, est donc le sourire du monde, la théophanie de Vénus et de l'amour.

Morale: organiser toute la vie pour répandre sur tout l'amour et par là la grâce et la beauté, comme la nature à chaque saison.

*

Le serpent séduit, tue, sauve. L'art est ondulation, vibration, alternance-expansion et contraction. L'art rend sensible par la loi universelle. L; serpentement, vibration étalée en progression. Ainsi va le courant élece trique manifesté par l'éclair ou l'étincelle.

Serpent

Le sens primitif de la religion de la terre se laisse voir dans le culte qu'on rendit partout au premier né du limon terrestre, le serpent, que les traditions antiques représentaient comme l'animal fabuleux qu'on appelait le dragon, avec des ailes qui lui servaient à s'élever dans les airs et en qui semblait planer ainsi au-dessus du sol l'esprit de la Grande mère. Ces êtres étranges, dont nous donnent quelque idée les sauriens des premières époques géologiques, reptiles et oiseaux tout ensemble, avec leurs instincts supérieurs à ceux des reptiles qui leur succédèrent, devaient apparaître à l'imagination des premiers hommes comme pleins du savoir qui, de tous les trésors renfermés dans les entrailles de la terre, était le plus précieux. Tel dut être le Python de la légende de Delphes, sur la peau duquel s'asseyait, pour rendre ses oracles, la prêtresse d'Apollon, et qui probablement, à une époque antérieure, était lui-même l'interprète de la science divine. Dans la *Genèse* le serpent habite le jardin des délices où vivent avec leur créateur les premiers hommes, et il connaît les secrets des arbres merveilleux de ce jardin.

Sans doute il a alors des ailes dont le prive la sentence qui le condamne, après qu'il a séduit l'homme, à ramper sur le ventre.

Chez les Grecs un serpent est sans doute d'abord un dragon, il veille sur l'arbre aux fruits d'or, ornement du jardin des Hespérides, c'est-à-dire des nymphes de l'Occident, qui n'est autre chose que le jardin des Dieux mêmes. Sur un bas-relief qui a été publié récemment par Madame la Comtesse Lovatelli et qui représente, ainsi qu'elle l'a fait voir, un initié aux mystères d'Éleusis admis, après l'accomplissement des rites de purification, auprès des grandes déesses Cérès et Proserpine, et comme sur le seuil du séjour de l'éternel bonheur, on voit à côté de ces déesses un serpent auquel il offre à boire dans une patère. Un serpent se trouve également aux côtés d'Esculape et d'Hygie, les dieux de la guérison et du salut, et Hygie souvent lui offre à boire. Sur quantité de bas-reliefs funéraires on voit un serpent, le plus souvent enroulé autour d'un arbre chargé de fruits qui rappelle et l'arbre aux fruits d'or du jardin des Hespérides et celui de la *Genèse*; sur un grand nombre encore de ces bas-reliefs un autel est dressé devant le serpent indiquant qu'il faut voir en lui un dieu, et le mort, représenté à cheval, pour indiquer qu'il est devenu un héros ou demi-dieu, lui offre à boire dans une patère ou se dispose à verser devant lui, sur l'autel, une libation.

Dans tous ces différents tableaux le serpent est évidemment le génie du séjour divin. Or, s'il est ce génie, ce n'est pas seulement à cause de son intelligence réputée supérieure, c'est aussi, c'est surtout parce qu'on lui attribuait à l'origine un naturel bienveillant et bienfaisant. La trace de cette antique croyance est visible dans le culte du Bon démon Agatho-démon, qu'on invoquait à table avant tous les Dieux comme s'il résumait en lui, ainsi que son nom l'indiquait, l'idée de la bonté divine et auquel on donnait la figure d'un serpent. Une des raisons principales qu'on eut de déférer au serpent un tel rôle dut être qu'on le voyait accessible plus qu'aucun autre des animaux à cette influence de la musique qui résumait pour les anciens la puissance persuasive par laquelle ils pensaient, comme on l'a vu, qu'était principalement gouvernée la nature.

Les Grecs plaçaient souvent un serpent auprès de Minerve la déesse de l'intelligence et de l'industrie, le verbe de Jupiter; ils en plaçaient un auprès d'Apollon, le dieu de la divination, de la prévision, qui peut-être était considéré comme possédant ces dons parce qu'il possédait la science de l'harmonie, qui rapprochait et enchaînait toutes choses. N'oublions pas qu'originairement, la médecine à laquelle présidaient Apollon et Esculape, son fils, consistait en grande partie dans des incantations, et que par conséquent c'était dans la musique, qui purifiait et calmait, ou pour mieux dire encore, dans l'amitié qui en était le principe, qu'on voyait, d'une manière générale, le secret du salut.

Enfin le serpent a une allure ondoyante qui rappelle la marche oscillatoire de la vague et de la flamme, où les plus savants dessinateurs des temps modernes, Michel-Ange et Léonard de Vinci, virent le type de ces mouvements, gracieux entre tous, que l'auteur de la Cène qualifiait de mouvements divins, et dont le principe ne put échapper aux grands artistes de l'antiquité.

Serpent – Colombe

Pourtant lorsque le culte passa, pour ainsi dire, de la terre au ciel, ce furent les oiseaux qui, de préférence, entre les animaux, furent assimilés aux dieux, et parmi les oiseaux, comme je l'ai dit plus haut, celui-là fut éminemment le représentant de l'esprit céleste qui paraissait répondre le mieux, par la douceur de ses moeurs, à l'idée qu'on se faisait de la bonté divine.

Sommeil

Toute la question de la condition des morts et des vivants comprise dans les idées des anciens peut se ramener à celle des rapports du sommeil et de la mort, mais dans un tout autre sens que celui de Lessing.

Un des rites les plus anciens pour les funérailles est celui qu'on pratiquait autrefois dans les contrées du nord. On appuyait les morts à la paroi de la chambre, taillée dans le roc, qu'ils avaient habitée, assis les genoux rapprochés de la tête dans une attitude de repos et de méditation. C'était indiquer l'idée que la mort était repos et non anéantissement, idée qu'exprime également la croyance, attestée par plusieurs monuments, qu'il était deux génies ou frères. Le Sommeil et le Trépas étaient deux génies ou démons frères, et même frères jumeaux. Polygnote, dans une peinture où il avait représenté le monde des âmes, leur avait donné la forme de deux jumeaux enfants, l'un blanc l'autre noir, sur le sein de la Nuit leur mère. Ils avaient, dit Pausanias, les pieds tournés en dehors, πόδας διεστραμμένως, ou distordus. On peut supposer que, probablement, cette particularité était destinée à les désigner comme des êtres qui n'étaient pas faits pour marcher. On appliquait la même expression à ces chiens dits aujourd'hui à jambes fortes qui pénètrent dans les terriers. En caractérisant de la même manière le Sommeil et la Mort, peut-être avait-on voulu suggérer l'idée de l'origine et de la nature souterraine de ces enfants de la Nuit.

Des deux frères le Sommeil dut être pourtant à l'origine le principal. La mort en était un cas particulier.

Une conception mythologique atteste que les anciens Grecs conçurent la mort comme une espèce de sommeil. Cette conception est celle suivant laquelle le Sommeil et la Mort sont deux frères, enfants de la Nuit. Les faire enfants de la Nuit n'était pas dans la pensée de la haute antiquité en faire des génies de l'anéantissement.

La Nuit, comme on l'a vu plus haut, n'était pas pour les anciens, aux premières époques, une chose toute négative, objet de crainte et d'horreur. La Nuit était pour eux l'état originel, où se préparaient la lumière et la vie. L'éther et le jour étaient ses enfants (Preller, I, 32).

Hésiode la nomme εὐφρόνη, celle dont la pensée est bonne ainsi qu'une des Grâces. Dans Homère, Apollon, le plus beau des immortels après l'Amour, s'avance «semblable à la Nuit».

De cela seul il résulte que le Sommeil et la Mort durent être compris, dans l'ancienne mythologie, parmi les divinités favorables, et par conséquent que l'idée d'un repos heureux fut comme leur commune définition.

*

Religion catholique trop extérieure. Protestante trop intérieure: exclut l'imagination, favorise la personnalité.

*

Croyance primitive en quelque chose de sensible au-delà du visible, du *sensible*.

De là le culte de la *Nuit*. Mais outre cette négation, c'est quelque chose qui cause, par une *action*, c'est-à-dire qui va de soi à l'effet sans intervalle, qui s'étend à l'effet . . ., qui s'y étale et détend.

Croire cela partout, c'est le Fétichisme, c'est croire qu'on peut trouver en tout de l'Esprit.

Volonté Mauvaise? Lucrèce. Non mais = Bonté.

Cause = vie, abondance concentrée qui s'épanche. Donc Richesse avec Libéralité = Zeus. Pluton est corne d'abondance.

En somme, Grâce; Dieux heureux et bons: le Bien aime à se communiquer sur ce modèle de l'Âme.

*

Les Dieux toujours jeunes ne vieillissent jamais, parce qu'ils se refont incessamment, leur perfection leur donne incessamment l'existence.

Mais cela par une action de leur esprit qui est unification perpétuelle, leur Volonté bienfaisante, d'où coule ininterrompu le torrent de l'existence.

*

Invisible: non Nuit pure, mais Lumière intérieure, non vide, mais Richesse et Libéralité.

En conséquence de cela: Nuit, parce que l'Infinité: mais positive, riche.

Par la même raison Ciel inférieur ou Terre.

Serpent? Exprime la Montée?

ἀγαθοδαίμων.

Mais Dieu, de plus, se donne. Ainsi abnégation, abandon, Grâce, Colombe, Sourire, Amour.

Immortalité divine, entretenue par l''Αγαθόν, par le mouvement de la Volonté aimante.

Dieu éternel par sa perfection et celle-ci = Ἔρως. Vit d'aimer.

Aussi la vraie vie qui est θάνατος est = Ἔρως.

Vie future

Il n'y a pas de raison pour que la mort atteigne le principe de la pensée, ni même celui de la vie. Le corps est un composé que détruit la dissociation de ses éléments. La pensée implique une parfaite simplicité, et à plus forte raison, s'il est possible, en est-il de même de la volonté.

En conséquence, la pensée pure, comme l'a dit Aristote, n'a pas besoin d'organe. L'organe ne sert qu'à l'imagination. Quand on pense à un objet où il entre quelque chose de sensible ou de corporel, on y pense avec le concours de l'imagination, et, par conséquent, de quelque organe. Mais qu'on pense ainsi, suivant une remarque de Leibniz, sans ce concours. La pensée à laquelle appartient la réflexion, pense donc sans organe, et, en conséquence la destruction du corps ne saurait l'atteindre. En est-il de même de l'imagination et la mémoire, et même de la sensation, au moins de la perception de la lumière, de l'électricité? On ne saurait le dire.

Rien ne s'oppose du reste à ce que l'on croie avec Leibniz, avec les Platoniciens, que dans la vie future comme dans celle d'ici-bas, l'âme aura encore à son service un organisme, prolongement corporel encore mais plus subtil que celui qu'elle aura abandonné, pareille ainsi dans sa destinée à l'insecte qui de larve ou de chrysalide devient un être ailé. De toute façon sans qu'on puisse prétendre à pénétrer aussi avant dans le mystère de la vie future que l'a espéré un Swedenborg, l'analogie de toute la nature paraît autoriser à croire qu'une destinée y est réservée à l'âme qui la rapprochera de l'idéal souvent entrevu sur cette terre même d'une société plus intime des âmes les unes avec les autres et avec leur commun auteur. Ainsi se réaliseraient les noces spirituelles annoncées par la religion d'Athènes et d'Éleusis, et celle d'Égypte, par la religion hébraïque et par la religion chrétienne.

(23 novembre 1897)

Âmes – Identité

Les premiers temps eurent le sentiment de l'union des esprits. Si dans Virgile, comme chez les Stoïciens, un même esprit anime en le pénétrant tout l'univers, probablement ils n'ont pas cru que ce fût à part des différents êtres. Plutôt ils ont cru que c'étaient ces êtres mêmes qui dans le fond de leur existence ne faisait qu'un même être.

Si en effet les individus sont séparés les uns des autres par l'espace et le temps, comment concevoir que le soient des esprits purs supérieurs et au temps et à l'étendue? Comment concevoir qu'ils se soient séparés, à la manière des corps, de leur commun principe, du Dieu présent partout et partout agissant, Dieu en qui l'on voit tout, comme l'ont cru Malebranche et Leibniz, Dieu en qui tout est et qui est en tout? De là facilement la pensée que tous un jour seront réunis dans le sein d'Abraham, l'ami de Dieu. Le monde était pour eux comme un océan d'où s'élévent et où rentrent incessament des vagues, avec cette différence que les âmes peuvent apparaître et disparaître sans périr.

(24 novembre 1897)

D'après les Livres sapientaux, il a tiré de lui-même une compagne en laquelle il se plaît à demeurer : c'est sa Sagesse, épouse en même temps que fille du Créateur.

Ce fut là condescendance, concession, comme c'en sera une de demeurer sous une tente parmi les Israélites en marche vers la Terre promise, une autre encore d'autoriser Israël à bâtir à l'exemple des païens un temple où on l'adorera.

Dans la théologie chrétienne la Sagesse devient la Parole, le Verbe, ou plus généralement la manifestation. Les Platoniciens y retrouveront leur «monde» intelligible que forment des «idées», types des choses sensibles et corporelles. Mais dans la doctrine chrétienne parole ou Verbe, c'est de plus Volonté. Aussi chez les anciens théologiens grecs et même dans l'Évangile, Verbe et action sont-ils souvent synonymes.

Dans les religions de l'Inde et dans le Christianisme les conceptions divines sont portées jusqu'au sacrifice (se ipsum exinanivit).

(27 juin 1898)

Polyclète

C'est ceci que représentait directement le jeune garçon qui vient de se servir de la lance, fier, quoique sans haine et sans colère ; et que représentait mieux encore le jeune homme voilant sa tête d'un mouvement qui signifie abandon et douceur. Ce jeune homme plein de mansuétude n'est même plus un héros seulement du moins au sens ou le mot signifie vaillance : bienveillant surtout, il est presque un dieu.

Des deux personnages le premier est parvenu au terme de la période proprement naturelle et humaine du mouvement et de l'agitation ; c'est le moment de son coup de lance qui marque la Mort ; le second annonce le commencement de la période suprême qui est celle de la vie céleste : c'est le moment que marque en se voilant le Sommeil par lequel l'âme passera de la région de la réalité naturelle où elle était enchaînée à la liberté divine dont nous offrent des images le rêve et l'ivresse à laquelle initie le dieu au large bandeau, Bacchus.

Sommeil

Le bandeau signifie mystère, d'où divinité. Tout sommeil est diminution : moyen de régénération. L'animal dort pour se métamorphoser, mais le tout dans l'ordre visible. Peut-on rien en inférer pour la suite d'une complète dissolution, sans nouveau corps aperceptible ? Μετάβασις εἰς ἄλλο γένος.

On peut dire seulement que les métamorphoses vitales sont symboles et annonces d'une métamorphose tout autre, passage à un autre genre de vie. Ce dut être la croyance antique, et la chrétienne, et aussi juive ; appelant la mort un Sommeil. Ézéchiel : les morts sont couchés sur des lits. De même à Pydna les Dormitoriums.

Chez les Grecs, cela est moins exprès. Ils vont droit à l'autre vie sans parler de sommeil.

En parlent les Juifs et les Chrétiens parce qu'ils ajoutent la résurrection, trouvant nécessaire une expiation, ou plutôt réservant la résurrection à une crise générale qui fait pendant à la création : ces crises répondent à l'idée d'une puissance libre, comme à la croyance antique l'idée d'évolution continue.

Sommeil

Dans la tombe les morts devaient trouver le sommeil. C'est ce que fait voir chez les Perses (dans le tombeau de Cyrus à Pasagardes), chez les Étrusques, chez les Macédoniens, chez les Grecs la coutume de les coucher dans les tombes sur des lits, des lits d'or, de bronze, de pierre, etc. Et l'on imaginait pour le séjour éternel dont la tombe était la figure, quelque chose d'analogue. Chez les Hébreux, Isaïe nous montre les morts endormis dans le Schéol, et chez les chrétiens qui suivirent généralement les Hébreux en tout ce qui se rapportait à la mort, ils sont souvent appelés ceux qui dorment. Faut-il croire maintenant que les anciens vissent dans ce sommeil où les morts étaient plongés une espèce d'anéantissement? de telle sorte que, comme le dit Nietzsche, avec lequel s'accorde à peu de chose près Nägelsbach, les Grecs n'auraient entendu autre chose par l'Hadès, par la région invisible où se rendent les morts, sinon cette mémoire des survivants où subsistait pour un temps leur souvenir?

Le sommeil était pour les anciens tout autre chose que ce que suppose cette théorie. Ils avaient su voir que, s'il diminue la vie apparente, celle qui consiste dans l'exercice des sens, il fortifie plutôt qu'il ne l'affaiblit la vie plus profonde où celle-là prend sa source; puisque c'est surtout pendant le sommeil que se fait l'accroissement.

Pan

Près de la maison de Pindare était une chapelle de *Cybèle* et Pan où des choeurs de jeunes filles les célébraient dans des fêtes *nocturnes*.

Pan est donc associé à la *Terre* et à la *Nuit*.

C'est l'Apollon primitif.

Pindare lui dit (fragm. 95) : «Ô Pan.... suivant de la *Grande Mère*, aimable objet de soins pour les vénérables Charites». Ce sont donc les Grâces (filles de la Nuit) que les jeunes filles qu'il fait danser = *Saisons*, dont chacune apporte son *don*; ὥρα est le moment de l'épanouissement. Fleur est donc effusion. Pan époux de la Cybèle, et Vénus archaïque. De là Vénus de Scopas, sur un bouc, comme le domptant.

Grèce

Son génie est tout d'abord de concevoir les choses comme dans leur atmosphère lumineuse, et grandies en sa réfraction. De là Horace (*Epist.*, II, xx, l. 28) :

Graecorum sunt antiquissima quaeque scripta vel optima.

Le mirage fait place ensuite à la verve critique, séparatrice, de la réalité matérielle, diverse.

La marche a été du *sublime* au *Beau*.

(Fonds Devivaise, ms. C, 1860)

Grèce

... a son foyer d'inspiration (sa Vesta) dans le μαντεῖον du Parnasse, où Apollon fait parler le *coeur* de la Vénus cosmique. Toute la Grèce est gouvernée par *Delphes* qui montre où est la Sagesse (le subjectivisme humble de Socrate) et Éleusis le plus grand temple où est la Fin.

Éleusis explique Delphes et le Parnasse et les Muses, nymphes des eaux mystiques.

Toute la Grèce s'en réfère à la Femme demi-folle par laquelle parle Apollon: semblable à la Velléda, aux prophétesses germaines.

Cérès et Proserpine ont le flambeau, la lumière qui luit dans les ténèbres, car là seulement est aperçue: *lux lucet in tenebris*, et elle les surmonte (*non comprehenderunt eam*). Les grands peintres sont les mystérieux: Léonard, Corrège, Rembrandt; Raphaël même à la fin (Farnésien) se jette hors des règles, s'abandonne à ce que lui inspirent la nature et sa forte imagination.

(Fonds Devivaise, ms. C, 1890)

Danses; Bacchanales

Saül et les Prophètes prophétisaient en dansant, et *nus* ou à peu près, quand l'Esprit de Dieu s'empare d'eux (I, Sam., XIX, 23) ... Et avec toute sorte de musique (I, X, 5).

David se met aussi à peu près *nu* pour danser devant l'arche. Par là il *s'avilit*, devient comme un bouffon (Reg., II, VI).

La Prophétie et la Danse enthousiastique étaient donc jointes. C'était le *Dithyrambe* des Grecs, leur Bacchanale.

Par là on *s'avilissait devant* le Dieu. C'était un *sacrifice* où l'esprit propre était soumis, assujetti à l'Esprit de Dieu. De même la Pythonisse.

Pourquoi la nudité? Comme chez les Gymnosophistes, en signe de dépouillement de sa personnalité. Et c'est peut-être pour cela que les Barbares méprisaient la *nudité grecque*. Chez le Grec au contraire, la nudité exprime l'état divin, celui des Dieux et Héros.

(Fonds Devivaise, ms. C, 1860)

Bacchanales

Et Bacchanalia vivunt.

C'est donc un idéal de débauche. Dans les Bacchanales découvertes et punies à Rome, plus de *stupra virorum quam feminarum*; sans doute en imitation de Bacchus *muliebria passus* et θηλύνθείς.

Bacchus avait promis de *muliebria pati* pour obtenir de descendre aux Enfers. Ce qui rappelle Osiris *eviratus* et tué.

Bacchus est le Dieu devenant *passif*; c'est la *passion* de Dieu, dont le terme extrême est la κατάβασις εἰς ῞Αδου.

Dans ces Bacchanales de Rome, des hommes étaient enlevés, comme par des Dieux, et disparaissaient dans des *cavernes*. (Liv., XXXIX, 13): *Raptos a Diis homines dici quos machinae illigatos ex conspectu in abditos specus abripiant.*

On retrouve là l'enlèvement de Proserpine, la descente de Bacchus, d'Hercule, etc. ...

Ceux qui refusaient *stuprari*, étaient immolés comme *victimes* (à l'imitation de la mort du Dieu?); les sacrifices étaient *nocturnes* (autre caractère *infernal*).

Il y avait délire, fureurs bachiques.

(Fonds Devivaise, ms. C, 1860)

Neptune–Terre

Neptune grand Dieu, lorsqu'on comprit la Terre comme portée sur l'eau, qui en jaillisait et que l'on trouvait au fond de tout puits. ᾿Εννοσίγαιος par la vapeur dégagée de l'eau. A dû jouer le premier rôle comme l'eau chez Thalès; puis remplacé par un dieu du Feu, dieu d'Héraclite – primé à Athènes par l'olympienne Athéna. Dieu du cheval; animal à la fois pachyderme, ami de l'humide, mais plein de feu: figure ainsi complète, comme le serpent, du Feu Terrestre. Chevaux d'Achille, parlants, Pégase, ailé, et du pied fait jaillir Hippocrène. Le cheval symbolise donc l'eau inspiratrice, qui roule un feu latent. Dans les Enfers, fleuve de feu. On devait expliquer par là les eaux thermales, médicatrices, et aussi les liqueurs fermentées, ignifiées. L'alcool: feu exprimé de l'eau par la fermentation.

(Fonds Devivaise, ms. C, 1890)

Naturisme d'où *polythéisme*, mais *psychisme* d'où tendance au monothéisme, la nature étant une par l'*anima mundi*. Cela surtout chez les Grecs.

Par là, distingués des Barbares. Passage de Platon ..... Terre, Nuit, Amour.

Retour à l'ἕν par les mystères prenant comme centre la divinité infernale, comme mère des dieux lieu de réunion des morts, centre des âmes. Pourquoi? Parce que l'ἄγνωστον répond mieux à ce que l'âme connaît d'abord de l'Âme, d'être quelque chose qui n'est rien des choses apparentes.

Elle s'adresse à la *Nuit* où luit la lumière pour la Métaphysique et pour l'Évangile; cette Nuit est gangue, ..., chrysalide.

*

Les religions barbares sont aussi culte de l'âme, mais de l'âme plus ou moins *sensitive*; la grecque, de l'*âme* encore, mais raisonnable.

(Fonds Devivaise, ms. C, 1860)

Polythéisme

Point de *peuple* sans Dieux, dit Schelling, mais seulement des peuplades sans lien, croyant à des *génies*, des *fées*, etc....

Mais pourquoi ce dernier état ne serait-il pas la base du premier? Thésée fait le peuple athénien des douze peuplades de l'Attique. Les peuples n'ont-ils pu se former en général, non de la division d'un Peuple primitif mono-théiste, mais de la réunion, par des Chefs ou Initiateurs, de peuplades. Et de là le Polythéisme, ou réunion des divinités locales.

Dans le système de Schelling, nulle transition des races inférieures à la supérieure. Ne pourrait-on même pas aller jusqu'à croire que la race humaine supérieure fut le produit du mélange des races antérieures, comme sa Religion se forma des éléments fournis par les idées particulières de ces diverses races et peuplades.

Ainsi fit plus tard Rome, en son *Capitole*.

Ainsi *Polythéisme*: résultat de la formation sporadique ...

Mystères

Le Culte est d'abord *mystérieux*: la crise a lieu d'abord dans l'obscurité de la conscience; quand les éléments s'y sont prononcés, séparés, alors la religion nouvelle apparaît au dehors, devient exotérique (Schelling, II, 643).

Ailleurs Schelling exprime la pensée que l'ancien Dieu, repoussé dans l'ombre par le nouveau, devient l'objet d'un culte mystérieux. Cette dernière idée ne peut convenir à des mystères publiquement honorés comme ceux d'Éleusis, mais peut être vraie de toutes ces pratiques mystérieuses que les Romains proscrivaient.

Les Mystères ont dû être toutes les pratiques soit *inférieures*, soit *supérieures* à la règle publique. Et de plus, les Mystères publiquement autorisés d'Éleusis et autres renferment, comme Schelling l'a dit, et le *Dieu ancien*, celui que pleure Cérès, et le *Dieu nouveau*, celui dont la venue la console.

Le Dieu nouveau est soit Bacchus, soit Proserpine revenant des Enfers. Celle-ci est la divinité qui avec elle conduit l'âme des profondeurs d'Hadès à l'Olympe.

Mais Proserpine accomplit indéfiniment le même circuit périodique du Ciel aux Enfers. Ce doit être un indice que ces mystères ne promettaient pas la délivrance finale du Bouddhisme et du Christianisme; au moins au commencement.

(Fonds Devivaise, ms. C, 1860)

Mystères

Dès le commencement les Grecs adorent parmi le matériel, l'obscur, l'ἄδηλον, insaisissable, rêve du spirituel, nuit, Chaos, Érèbe; c'est déjà l'*Idéal*, c'est prendre pour πρῶτον non la *matière* comme Démocrite, mais quelque chose de virtuel et d'indéfini qui la précède, et ainsi une vraie puissance *antimatérielle*.

Avec Elle on doit communiquer par les rites *nocturnes*, les formules vagues et obscures.

Quand les Dieux deviennent ἀνθρωποειδεῖς, on se retourne encore vers cette *Puissance obscure*, à laquelle se sont identifiées les âmes; on s'y attache plus en la spiritualisant de plus en plus. De là le progrès des *Mystères*.

Après le crime, le mal commis, *possédé* par une puissance étrangère, obscure, emmenée comme blessée, violée, on sent qu'il faut la *placare*, la persuader de se retirer comme hostile, de se remplacer elle-même comme conspirante et amie.

(Fonds Devivaise, ms. C, 1860)

Lobeck

Sa pensée paraît être de dégager la vraie manière de voir grecque, homérique, et de la religion publique, laquelle aurait été une disposition à se contenter dans et de la vie présente; et de renvoyer aux Barbares les *terreurs infernales*, qui auraient produit et les mystères et divers rites privés et le Christianisme?

Nul épouvantail dans Homère que la Gorgone et les monstres infernaux.

Il ne donne aucune explication du progrès des superstitions qu'il croit s'être fait dans les siècles qui ont suivi Homère. Peut-être aurait-il pu la chercher dans les relations avec les Mages et les Égyptiens.

(Fonds Devivaise, ms. C, 1860)

Point de Mystères aux temps homériques parce qu'on a pas besoin alors d'être rapproché des Dieux; pour la même raison, point de *médiateurs* aux temps primitifs.

Médiateur quand Dieu s'éloigne, se distinguant des phénomènes. Le médiateur est *Dieu fait terre*, dans les morts ou Hadès; les demi-dieux ou Héros se placent entre les hommes et les Dieux, et alors devoir et utilité de les *apaiser*.

D'abord le meurtrier est exilé (Lobeck, p. 301); c'est donc que, comme *impur*, il souillerait la patrie ou parce que le tuer pour se venger nuirait à la patrie, etc.

Les καθαρμοί commencent avec l'opinion que les âmes sont *redoutables* et exorables; les grands mystères avec l'opinion que le χθόνιον est vraiment θεῖον, et par conséquent aimable, et ἐφετόν.

(Fonds Devivaise, ms. C 1860)

Religion grecque

N'est point *Naturreligion*, mais plutôt spirituelle, spiritueuse, pénétrée du feu spirituel de Jupiter, Minerve, Apollon, Vénus. Ce feu s'exprime par la *Beauté*.

Dans le Christianisme domine la *Bonté* morale, supérieure encore, puissance plus haute que l'Esprit et qui en révèle le fond.

La Beauté est encore en rapport avec la Nature; le *Bien* est au-delà.

Les Dieux grecs sont des manifestations particulières, des aspects de l'Esprit; c'est là le polythéisme. Le Christianisme prédit l'Esprit même; c'est pour cela qu'il est monothéiste.

Il y a polythéisme, parce que, tant que l'Esprit n'est pas saisi dans son essence intime, on ne se peut contenter d'un de ses aspects dans la Nature,

et on cherche à obtenir la totalité par addition de ses particularisations.
La Grèce adore l'Esprit, mais μεμερισμένως, donc ἔνυλος et par là non-
esprit, nature; mais avec rêve et recherche inconsciente de l'Esprit absolu.
Et chacun de ses Dieux, elle tend à le raffiner et purifier jusqu'à le faire
= Esprit = Dieu.
Ainsi elle est ἄθεος et φιλόθεος. Adorant ce qui est démon, et non Dieu,
mais par aspiration à Dieu.

(Fonds Devivaise, ms. C, 1860)

Κάθαρσις

C'est expiation, mais comme toujours par élimination du mauvais
élément. La κάθαρσις de la possession par la musique phrygienne est celle
que Bacchus exerce sur les tigres et satyres, et dont le résultat est de purifier
leur force de toute *feritas*. Cela a lieu dans la tragédie soit que les personnages même y soient domptés, soit que le spectacle de leur *feritas*, qui excite
la crainte de leur part et la pitié pour ceux qu'ils oppriment, en dépouillent
les spectateurs.
Le dithyrambe purifie, expie le possédé, non en supprimant son mouvement, mais en le réglant, en le faisant entrer dans son rythme, sa lumière,
et réduisant ainsi le πάθος, non à l'ἀπάθεια, mais à la μετριοπάθεια.
Toute expiation consiste de même à éliminer le principe bestial, θηριώδης,
ἄγριον. De là la grande expiation est la civilisation introduite par Bacchus
et Cérès.
Bacchus apprivoise en substituant à l'ivresse du sang (Bacchantes
αἱμαφάγοι) l'ivresse du vin avec musique. La tragédie expie, purifie, parce
qu'elle est oeuvre de Bacchus, qui est le Purificateur κατ' ἐξοχήν.
Socrate représente le purifié, le Satyre, et Platon, Bacchus le *purificateur*,
le but, la fin, ou plus rien que d'ἥμερον.
La Tragédie, comme le dithyrambe, doit donc remuer les passions pour
les faire passer du mouvement désordonné au mouvement réglé .... Et c'est
peut-être ce que fait généralement la musique, et peut-être toute Médecine.
Tout mal est licence du θηρίον, la médecine consiste à conjurer le démon,
et d'abord par des chants (*carmina*), qui le réduisent par persuasion à la
mesure et à l'ordre.
Mais alors pourquoi Bacchus n'est-il nulle part médecin, mais seulement
Apollon? Et c'est d'Apollon qu'Esculape est fils. Serait-ce que la flûte
dithyrambique n'appartient pas à Bacchus, mais encore aux Satyres (Midas),
et ainsi à l'ἄγριον, et à peine commence la guérison?

(Fonds Devivaise, ms. C, 1860)

Théologie; philosophie

Les trois Personnes comme inégales n'impliquent que rapport de Dieu
avec la matière, les deux personnes produites résultant du commerce du
premier principe avec un principe subordonné, comme dans Plotin.
Quand les trois Personnes s'égalisent, un abîme est creusé entre Dieu et
la nature. Il faut les expliquer par une diversité en Dieu même; de là (joint

aussi le progrès de l'intériorité spirituelle), la distinction de la nature spirituelle divine et *intellect* et *volonté*. (Mémoire ajoutée par Saint Augustin, est éliminée ensuite comme une machine inutile).

Leibniz encore fait grand usage de cette distinction. Peut-être même mettant dans l'*Entendement* divin la source des *possibilités*, a-t-il pensé à y voir le *principe matériel* des choses, comme Böhme et Schelling ont mis en Dieu un principe de différence et de discorde.

*

La théologie chrétienne, associant dans la première conception de la Trinité, le *principe naturel* au *surnaturel* (Saint Grégoire) se rapproche ensuite de plus en plus, par l'*égalité* des Personnes et leur *circumincession*, de leur *identité*, et de l'*Unitarisme* de la Métaphysique; mais l'Amour, vu dès le principe, comme la substance des trois Personnes, est l'Unité finale dans laquelle elles tendent à se confondre derechef; unité plus profonde et plus compréhensive que celle de l'Hébraïsme et de la Métaphysique.

*

La Trinité tend donc, par le progrès de la Théologie, à se résoudre en Unité.

La *Grâce* doit de même se résoudre en *Nature*. Comment? Par l'intelligence de cette vérité, que le divin Amour n'est pas un secours extraordinaire et extérieur, mais le fonds même et la Nature vraie de l'âme humaine; et alors Dieu étant retrouvé *en nous*, selon la parole de Jésus-Christ et de Saint Paul, les rites extérieurs se réduisent à des signes excitateurs de la rentrée de l'âme en son fonds divin. Cette réduction de la *grâce* à la nature plus profondément entendue est la réalisation de la promesse de la venue du Paraclet, qui doit tout enseigner en Esprit et Vérité, réalisation annoncée prématurément par Joachim et autres qui y mêlent diverses erreurs.

(Fonds Devivaise, ms. C, 1860)

Vénus reparaît dans le Christianisme, purifiée en παρθένος, annoncée par Madeleine, figure éminente de l'humilité, de la foi, de l'amour, essuyant de ses cheveux les pieds du Sauveur, la première à le voir ressuscité. La Vierge en est l'état supérieur, sans le péché que Madeleine a traversé. Tout cela ébauché dans Vénus et Proserpine.

(Fonds Devivaise: cf. TH, II, p. 56)

Le vrai Christianisme voulant repas nuptial, veut purification préalable et embellissement. Se laver, se parfumer la tête. Aussi se couronner de fleurs et de beauté: esthétique, application de la morale. Jésus-Christ, ainsi d'accord avec l'Hellénisme.

(Fonds Devivaise: cf. TH, II, p. 114)

D. LA MÉTHODE

Λόγος-Méthode

Au temps de Platon la dialectique naissante n'a pas encore la force nécessaire pour pouvoir considérer les contraires, c'est-à-dire les attributs mêmes à part de l'être, ou de la substance; c'est-à-dire pour les en distinguer, comme on l'a fait depuis, en séparant les unes des autres les différentes catégories.

Ailleurs, en effet, Aristote dit encore: c'est une faiblesse de l'entendement que de chercher à tout une explication dans une notion, c'est-à-dire dans un antécédent logique consistant en une notion plus simple, en se donnant ainsi un point d'appui et un secours dans une sorte de machine intellectuelle par laquelle on n'aborde que l'extérieur des choses. Que faire donc? Porter ses regards tout autour de soi pour recueillir les analogies dans le genre dont on a affaire, marcher résolument aux choses mêmes, et les saisir par l'intuition.

Les notions, les abstractions formées par l'entendement en détachant des objets, n'expriment des attributs ou accidents, n'expriment ceux-là, que sous des traits empruntés à la quantité. Ce n'en sont donc que des représentations incomplètes, superficielles et même illusoires. Les détails énoncés par les notions ne peuvent, ajoutés les uns aux autres, fournir une suffisante connaissance. (Cette connaissance ne peut être fournie que par une intuition, une expérience. C'est ce qu'Aristote n'a peut-être pas énoncé expressément. Mais ce qu'il a dit, c'est comment marche-t-on vers la connaissance exacte et effective. C'est, dit Aristote, par l'analogie, c'est-à-dire par la comparaison des semblables qui font saillir le principe par lequel ils se ressemblent).

Leibniz, plus tard, viendra dire, semblablement, que la découverte des principes qui est l'invention par excellence, plus importants encore que la démonstration, s'obtient non comme la démonstration par la considération des rapports de contenance des notions, mais par celle des similitudes, non par des considérations de quantités, mais par des considérations de qualités. Le travail s'achève par la combinaison, c'est-à-dire par le rapprochement des moyens et des fins, des matières et des formes. C'est définir la méthode d'invention en général, mais particulièrement dans la philosophie puisqu'elle est éminemment la recherche des principes. Un trait y manque pourtant dans la définition d'Aristote et de Leibniz. C'est la remarque que le travail d'analogie ou d'induction s'achève par l'intuition ou l'expérience du principe auquel il conduit. Pour le principe en philosophie Aristote a compris, quoique peut-être confusément, que l'expérience est la conscience de l'être spirituel que nous sommes; il l'a nommée l'énergie, Leibniz l'a nommée la force, Maine de Biran l'effort. Dans l'effort même et dans la volonté d'où il procède, une conscience plus profonde encore trouve l'amour.

Τρόποι

Les τρόποι sont partialités, superficies, détails. Plus en vue, couvrent, masquent les principes invisibles centres où tout est ensemble, ramassé, ἁδρόν. Là vise le νοῦς: car c'est le νοῦς, objectivité, et y vise le meilleur νοῦς, le ποιητικός, pour réunir Soi à Soi (l'attraction de Soi pour Soi de Geoffroy Saint-Hilaire).

Dans l'art, l'Âme va chercher l'Âme pour la faire apparaître.

Les λόγοι sont expression d'accidents sous formes mathématiques: machines logiques pour construire par détails, éléments, possibilités, conditions.

*

La Science divise. La Métaphysique réunit: retrouve l'unité dans la Conscience du Coeur. Hymne final au Feu central. Tout est feu divisé, figé.

La philosophie part de l'identité: un Un en tout, arrive par degrés à la Conscience qui est Un, est l'esprit, que le reste imite. La sensation, εἴδωλον de la pensée, non son principe. Maia. [?]

Rien d'intelligible que par et dans la νόησις νοήσεως. C'est le secret de esse est percipi chose = objet, personne, action le Sujet. Le Sujet s'écarte, s'aventure, revient vainqueur (Schelling).

La nature est palpitation, mouvement excentrico-concentrique de vaste vibration, qui implique extension et raccourcissement, la corde vibrant étant fixée à ses bouts. Le Moi image, réduction du Centre universel, qui donne le type de κάθοδος et ἄνοδος, doit aussi mourir à soi pour revivre: Phénix. L'Esprit, philosophie et fin; le monde est son oscillation, sa respiration: il produit et reprend en lui ce qu'il a produit, après l'avoir fait passer par le feu, et ainsi dématérialisé. La Perception et Connaissance opèrent cette Épuration; la nutrition et respiration en sont des figures. L'Amour est clair et explique tout.

Liberté

Le déterminisme ne connaît que ce qui est distinguable, détachable, mesurable, néglige l'ἄδηλον, incalculable, ἀόρατον.

Le langage extrait, numérote, calcule, et ne compte pour rien ce qui ne se nombre pas, ce qui ne peut se traduire en quantités distinctes.

A mesure qu'on monte l'échelle biologique, l'ἀόρατον a plus d'importance. La matérialisme, le trouvant peu en bas, le nie partout. Le Spiritualisme, éclairé par ce qu'il en voit de considérable en haut de la nature, le voit plus ou moins diminué partout.

Philosophie

Le monde, décrit par les sciences, plein d'analogies, d'harmonies, comme aussi de contradictions. Nous voulons résoudre celles-ci, trouver la clef de celles-là. Tout fait pressentir l'Unité. Horace, Aristote, Platon la demandent. Omnes unum sint. Unum est necessarium. Sufficit unum.

Nous aspirons à l'Unité, plus encore à la Beauté, pour la mieux comprendre et en mieux jouir, trouver le poème de l'Univers, la grande τραγῳδία, d'autant plus charmante qu'elle sera plus compréhensive.

La philosophie est révélée par le Coeur, son besoin d'immolation. Deux principes: mâle et femelle, roux et azur, terre et Ciel, rudesse et douceur, égoïsme et abandon, τόνος et ἄνεσις.

La multitude du fait accable, et d'autre part il s'y montre un accord qui fait désirer et espérer unification. Jamais plus de discordances, mais aussi plus de désir de philosophie. Dans les religions aussi, diversité et concordances; on y sent une philosophie commune à des degrés différents de profondeur.

Montrer ainsi que de la marche de la connaissance se dégagent les premiers linéaments d'une Philosophie première et universalisée.

Philosophie

Métaphysique, nom négatif. Le positif est Philosophie supérieure ou Théologie (première est équivoque).

La philosophie supérieure traite de l'Être premier dont tout autre dérive, du Principe source des καθόλου. Les idées les plus générales sont les expressions logiques des Attributs du Principe.

Le Principe est Vivant, Voulant, Pensant. La science de ses agissements est la Morale. Ces agissements sont les types de tous les changements ou Mouvements.

Sufficit Unum. Il n'y a que le principe et ses libres abaissements. Sa liberté, par laquelle il dispose de Lui-même, va jusqu'au Suicide, à l'annihilation volontaire.

Mystère ce qui nous passe l'absolue Lumière, comme l'Obscurité.

Le grand Mystère est l'action par laquelle le Principe descend en une Image, pour faire de cette Fille son Épouse. Il lui est identique, quoique ἑτέρως.

Époques

La religion, devenue idolâtrie, est remplacée par la métaphysique. Contre celle-ci, devenue une idolâtrie d'idées générales et de mots, s'élève un réalisme ou positivisme matérialiste qui supprime tout indivisible, donc toute cause, et ne veut connaître que des suites de phénomènes. A raison contre un *idéalisme* abstrait, tort contre une Théologie positive, spiritualiste.

Pour l'idéalisme abstrait, dualisme de contraires inconciliables: l'analyse montre qu'ils sont ταὐτόν ἄλλως ἤ ἄλλως, et rétablit ainsi l'harmonie par l'unité d'un *Constant variable*.

*

.... La vérité doit être le *Réalisme du Suprasensible* ou positivisme supérieur.

*

Penser est unir et diviser, surtout unir (πρὸς ἕν). Principe est: Platon, l'Un, καθ' ἕν. Aristote, l'Être, πρὸς ἕν. L'Être (= Amour) est la Cause non la Conséquence, l'Unité, chose logique et mathématique.

Deux principes: le Chaos, Dieu.

πολλά ἕν

Le chaos ne peut se faire unité; l'Un peut se faire dispersion, chaos.

*

Deux sortes de savoir: cosmologique, noologique. Les Mathématiques considèrent l'objectif pur, sans mélange de rien d'existant (de sensible); pur logique ou intellectuel. Le sentiment seul est vérité, car âme: ὅλη. Persuasion dont Pascal (dans sa première phase) déclare ignorer l'art; et plus tard il ne croit plus qu'à cela. Méré lui a ouvert les yeux sur le réel comme sur le probable, et déjà indiqué le caractère fuyant du κάλλιστον, fuite qui échappe à la raison, et même au *sentiment* par le *mystère*, l'infini. Il se plonge alors dans un abîme sans avoir l'esthétique pour guide. Lui ont manqué la Musique et la Peinture: Orphée, Léonard, Corrège, Mozart; il reste un janséniste, iconoclaste, contempteur de la grâce, des femmes et des enfants. Ne parle jamais de la Vierge, aspire à l'humilité plus encore qu'à l'amour. Dépassé par Saint François.

Méthode

En art aussi, *définir une inconnue*. Cela par ses rapports à des connues, – de même effectuer un type, *genus fantasticum*, d'après des conditions auxquelles il doit répondre –. Méthode en général est *recherche de l'inconnue* et arrive par la considération du *plus convenable*, étant donc supposé que la Nature tend au meilleur quoique à proportion du possible. S'il s'agit d'industrie, on cherche aussi le meilleur, le plus approprié au but.

Type: la recherche de l'Optimum moral, héroïque. Déterminer pour l'exercice de telles vertus, quelles routes il faut suivre, ou pour réaliser telle forme ou tel monde, quelles proportions ou directions; l'artiste est ainsi *ingegnère*, inventeur de moyens ou machines.

C'est ce qu'imite le Savant; par des essais ou expériences en partant du problème supposé résolu; ce sont des *inductions* dont le modèle est dans les *tâtonnements* de l'artiste. Ceux-ci par *nuages* et *fumées*.

Tâtonner par essais de *masses* d'après l'unité rêvée, sans contours ni limites précises, mais comme apparaissent les figures dans les nuages.

*

La vraie définition d'une courbe n'est pas celle qui en énonce telle ou telle propriété; c'en est une simple description qui suffit pour la faire reconnaître mais qui ne donne pas le moyen de la reproduire. La vraie définition d'une courbe est celle qui indique le mouvement par lequel on peut l'engendrer. Et d'une manière générale la vraie science, comme Aristote qui en a été le créateur fut le premier à le bien faire voir, la vraie science est celle qui livre la cause de son objet. C'est ce qui prouve pour le dire en passant, combien se touchent de près ce qu'on appelle l'esprit positif et l'esprit philosophique: «La meilleure philosophie, disait un jour Schelling à l'auteur de la présente étude, est celle qui explique le plus de faits». Et celle qui explique les faits, c'est celle qui donne, en en livrant la cause, le moyen de les reproduire.

L'objet de l'art est le beau. La vraie science de l'art sera celle qui mettra en possession du secret de faire beau. Sans rechercher encore à définir avec précision en quoi le beau consiste, il faut avouer tout d'abord que l'art ne paraît pas être borné à la représentation de ce qui est beau. Le philosophe qui a le plus profondément traité de la poétique n'a-t-il pas dit que la poésie était une imitation de la nature? Et la nature est-elle toujours belle? Mais si la nature n'est pas toujours belle absolument parlant, elle l'est toujours à quelques égards.

Enthousiasme-Ironie

La prose commence par le Dialogue, la Dialectique. Le principe de celle-ci est l'Interrogation, ironie si l'on sait ce qu'on demande, et en tout cas sous forme de doute et incertitude. L'Ironie est opposée à l'Enthousiasme, qui est le propre de la poésie. L'homme ravi au-dessus de lui par la μανία τραγῳδεῖ, voit tout *sub specie aeterni*, et en grand. Revenu à la conscience de lui-même, en tant qu'il est séparé du divin et ainsi en société avec le Serpent terrestre, il voit le petit et le laid. Il doute et décompose. Comme l'a dit Shaftesbury, la plaisanterie est le remède contre l'Enthousiasme; et elle a pour source la conscience de soi, le Dialogue avec soi-même.

L'Ironie dialectique est donc l'instrument de critique et dissolution nécessaire contre le faux Enthousiasme. (C'est le fond de l'*Euthyphron*).

Socrate représente ce moment; sa laideur même et vulgarité apparente en sont les éléments. Il est le Silène et Satyre précurseur d'un Bacchus (Platon pris pour Bacchus dans les Hermès, fait contraste avec Socrate = Silène. Bacchus et les Satyres, c'est la tragédie rehaussée sur le fond de la comédie; les Satyres, c'est la nature sauvage, ridiculisée).

Rien de tout cela dans la Bible.

(Fonds Devivaise, ms. C, 1860)

Θεωρία

Les anciens distinguaient, dans leurs mystères, deux phases dont l'une était celle de l'intuition ou de la vue immédiate des dieux, qu'on croyait présents dans des images consacrées pour les recevoir, l'autre était celle d'une purification préalable, destinée à éliminer, à libérer l'initié de tout ce qui chez lui faisait obstacle à son union avec la divinité.

On peut comparer à ces deux phases les deux moments de la Philosophie dont l'un, qui appartient à des facultés qu'on pourrait appeler auxiliaires, sert par l'abstraction et l'analyse à préparer l'esprit à l'intuition. C'est une distinction qui sert de fondement chez Descartes à sa méthode pour arriver à la vérité.

C'est en somme la faculté supérieure d'intuition que la même faculté de connaître qui est à son point d'excellence dans l'intuition, c'est cette même faculté qui, faisant de la catégorie d'unité un autre usage en l'appliquant aux parties d'un tout, les en abstrait et les en détache pour les considérer séparément, en prendre ainsi une connaissance distincte, et revenant au tout, le comprendre ainsi d'une manière plus complète. C'est là un procédé utile, nécessaire même, mais auquel cet inconvénient est attaché de porter à prendre pour réalités des artifices, des fictions, de réduire ainsi les réalités à des faisceaux d'abstractions. Par là, et en composant les choses de particules logiques préexistantes, l'idéalisme retombe à la conception matérialiste.

A ce danger vient parer la philosophie d'Aristote en écartant pour ainsi dire les attributs pour aller droit à l'être, et dissipant ainsi une fâcheuse équivoque.

L'entendement, au moyen du langage, réalise et même personnifie. On parle, remarque Aristote, de ce qui n'est rien, du non-être, comme de quelque chose d'existant.

(Fonds Devivaise, ms. C, 1890)

Contre la dialectique: défense des idées confuses:

A quoi mène la dialectique? La discussion? Léonard l'artiste, solitaire et universel. Le dialecticien, ergoteur, s'amuse aux formes, n'écoute pas les battements du coeur, les idées confuses. Le solitaire est attentif au génie intérieur où l'intellectuel ne voit que confusion inutilisable. La confusion, seule féconde; μίξις et rêverie léonardesque – Paysages... *Ex fumo dare lucem.*

Platon a recours à des formes fixes que l'entendement abstrait des choses connues des cadres qui les renferment, ou comme des types qu'elles imitent. Mais ce ne sont pas des causes qui puissent les expliquer. Les choses sont en mouvement; les formes, inertes, sans force ne sauraient rien mouvoir: elles seraient plutôt des raisons d'immobilité.

Finesse

Pourquoi finesse? Parce que c'est pénétration qui va au fond, à la source. La fausse méthode s'attache à des attributs, accidents dont l'addition reconstitue mécaniquement l'ensemble, l'unité.

L'esthétique, la morale vont droit à cette unité pour la voir et en jouir, la percevoir d'*une vue* dans son rayonnement. Le géomètre reste en dehors, sans voir la raison de l'enchaînement. *Nolentem trahunt.* Il suit en esclave la déduction. Le finaliste ou animiste est dans le secret de la nature. *Volentem ducunt.* Il est au point de vue du créateur.

Le dessinateur G. ne réussit, outre l'emploi des mécanismes, que par l'instinct qui échappe à l'artifice dit méthodique. La vraie méthode suit cet instinct et le perfectionne, l'affermit. Aboutir à une oeuvre qui soit une Unité radiante: Soleil avec photosphère.

La fausse méthode ne s'occupe que du détail des contours, s'en tient pour le tout au calque mécanique. Occupé de la Beauté, on introduirait à la philosophie, en enseignant la recherche de la Cause et de la Fin.

(25 juin 1898)

INDEX DES NOMS PROPRES

(auteurs, artistes, personnages mythologiques, lieux, etc.)

Les noms des personnages et auteurs figurent en petites capitales, les noms de lieux et de peuples en romain, les noms des personnages mythologiques et les chiffres des pages correspondant à l'Appendice en italiques.

INDEX RERUM